De diepgevroren vrouw

Jon Michelet

De diepgevroren vrouw

Vertaald door Marianne Molenaar

2003
uitgeverij Signature / Utrecht

Dit werk is gepubliceerd met steun van
Norwegian Literature Abroad, NORLA

Oorspronkelijke titel: Den frosne kvinnen
Vertaling: Marianne Molenaar

Omslagontwerp: Wil Immink
Typografie: Pre Press B.V., Zeist
Druk- en bindwerk: Koninklijke Wöhrmann, Zutphen

ISBN 90 5672 035 X
NUR 305

1

"Wat was uw reactie toen u haar vond, meneer Thygesen?" vraagt Stribolt.

Vilhelm Thygesen geeft geen antwoord. Hij houdt zijn blik op een punt achter Stribolt gevestigd, die het ontwijkende in Thygesens ogen opmerkt en de vraag op een scherpere toon herhaalt: "Hoe reageerde u toen u de dode, het lijk, de diepgevroren vrouw vond?"

"Daar is een jongedame die naar binnen wil", zegt Thygesen, en hij wijst met de steel van zijn pijp naar het punt waarnaar hij heeft gekeken. Stribolt draait zich om op de leren bank en krijgt Vaage in het oog. Ze staat buiten op de glazen veranda aan de knop van de deur naar Thygesens gecombineerde zitkamer en kantoor te morrelen. Het is midden op de dag, 2 februari, een vrijdag, en de laaghangende zon schittert in de ijsbloemen op de ruiten. Het licht valt schuin door de ramen de kamer van dit grote houten huis in Bestum binnen. Het verleent het jutebehang een warme gloed, die weerkaatst wordt door het vergulde schrift op de ruggen van de Noorse Grondwet en van andere boeken in de kasten, en maakt de kringelende rook van een pijp zichtbaar.

"Hij zit niet op slot, maar het is een tamelijk lastige deur", zegt Thygesen. Hij staat op en loopt erheen.

Het kost Stribolt moeite het onwerkelijke van de situatie te vatten. Hier zit hij beroepshalve thuis bij een man die naar hij had aangenomen allang het tijdelijke met het eeuwige had verwisseld. Een duistere legende, die, zoals nu blijkt, een levende legende is.

Thygesen loopt een beetje mank. De paardenstaart, die hem op een oude hippie doet lijken, zwaait heen en weer. Die past niet bij het antracietgrijze pak dat hij draagt en van Italiaanse snit is, en al helemaal niet bij het witte overhemd en de witzijden das met grijze strepen, die precies dezelfde kleur hebben als zijn haar, net iets te gelikt.

Stribolt kan zich niet voorstellen dat Thygesen dagelijks zijn haardos in een paardenstaart bijeenbindt en in een modieus pak rondloopt. Hij had een wat slordiger verschijning verwacht. Toen ze naar Bestum uitrukten, had hij erop gerekend een wrak te ontmoeten, een drenkeling in de oceaan van het bestaan.

Op een notitieblok dat op de salontafel ligt, noteert Stribolt: *T. heeft zich voor ons opgedoft.*

Thygesen geeft een schop tegen de deur en draait tegelijkertijd de knop om.

Vanaf de veranda valt een ijzige windvlaag naar binnen. Buiten is het vrieskistkoud: –18. Vaages donkere pony zit vol rijp en haar wangen zijn vuurrood. Ze ziet er nog blozender uit dan anders, vindt Stribolt. Elke keer als hij met Vaage samenwerkt, bedenkt hij dat hij zijn haar net zo kort zou moeten laten knippen als zij, dat hij weer met squash zou moeten beginnen, meer op zijn uiterlijk en zijn conditie zou moeten letten. De laatste keer dat hij een avondje stappen was, had zo'n misselijke tuthola tegen hem gezegd dat hij eruitzag als een boeddhabeeld met een Beatlespruik op die te ver naar achteren was gezakt. Zoiets is niet zo moeilijk te verzinnen als je je in de Boeddha Bar bevindt, maar hij had het zich dus wel aangetrokken, en hij had zich doodgeërgerd toen hij de clientèle van de bar zag: al die klootzakken die op economische steroïden lopen. Nu irriteert het hem dat Vaage bijna net zo'n blauw, glanzend vliegeniersjack aanheeft als hijzelf. Ze zijn in burger. Toch zien ze eruit alsof ze een uniform dragen, maar niet van de politie.

"Net taxichauffeurs", mompelt Stribolt.

Vaage trekt haar handschoenen uit, geeft Thygesen een hand en stelt zich voor.

"Ik ben ook van de recherche", zegt ze. "Inspecteur, net als collega Stribolt."

"Koffie?" vraagt Thygesen. "Ik heb net gezet."

"Nee, dank u", zegt Vaage.

Stribolt zegt: "Ja, graag."

Als Thygesen de kamer uit gaat, kijkt Vaage onderzoekend om zich heen, duidelijk misprijzend. Misschien vindt ze het verwerpelijk dat er in de open haard levendig een paar houtblokken branden, terwijl er buiten onder een zeildoek in een hoek van Thygesens grote, overwoekerde tuin een ijskoude vrouw ligt.

"Ik dacht dat die Thygesen een arme sodemieter was", zegt Vaage zachtjes. "Dat hij volkomen aan de grond zat. In de jaren zeventig veroordeeld wegens moord, in de jaren negentig van bedrog beticht. Al die jaren een alcoholist en een halvegare. En dan loopt hij hier keurig in het pak rond, in deze miljoenenkast in de duurste wijk van de stad."

"Het is niet veel meer dan een ruïne", zegt Stribolt.

"Ja, maar stel je eens voor wat hij voor dat huis kan kríjgen, en voor de grond, niet te vergeten. Waarom ontfutselt hij oude dames hun kleingeld als hij dit allemaal bezit?"

"Het is gevaarlijk om geruchten te geloven", zegt Stribolt. Hij staat op en zet de muziekinstallatie zachter. Er staat een jazz-cd op, Miles Davis misschien. "Onze vrienden bij de regionale recherche zijn niet altijd even up-to-date. Die twee aangiften van Thygesen voor oplichterij zijn bij gebrek aan bewijs geseponeerd."

"Wat we daar in de tuin hebben, is moord", zegt Vaage. "Moord met voorbedachten rade, als je het mij vraagt. Dat arme kind is volgens alle regelen der kunst in stukken gehakt."

Vaage loopt rusteloos rond, kijkt naar een nieuwe, groene, doorzichtige Mac, die bij een van de op het zuiden gerichte vensters naar de tuin op een computertafel staat. Haar aandacht wordt getrokken door een dik boek dat naast de Mac ligt.

"Is Thygesen lid van een of andere lugubere sekte?" vraagt ze terwijl ze het boek oppakt.

Op de kaft staat met grote letters: LICHTTHURM.

"Ik geloof dat dat een postzegelcatalogus is", zegt Stribolt, en hij probeert zijn stem niet te stekelig te laten klinken. Hij heeft nooit aan die plotselinge omslag van Vaages stemming kunnen wennen, reageert elke keer weer even slecht op haar al te plompe reacties. Ze kan net zo wisselvallig zijn als het weer aan de kust van zijn kinderjaren.

"Oké, ik dacht dat het misschien iets met een of andere sekte te maken kon hebben", zegt Vaage. "Lichttoren of zoiets. Je kent de *Wachttoren* toch wel, slimmerik?"

Stribolt krijgt geen tijd om te antwoorden. Thygesen komt binnen met een dienblad met daarop een espressokan en drie kopjes van geborsteld staal.

“We verzoeken om toestemming om de plaats delict te onderzoeken”, zegt Vaage.

“Zijn jullie daar dan niet al mee bezig?” vraagt Thygesen, en hij knikt naar het raam. Stribolt kijkt in dezelfde richting. Daar buiten, in de zuidoostelijke hoek van de ondergesneeuwde tuin, waar bosjes en struiken eruitzien als berijpte trollen, onderzoeken technici met witte overalls over hun thermopakken het stuk grond rond de sparrenboom waaronder de vrouw werd gevonden. Drie rechercheurs zijn langs de Skogvei met hetzelfde bezig. Ze zitten op hun hurken bij het gaas dat Thygesens tuin van de weg scheidt. Waarschijnlijk kijken ze of ze bandensporen in de sneeuw vinden. Verderop langs de weg, achter de afzetlinten, staan twee politieauto’s. Een ervan met het zwaailicht aan. Daarachter staat een rode Saab waarin Stribolt een reportagewagen van de pers uit de Akersgate meent te herkennen. Een klein groepje nieuwsgierigen, voornamelijk scholieren zo te zien, staat om de auto’s geschaard.

“Ik bedoel een onderzoek van het huis”, zegt Vaage.

Thygesen zet het blad op de salontafel. Hij schenkt alle drie de kopjes vol en neemt plaats in een gemakkelijke stoel, die overduidelijk voor de heer des huizes bestemd is, zet zijn rechtervoet op een krukje en tilt zijn kopje op.

Stribolt meent te zien dat Thygesens handen licht trillen. Ze zijn smal en verrassend bruin zo midden in de winter, met een aantal opvallende levervlekken.

“Het huis”, zegt Thygesen, “is dat echt nodig?”

“De teamleiding meent absoluut van wel”, zegt Vaage.

“Oké. Ik heb een paar juridische bezwaren. Maar ik zal niet dwarsliggen. Grappig trouwens, dat jullie allebei uit het noorden komen”, zegt Thygesen. Hij steekt zijn pijp aan met een lucifer. Plukt een denkbeeldige kruimel uit zijn baard, die dezelfde kleur heeft als de espressokopjes en net zo netjes is geborsteld.

Stribolt en Vaage kijken elkaar aan. Stribolts Finnmark-dialect is naar zijn eigen opvatting zo verwaterd dat je wel professor in de linguïstiek moet zijn om te kunnen horen dat hij uit Hammerfest komt. En zelfs een professor zou zich laten misleiden door de a-verbuigingen, die hij zich in Oslo heeft aangewend.

Dat Vaage uit de regio Helgeland komt is voor een leek ongetwijfeld gemakkelijker te horen.

"Bewaar deze kamer tot het laatst", zegt Stribolt tegen Vaage. "Ik wil dit getuigenverhoor graag in alle rust kunnen afmaken."

"Gave tafel", zegt Vaage, en ze laat een vinger over het glad gepolijste blad glijden, dat gemaakt is van een grote, glanzend zwarte marmeren plaat, die drie vingers dik is. "Hij heeft zeker wel een vermogen gekost?"

"Die plaat heb ik zelf gemaakt", antwoordt Thygesen. "Ik heb ooit met steen gewerkt."

Vaage moet vergeten zijn dat ze geen koffie wilde; ze grijpt een kopje, leegt het in drie snelle teugen, loopt de veranda op en begint in haar mobiele telefoon te praten.

"Waar waren we gebleven?" vraagt Stribolt.

"Je vroeg me hoe ik reageerde toen ik haar vond."

"Laat me even terugspoelen. Ik heb nog wat nauwkeuriger persoonlijke gegevens nodig."

Stribolt kijkt zijn aantekeningen nog eens door.

"Het klopt toch dat u drieënzestig bent en in de WAO zit?"

"Bijna vierenzestig en ik noem het liever de VUT", zegt Thygesen. Hij vertrekt zijn gezicht, en Stribolt weet niet hoe hij dat moet interpreteren: is de man gepikeerd, of probeert hij net te doen alsof?

"Uw levensstandaard is niet helemaal te rijmen met het beeld dat ik heb van iemand in de WAO."

Thygesen buigt naar voren, klopt de as uit zijn pijp en haalt zijn schouders op.

"Het huis en de meubels zijn geërfd. Ik heb geen schulden. Ik heb een beetje huurinkomsten en ik verdien wat met het kopen en verkopen van postzegels via internet."

"Zoals die op het scherm?" vraagt Stribolt, en hij wijst naar de Mac.

"Ja, dat zijn Afrikaanse zegels uit de koloniale tijd. Rhodesië, Njassaland, Tanganjika."

Thygesen haalt een postzegelalbum naar zich toe en slaat het open op een pagina die is gemarkeerd met een zijden lint in de Noorse nationale kleuren.

"Dichter bij een lintje zal ik niet komen", zegt Thygesen terwijl hij het bandje omhooghoudt. "Hier heb je dezelfde pagina als die op het scherm. Ik fotografeer de pagina's uit dit album met een digitale camera en publiceer ze dan op internet. Als ik deze collectie verkoop, verdien ik tweehonderd dollar."

Stribolt werpt een blik op de postzegels, die of het Britse koningspaar of olifanten als motief hebben. Op een ervan prijkt de Kilimanjaro.

"We kunnen de filatelie verder laten voor wat die is", zegt hij. "U handelt ook in speldjes en munten?"

"Af en toe."

"Klopt het dat u ook af en toe zonder bevoegdheid de functie van advocaat uitoefent?"

"De bronnen die je daarover hebben ingelicht, zitten er niet naast", zegt Thygesen. "Waarom zou ik weduwen en wezen niet bijstaan als ze er beleefd om vragen? De grote maatschappij had mij niet langer nodig en heeft me als een baksteen laten vallen. Maar in de micromaatschappij om mij heen leven achtenswaardige behoeftigen, die zelfs nog iets hebben aan zo'n afvallige kommaneuker als ondergetekende."

"Rekent u daar iets voor?"

Thygesen haalt zijn schouders op.

"En geeft u dat op aan de belastingen?" vraagt Stribolt.

"Ik dacht dat je van Ernstige Delicten was en niet van de belastingdienst?"

Stribolt merkt dat Vaages irritatie over Thygesen op hem is overgeslagen. Dat is het risico als je met z'n tweeën in een vast rolpatroon werkt, waarin de een op de vriendelijke toer gaat en de ander iets terughoudender en gereserveerder optreedt. Als het patroon dan wordt doorbroken, glip je al snel in de rol van de ander. Ergens in zijn achterhoofd spoken opmerkingen rond die de paar nog overgebleven veteranen bij de recherche zich lieten ontvallen toen de melding van de dode vrouw bij Thygesen binnenkwam: ga er opaf en grijp die klootzak eindelijk. Ooit hoorde hij bij ons. Ooit was hij een juut, maar toen is hij een moordenaar geworden.

Nu troont hij hier, Thygesen in hoogsteigen persoon, in een kast van een huis in de duurste wijk van de stad, waar hij zich als een maffioso probeert voor te doen, koketterend met zijn ‘zwarte’ geld.

“U werkt dus zwart”, constateert Stribolt.

“Zwarter dan de nacht”, zegt Thygesen, en hij schatert het uit. Hij heeft bruine vlekken op zijn tanden. “Maar hoe ik in mijn levensonderhoud voorzie, gaat een inspecteur in een moordzaak nauwelijks iets aan. In elk geval niet zolang ik de status van getuige heb en niet die van verdachte. Ik heb jarenlang aan de grond gezeten en ben diep gezonken door de alcohol. Maar het is me met veel pijn en moeite gelukt aan die zenuwenhel te ontsnappen. Denken jullie dat ik me met misdaad weer een weg naar het leven heb gebaand?”

Stribolt pakt de marmeren plaat vast. Hij had die Thygesen graag een lesje geleerd. Hem graag een oplawaai verkocht, dat magere karkas – nog veel magerder dan op de archieffoto’s van de recherche – dat daar uiterst ongepast zit te schudden van het lachen. Hoe komt Thygesen erbij dat hij alleen maar getuige is? Hij kan verdomd snel tot verdachte worden.

“U hebt verteld dat u naar buiten ging om sparrentakken af te snijden”, zegt Stribolt. “Dan had u zeker een mes bij u?”

“Jazeker”, zegt Thygesen. Zijn gelach is verstomd. Zijn ogen versmallen zich tot spleetjes. “Jullie geloven toch zeker niet dat íк haar heb doodgestoken, wie ze dan ook mag zijn? Dat ik die juffrouw heb vermoord en onder een spar in mijn eigen tuin heb neergelegd? Jullie kunnen toch onmogelijk van zo’n bezopen hypothese uitgaan?”

“We houden alle mogelijkheden open”, zegt Stribolt, en het ergert hem dat hij een dergelijk cliché over zijn lippen laat komen. “Wat was u met die takken van plan?”

“Die vraag heb ik al beantwoord.”

“Dat doet er niet toe.”

Thygesen schenkt zijn kopje nog eens vol en haalt een zilveren doosje uit de zak van zijn colbert. Het is pruimtabak, in kleine porties verdeeld.

Thygesen herhaalt dat hij ontdekt had dat er geen enkele vogel in de twee voederbossen was geweest die hij met kerst aan de balken van de veranda had gehangen, en dat ondanks de kou na de kerstdagen.

“Toen schoot me te binnen dat ik vergeten was sparrengroen in de bossen te steken – als landingsbaan voor de mezen. Ik ben naar buiten gegaan om wat van de sparrenboom te kappen. Toen ik de onderste takken opzij boog, zag ik daar iemand liggen.”

Stribolt noteert.

“Dat is wel erg verdacht”, zegt Thygesen. “Dat iemand zijn voederbossen pas in februari afmaakt.”

“Uw sarcasme kunt u zich besparen”, zegt Stribolt.

“Neem me niet kwalijk. Maar denk je soms dat ik van ijzer ben? Het heeft me allemaal aardig aangegrepen.”

“U bent om kwart over zes naar buiten gegaan. Vroeg opgestaan?”

“Ik sta altijd vroeg op. Maar vannacht heb ik geen oog dichtgedaan.”

“Om een speciale reden?”

“Dat heeft hier niets mee te maken. Ik kan er eventueel nog op terugkomen. Iemand die mij dierbaar is, zit in de problemen. Mogelijk door uranium. Het is een lang verhaal.”

Stribolt nipt van zijn espresso. Die smaakt naar maffia, dat wil zeggen: Italiaans, dat wil zeggen: uitstekend. Hij vraagt of het goed is dat hij een sigaret opsteekt en krijgt ten antwoord dat dat natuurlijk prima is, zoals hij van een roker al had verwacht. Hij merkt dat de spanning, die altijd ontstaat tijdens een ondervraging, als een verdichting van de atmosfeer, minder wordt.

“We hebben hier een hiaat”, zegt Stribolt. “U hebt haar om ongeveer twintig over zes gevonden, maar u hebt de politie pas om achttien minuten voor tien gewaarschuwd.”

“Ik had tijd nodig om na te denken. Om de schok te verwerken. Ik wist immers dat de schijnwerpers op mij gericht zouden worden vanwege mijn criminele verleden, mijn strafblad.”

“U hebt zojuist gezegd dat het een bezopen hypothese was om u te verdenken.”

“Oké. Vergeet het. Ik dacht dat het niet zo belangrijk zou zijn hoe laat ik het zou melden. Ze moet daar immers al een poosje hebben gelegen. Ze was diepgevroren. En dan die sporen ... Die hebben me van de wijs gebracht.”

“Welke sporen?” vraagt Stribolt, ook al weet hij heel goed welke sporen bedoeld worden: die van kleine dieren rond het lijk, waardoor ook hij zijn werk even had moeten onderbreken en een brok in zijn keel had moeten wegslikken voordat hij de dode verder kon onderzoeken.

"Die heb jij toch ook wel gezien toen je daar bezig was de boel te verkennen? Muizensporen, zou ik zeggen, op die dunne sneeuwlaag onder de sparrenboom. Als het de wilde nerts niet was. Ik ben blij dat ze op haar buik lag. Toen ik al mijn moed bij elkaar had geraapt en haar omdraaide, was ik erop voorbereid dat die dieren niet alleen aan haar vingers hadden gezeten, maar dat ze geen gezicht meer zou hebben. Geen ogen. Gelukkig was dat allemaal nog intact. Ik begreep dat het bloed op haar blouse van haarzelf was. Ik had immers die scheuren in haar kleren gezien. Daarna moest ik naar de wc, als je begrijpt wat ik bedoel."

Stribolt kan zich wel voorstellen hoe geschrokken en beroerd Thygesen zich moest hebben gevoeld. Zelfs voor iemand als hij, die toch al het een en ander had meegemaakt, moest het een schok zijn geweest om een dode vrouw in de tuin te vinden. Als hij haar tenminste gevonden heeft, als niet alles wat hij nu vertelt een goed ingestudeerd toneelstukje is.

"En uw eerste reactie op de vondst, dus voordat u de dode aanraakte?" vroeg Stribolt.

Thygesen pakt een van de porties pruimtabak, die Stribolt altijd aan gebruikte theezakjes in miniatuur doen denken, en legt hem op het deksel van het doosje. Stribolt drukt zijn Marlboro-light uit in de asbak.

"Ik dacht dat het een junk was die over het hek was gevallen", zegt Thygesen aarzelend. "Een die haar roes uitsliep. Ze had immers een gewatteerde jas aan. Ik dacht dat ze in de luwte van de sparrenboom lag te slapen. Ik dacht er niet meteen aan hoe verdomd koud het is."

Stribolt krabbelt iets op zijn blok.

"En toen?" vraagt hij.

"Je weet vast wel uit eigen ervaring dat het een paar duizelingwekkende seconden duurt voordat je echt doorhebt dat je een dode voor je hebt. Mijn volgende gedachte was dat ze van ver weg kwam. Dat ze een ... hoe noemen die klerepolitici dat ook alweer? ... een vreemdelinge, een allochtoon, was."

"Waarom dacht u dat?"

"Ik had zo'n déjà vu. Vroeger was hier een eindje verderop zo'n asielzoekerscentrum. Uiterst impopulair bij de kakkers van deze wijk. Op een avond vond ik een bloedende vent in mijn tuin. Niet zomaar ergens in het gras of zo; hij lag op een van de tuinbanken. Een Koerd. Uit Irak, voorzover ik me kan herinneren. Hij was slaags geraakt met mensen uit het centrum en ze hadden hem met een schroevendraaier een jaap in zijn nek toegebracht. Hij wilde het niet aangeven, wilde ook niet naar de dokter. Het heeft me een halve fles whisky gekost om hem te ontdooien, zodat ik hem kon verbinden. Iets aan die dode vrouw deed me aan hem denken. Dat ravenzwarte haar, die markante wenkbrauwen."

Stribolt steekt nog een sigaret op en laat een pauze vallen.

"Wilt u verder nog iets kwijt over uw overpeinzingen toen u haar vond?" vraagt hij.

"Iets volkomen absurds", antwoordt Thygesen. "Ik dacht dat een makelaar in onroerend goed haar hier gedumpt had."

"Een makelaar?"

Ze worden onderbroken door het idiote marsdeuntje van Stribolts mobiele telefoon. Hij heeft nog niet de tijd gehad om een ander signaal te programmeren. Hij haakt het toestel van zijn riem, drukt op de knop en luistert.

"Voor dit gesprek moet ik even alleen zijn", zegt hij tegen Thygesen.

"Zal ik weggaan?"

"Nee, ik ga wel naar de hal."

In de hal is het zo chaotisch, armoedig en koud als Stribolt van Vilhelm Thygesens huis had verwacht. Hij struikelt over een versleten voddenkleed, schopt een bamboeskistok weg, die eerder in het Skimuseum had thuisgehoord, en gaat op de onderste tree van de trap zitten. Er sluipt een technicus van de recherche langs in een condoompak en met blauwe rubberhandschoenen aan.

Het telefoontje komt uit de Akersgate. Het is een journaliste die hij kent, die hij wel eens een tip heeft gegeven en die hij enigszins vertrouwt, met wie hij zelfs wel eens een borrel in de Trostrupkjeller heeft gedronken.

"Het klopt dat we met een onderzoek bezig zijn bij voormalig advocaat Vilhelm Thygesen in verband met een mogelijke moordzaak", zegt Stribolt. "Het klopt dat we een dode op zijn terrein hebben gevonden. Dat hebben jullie waarschijnlijk met eigen ogen kunnen constateren vanuit die reportagewagen. Maar het klopt níét dat Thygesen verdacht wordt. We horen hem als getuige."

Stribolt ontdekt dat hij een peuk bij zich heeft die nog gloeit. Hij drukt hem uit in een blikken schaaltje met resten van iets wat op kattenvoer lijkt. Laat Thygesen, die satan in hoogsteigen persoon, zich met katten in?

"Wat bedoel je met 'Eens een moordenaar, altijd een moordenaar'?" zegt Stribolt. "Bespaar me dergelijke nonsens alsjeblieft. Als ik je een raad mag geven: behandel deze zaak terughoudend en smeer Thygesen niet over de voorpagina uit. Misschien herinner je je nog vaag dat schitterende WEES BEHOEDZAAM-affiche? Hou je daar voorlopig aan. Als blijkt dat Thygesen werkelijk aan het moorden is geslagen, zal ik je zijn hoofd op een zilveren dienblad presenteren."

Stribolt voelt iets langs zijn been en merkt dat al zijn haren overeind gaan staan. Het is een kat. Een kleine tijger, net zo mager als zijn eigenaar, maar zijn vacht is minder grijs. Stribolt is altijd van mening geweest dat hij allergisch voor poezen had moeten zijn. Dat is hij weliswaar niet, maar hij reageert in elk geval mentaal op ze. Voor hem staat als een paal boven water dat alle katachtigen, van grote leeuwen tot kleine poezen, in een dierentuin horen te worden opgesloten. Hij schopt de kat weg. Als iemand hem had gezien, zou hij beweerd hebben dat het geen schop was, maar een zet, niet harder dan de aftrap bij een voetbalwedstrijd.

"Hoe weet je dat de dode een vrouw is?" vraagt hij de journaliste. "Oké, laten we zeggen dat het een vrouw is."

Tijger eet nu een peuk. Daarvan zou hij ziek moeten kunnen worden.

"Nee, we hebben haar nog niet geïdentificeerd", zegt Stribolt. "Dat wil zeggen: ik weet niet of ze geïdentificeerd is. Ze voldoet aan geen enkel signalement op onze lijst van vermisten. Maar we hebben die alleen maar even snel doorgekeken voor we naar de plaats delict reden. Voor de identificatie moet je bij Vaage zijn. Hallo, ben je daar nog? De verbinding is slecht. Ik ben bezig met een ondervraging. Ja ja, ik hoor wel dat je zegt dat je met Vaage niet zo goed overweg kunt. Maar niemand van de recherche zit in deze business om door onze geëerde pers bemind te worden."

Die kleine gluiperd eet de peuk toch niet op. Het is een slimme kat.

"Hallo, ja. Nee, we weten dus niet wie ze is", zegt Stribolt, en hij drukt het gesprek weg, ademt diep uit, probeert er niet aan te denken dat hij onzin heeft uitgekraamd én heeft gedacht om die journaliste van repliek te dienen. Hij dwingt zichzelf terug te keren tot de letterlijk bloedige ernst.

Ze hadden de dode vrouw niet de keel afgesneden. Aan haar hals had hij slechts een paar krassen opgemerkt. Haar borst en haar buik daarentegen hadden het moeten ontgelden. Een of andere idioot. Zoveel steken.

De technicus, een man die Larsson heet, komt weer naar beneden.

"Weet jij of Thygesen huurders heeft?" vraagt hij. "Het lijkt erop dat er op de eerste verdieping een aparte woning is. De deur zit op slot."

"Vraag Thygesen naar de sleutel. Hij heeft iets over huurinkomsten gezegd. Dan heeft hij daarboven vast een paar kamers verhuurd."

Bij aankomst was het Stribolt opgevallen dat er twee bellen bij de voordeur zaten. Hij gaat naar buiten, waar de kou hem midden in zijn gezicht slaat. Onder de ene drukknop, een ouderwets bronzen geval, zit een geelkoperen bordje waarop FAM. THYGESEN staat.

Niet veel over van die familie, denkt Stribolt. Het is niet moeilijk om achter de façade die Thygesen nu heeft opgetrokken een eenzame ziel te herkennen. Hij woont alleen, net als het leeuwendeel van de bewoners van de hoofdstad. En ook al spookt het niet op de zolder van de honderd jaar oude Thygesen-villa, in het hoofd van zijn bewoner spoken beslist talloze demonen rond.

Onder een moderne witte drukknop is een reepje Dymotape geplakt waarop V.C. ALAM staat. Thygesens huurder is dus hoogstwaarschijnlijk van buitenlandse afkomst. Een Pakistaan?

Voor de voordeur van het huis staat een van de onopvallende

auto's van de recherche. Een ding dat de meesten een schroothoop vinden, maar waar Stribolt graag in rijdt. Daarnaast, voor een met mos begroeide garage, die net als het huis uit houten balken is opgetrokken, staat een ondergesneeuwde, halfverroeste Ford Fiësta zonder nummerborden. Het lijkt een dwerg naast de oude Nissan van de recherche, die vierwielaandrijving heeft en een kist met uitrusting op de laadbak.

De garage heeft een aanbouw, die hoogstwaarschijnlijk als houtschuur dienstdoet. Langs de muur is keurig een paar vadem brandhout opgestapeld. Er staat een hakblok waar een bijl in steekt. Rondom liggen pasgekliefde houtblokken. Naast de garage is een gloednieuwe broeikas gebouwd, waar licht in brandt. Door het beslagen glas kan Stribolt vaag gewassen onderscheiden die aan marihuana doen denken. Het zullen wel tomatenplanten zijn.

Een zuchtje wind laat de sneeuw uit de grote dennenbomen bij het smeedijzeren hek op de Skogvei neerdwarrelen. Stribolt huivert en gaat weer naar binnen. De haken in de gang hangen vol werkkleding en jassen. Op een kruk ligt een motorzaag; er is een plasje olie op de grond gedruppeld. Hij concludeert dat Thygesen veel tijd besteedt aan tuinieren en houthakken, als hij niet zwart werkt als advocaat of zijn geluk beproeft als internethandelaar.

Of misdaden begaat die zo luguber zijn dat zelfs een door de wol geverfde inspecteur er liever niet aan denkt.

Aan de riem van een loden knickerbocker hangt een mes in een versierde, met zilver beslagen leren schede.

Het heft lijkt wel van rendiergewei gemaakt. Er zitten roodbruine vlekken op.

Larsson komt binnen en laat hem een sleutel zien.

"Thygesen zei dat de huurder een vrouw is", zegt Larsson. "Volgens hem werkt ze op het ogenblik in het buitenland."

"Onderzoek dat mes met dat heft van rendiergewei", zegt Stribolt. "Zijn dat bloedvlekken?"

"Dat lijkt inderdaad opgedroogd bloed, ja. Maar dat heft is volgens mij van ivoor."

"Vergeet niet dat ik uit Finnmark kom en dus heus wel weet hoe rendiergewei eruitziet. Bovendien is ivoor verboden."

"Oud ivoor niet", zegt Larsson. Hij haalt de schede voorzichtig van de riem en laat het mes in een plastic zak glijden.

"Kijk maar eens of je daar boven een foto van die huurster vindt. Een pasfoto of iets dergelijks."

"Denk je dat zíj het is, dat hij zijn eigen huurster heeft vermoord?"

"Ik denk niets."

In de kamer staat Thygesen licht voorovergebogen voor de spekstenen open haard zijn handen te warmen. Stribolt kucht even. Thygesen recht zijn rug.

"Laten we weer gaan zitten", zegt Stribolt. "Vertel eens iets over uw huurster."

Thygesen gaat zitten en staart leeg de kamer in, waaruit het licht zich langzaam terugtrekt.

"Hoezo?" zegt hij. "Vera is al sinds vlak na de kerst op de Balkan. Ze weet nog minder over wat er is gebeurd dan ik."

"Vera Alam?" vraagt Stribolt terwijl hij notities maakt.

"Vera Christophersen Alam. Ze heeft een Noorse moeder. Haar vader kwam uit Bangladesh. Ze is een soort stiefdochter van me", zegt Thygesen, en hij zwijgt.

"Aha."

Thygesen rommelt wat in de zak van zijn colbert. Hij pakt de pijp, die hij op de marmeren tafel had neergelegd, maar stopt hem niet; hij blijft stil zitten, terwijl hij met de toppen van zijn vingers over de kop wrijft.

"Naarmate je ouder wordt heb je steeds meer lange verhalen te vertellen", zegt Thygesen ten slotte. "Ik zal je de korte versie geven. Vera's moeder was mijn vriendin. Ze werd vermoord. Kleine Vera trok de wijde wereld in. Begon voor idealistische organisaties te werken. Nog koffie?"

Zonder het antwoord af te wachten pakt Thygesen een koperen ketel, die hij naast het vuur in de open haard had neergezet.

Die keer in de jaren tachtig werd hij ook verdacht, denkt Stribolt. Voor de moord op een journaliste. Is die eigenlijk ooit echt opgelost? De vermoedelijke moordenaar pleegde zelfmoord bij de rivier de Lysakerelv.

"Dit is pruttelkoffie", zegt Thygesen. "Ik kreeg de indruk dat je die espresso lekker vond, maar ik heb geen Lavazzo meer."

Hij heeft een paar grote koppen voor den dag gehaald, en een melkkannetje.

Stribolt bedenkt dat er meer voor nodig is dan koffie met melk om zijn aandacht af te leiden.

"Vera kwam zo'n vijf à zes jaar geleden thuis", zegt Thygesen. "Ze was van plan een cursus te volgen op de universiteit. Servo-Kroatisch. Ze wilde graag hier op kamers. Dat leek me gezellig, en ik heb immers ruimte genoeg. Ze is heel weinig thuis geweest, maar heeft die twee kamers aangehouden als een vast punt in haar bestaan. We zijn een huurprijs voor haar overeengekomen die ver onder de marktprijs ligt."

"Waar is ze nu?"

"In Bosnië, in opdracht van Norsk Folkehjelp. Met Kerstmis is ze een tijdje thuis geweest, en de dag na kerst is ze weer vertrokken. Ze had hier een verhouding met iemand, maar nu is er niets meer wat haar in Noorwegen houdt, zeker niet zo'n ouwe zak als ik."

"Hoe oud is Vera Alam?" vraagt Stribolt.

"Iets jonger dan jij. Drieëndertig."

Thygesen zit nu aan zijn doosje met pruimtabak te friemelen. Stribolt neemt een slok koffie; die smaakt net als de pruttelkoffie uit zijn jeugd in café de Prairie, in de noordelijkste stad ter wereld.

"Was er nog iets meer tussen jullie, behalve dat jullie elkaars huurster en verhuurder waren?"

Een scheef glimlachje van Thygesen.

"Voor zulke dingen begin ik te moe te worden. En ik had geen kans gemaakt, ook al zou ik iets hebben geprobeerd."

"Waarom niet?"

"Gewoon, omdat het een moderne jongedame is die op vrouwen valt."

Beiden schrikken ze van het geluid van een politiesirene. Het sterft net zo snel weer weg als het is opgeklonken. Stribolt is zo gaan zitten dat hij uitzicht heeft op de glazen veranda. Hij constateert dat er vogels in Thygesens voederbos zitten, ook al zijn daar nooit sparrentakken in gestoken.

Vaage en Larsson komen binnen. Larsson houdt iets achter zijn rug verborgen en Stribolt gokt dat het het mes van rendiergewei is.

Vaage, die ofwel in een ongelooflijk norse bui is, ofwel doet alsof, legt een kleurenfoto op de tafel.

"Is dit uw huurster?" vraagt ze.

"Verdomme, jullie nemen echt alle vrijheid", verzucht Thygesen. "Is het nu nodig om ook in háár spullen te wroeten?"

Stribolt kijkt naar de foto. Er staat een donkere vrouw op; ze staat tegen een jeep geleund en knijpt haar ogen dicht tegen de felle zon, een zonnebril op haar voorhoofd geschoven.

Hij kijkt naar Vaage. Die klemt haar lippen op elkaar. Ze denken dus allebei hetzelfde, namelijk dat er een opvallende gelijkenis is tussen Vera Alam en de vermoorde vrouw.

Bijna als in een reflex pakt Thygesen een sigaret uit Stribolts pakje en hij steekt die aan met handen die nu hevig beven.

Beken, denkt Stribolt. Beken nu ter plekke. We hebben het lijk, we hebben het mes, we hebben jaloezie als motief.

"Ik kan jullie gedachten lezen", zegt Thygesen met trillende lippen. "Als je zoiets moois gedachten kunt noemen. Hersenspinsels zijn het! Ik weet dat jullie het hoogste percentage opgeloste moordzaken hebben. Dat jullie ongelooflijk goeie smerissen zijn. Maar als jullie echt denken dat ik Vera vermoord heb, zijn jullie de twee minst talentvolle detectives die ooit op twee benen hebben rondgelopen. Sherlock Holmes draait zich om in zijn graf."

"Rustig nu maar", zegt Vaage.

"Rustig nu maar?" blaast Thygesen. Zijn magere gezicht ziet zo rood als de gloed in de open haard. "Ik heb nooit kinderen gehad. De vrouw die ik als mijn dochter heb beschouwd, ligt niet onder een sparrenboom in Noorwegen. Vera ligt in het ziekenhuis in Sarajevo. En als iemand dat op zijn geweten heeft, dan is dat niet mister Thygesen, maar die klote-NAVO."

"De NAVO, hoezo dat?" vraagt Stribolt.

"Ze hebben een knobbeltje uit haar slokdarm gehaald. Zijzelf heeft me een mailtje gestuurd dat de bult goedaardig was. Aan de telefoon vertelden haar collega's dat ze daar nog niet zo zeker van zijn. Ze vermoeden dat ze vergiftigd is door verarmd uranium. Tijdens de acties van de mijnendienst is ze in elk gebombardeerd dorp in Bosnië geweest. Ze heeft daar water gedronken en groente gegeten. Daarna heeft ze in Kosovo gewerkt, en nu de laatste tijd in de Servische wijken van Sarajevo, waar de mensen volgens henzelf eeuwig met uranium vergiftigd zijn."

“We hebben geen behoefte aan een politiek betoog”, zegt Vaage chagrijnig. “Wie kan bevestigen dat Alam in Sarajevo is?”

“Simpel genoeg”, zegt Thygesen. “Bel Norsk Folkehjelp.”

Vaage wappert met haar handen voor haar gezicht.

“Ik word gek van die rook hier”, zegt ze. Ze loopt naar de deur van de veranda, geeft er een fikse trap tegen, jaagt mussen en mezen de schrik op het lijf en gaat buiten in haar mobieltje staan blaffen.

“Dan kunnen we Vera Alam wel van de lijst schrappen”, zegt Stribolt. “U had het over makelaars in onroerend goed, meneer Thygesen?”

“Pure nonsens, ja. Er kwam zo’n vaag idee bij me op dat een makelaar dat lijk in mijn tuin kon hebben gelegd. Ze belagen me als aasgieren, die makelaars; ze proberen me zover te krijgen dat ik alles verkoop, zodat ze rijtjeshuizen op het perceel kunnen bouwen en miljoenen kunnen vergaren. Die perverse idioten zouden misschien succes hebben als ze mij weer voor moord achter de tralies konden krijgen.”

Stribolt moet een glimlachje verbijten.

“U hebt geen betere theorie die een paar talentloze snuffelaars zou kunnen helpen?”

“Het enige wat ik kan bedenken”, zegt Thygesen, “is dat die dode puur toevallig bij mij is beland. Ik geloof dat ze ergens anders is vermoord, ’s nachts naar deze stille wijk is vervoerd en toen over een hek is gekieperd op een plek waar de onderste sparrentakken haar zouden bedekken. Degene die dat gedaan heeft, had tijd nodig om te verdwijnen. Maar ze waren niet bang dat er een spoor naar hen toe zou leiden als ze gevonden werd.”

Stribolt schrijft dit op. Hij voelt dat er iets van zijn spanning is verdwenen.

Zo niet bij Vaage, die tegen haar zin moet bevestigen dat de informatie van Norsk Folkehjelp overeenkomt met die van Thygesen. Ze heeft de deur van de veranda niet achter zich dichtgedaan toen ze binnenkwam; ze houdt van frisse lucht. Ze wenkt Larsson, die uit de coulissen tevoorschijn komt en de plastic zak met het mes op tafel legt.

Thygesen reageert niet op een bijzondere manier als hij het mes ziet.

"Hier hebben we een mes waar bloedvlekken op zitten", proclameert Vaage.

"Runderbloed", zegt Thygesen. "Ik heb een lading rundvlees van een vriend gekregen – Bernhard Levin, een vroegere collega uit de tijd toen ik nog advocaat was. Nu hysterisch bang voor de gekkekoeienziekte. Ik heb het vlees in stukken gesneden met mijn jachtmes, het scherpste dat ik heb, en het in de vriezer gestopt."

"En uw andere messen?" vraagt Vaage.

"Die moeten hier ergens zijn. Jullie zullen ze wel vinden", zegt Thygesen, en hij kijkt op zijn horloge, een Omega die handmatig moet worden opgewonden. "Als jullie me willen verontschuldigen ... Ik moet naar een begrafenis. Dat hadden jullie vast al begrepen vanwege mijn pak. Op mijn leeftijd heeft een begrafenispak geen mottenballen meer nodig. De show begint om halfvier. In die afschuwelijke Ullern-kerk een stukje verderop. Een van mijn beste vrienden van de middelbare school. We hebben samen eindexamen gedaan. Het is het beste als jullie iemand in mijn huis posteren tot ik terug ben, dan hebben we geen gedoe met sleutels en zo."

Stribolt volgt hem naar de deur. Van achter al die werkkleren in de gang haalt Thygesen een beige kameelharen mantel tevoorschijn, ongeveer de chicste die Stribolt ooit heeft gezien.

"Van wie is die kleine Ford zonder nummerborden?" vraagt Stribolt.

"Dat is het wrak van Vera. Ik heb al jaren geen rijbewijs meer."

"Ik blijf hier tot u terugkomt, en dan gaan we verder met de ondervraging."

"Prima", antwoordt Thygesen, en hij loopt naar het hek. Hij is vergeten een paar dichte schoenen aan te trekken.

Zijn tenen zullen bevriezen, denkt Stribolt.

"Ik laat Thygesen schaduwen", meldt Vaage.

Stribolt antwoordt niet. Hij vermoedt intussen dat het nog wel een paar maanden kan duren voordat ze de oplossing vinden, óf dat ze voor iets onoplosbaars staan. Maar dat zegt hij niet tegen Vaage, want dat wil ze niet horen.

2

Vaage stuift onaangekondigd Stribolts kantoor binnen. Hij zat net te dagdromen dat hij in de schoenen van Michael Douglas stond en klikt haastig zijn screensaver met Catherine Zeta-Jones in elegante avondjurk weg.

Maar hij is te laat, zoals altijd, en Vaage roept: "Smeerlap!", zoals altijd – ze hebben zo hun kleine rituelen. Op het scherm verschijnt automatisch een andere screensaver, van een andere toneelspeler, Stribolts stadgenoot Bjørn Sundquist, in de rol van Hamlet met een doodskop in zijn uitgestrekte hand.

Het is maandag 12 februari. Er is meer dan een week verstreken sinds ze de dode, die diepgevroren vrouw, hebben gevonden. En de bittere waarheid is dat ze nog minder hebben dan niets. Het enige wat Stribolt heeft, die verantwoordelijk is voor de verhoren, is dat hij Vilhelm Thygesen op een flagrante leugen heeft betrapt. Thygesen vertelde tijdens de ondervraging dat hij op zaterdag 27 januari samen met Bernhard Levin en diens vriendin in restaurant Arcimboldo gegeten had. Dat was fysiek onmogelijk, en Thygesen probeert iets te verdoezelen door over dit restaurantbezoek te liegen. Maar wil hij daarmee een moordplan camoufleren dat zo geraffineerd is dat het geen enkel spoor heeft nagelaten, of is het alleen maar wat gerommel in de marge?

Thygesen heeft níét gelogen over de verblijfplaats van zijn huurster, Vera Alam. Norsk Folkehjelp heeft bevestigd dat zij voor die organisatie in Sarajevo werkt en dat ze zich daar momenteel bevindt.

"Ik stel voor dat we alles nog eens doornemen", zegt Vaage. Ze draagt haar kantoor-outfit: een sweater en een wijde trainingsbroek. Diezelfde yankee-outfit heeft ze aan als ze ijzer staat te pompen. Tonnen heeft ze geheven de afgelopen week, uit frustratie dat ze als teamleidster van het technisch onderzoek niets tastbaars heeft om van uit te gaan. Nog niet de kleinste steekhoudende druppel bloed of iets anders met genetische informatie, slechte bandensporen, geen voetsporen. En het ergste van alles:

geen identiteit van de dode. Het enige wat Vaage heeft, is iets wat ze in het begin enthousiast de 'plastic strepen' noemde: sporen van plasticlijm op het lichaam van de dode. Die strepen duiden erop dat de vrouw iets op haar lijf geplakt had wat ze verbergen wilde, en dat wijst op drugs. Maar het enige waarmee Vaage kan schermen, zijn een paar verdroogde klompjes hasj, die net zoveel waard zijn als de sneeuw van het jaar daarvoor, en vier ampullen met morfine uit de Tweede Wereldoorlog.

Geen enkele informant in Oslo heeft enige informatie. Het publiek houdt zich ongebruikelijk stil. Er zijn zelfs nauwelijks idiote tips.

De kranten brachten het nieuws verrassend bescheiden en hebben vervolgens hun belangstelling voor de zaak verloren.

"Nog iets nieuws van jouw onderdeel van het getuigenfront?" vraagt Stribolt. Buitenlandse tips heeft hij aan Vaage overgelaten.

"Die kerel uit Västerås, die beweert dat zijn vriendin uit Syrië, of uit het asielzoekerscentrum, 'm naar Noorwegen is gesmeerd, komt morgen om Picea te bekijken."

Ze hebben de naamloze dode de naam Picea gegeven, naar het Latijnse woord voor 'spar'. Het was een impulsief voorstel van Stribolt en hij heeft er spijt van omdat het aan Ikea doet denken, en bij Ikea krijgt hij last van claustrofobie en een acute koopblokkade.

De man uit Västerås is al eens veroordeeld voor verkrachting en onzedelijke handelingen met minderjarigen. Picea is niet seksueel misbruikt. Dat weten ze met de zekerheid waarmee ze zoiets kunnen weten, gebaseerd op het gerechtelijk-geneeskundig onderzoek. Dat bespaart hun de walging van de jacht op een zedendelinquent, maar aan de andere kant is daarmee een motief dat vaak tot aanhouding leidt in deze zaak uitgesloten.

"Nieuws van Interpol?" vraagt Stribolt.

"Niets bruikbaars, maar ongelooflijk veel weerzinwekkends wat vrouwen betreft. Het heeft me zacht uitgedrukt gechoqueerd hoeveel niet-Europese vrouwen er in Europa als vermist zijn opgegeven. En misschien zelfs nog meer verbaasd hoeveel donkere vrouwen en meisjes er jaarlijks in ons deel van de wereld worden gevonden die van het leven beroofd zijn, en hoe groot het aandeel is dat niet geïdentificeerd kan worden. In het archief in Lyon zijn kilometerslange lijsten. Per jaar worden er zo'n drie- tot vierhonderd vrouwen uit landen buiten het Schengen-gebied in Europa vermoord. In veel gevallen komt Interpol er nooit achter wie ze zijn, en er wordt bijna nooit een dader gepakt."

Vaage heeft ongebruikelijk lang achtereen gesproken, met haar stem in mineur. Ze had daarbij niet die normale, verbeten uitdrukking op haar gezicht. Er gleed een melancholieke schaduw overheen. Even is ze uit de rol gestapt die ze speelt. Eigenlijk spelen ze allebei een rol – om de routinematige ontmoetingen met de dood te kunnen verdragen, om de crisispsychiaters op afstand te houden.

Stribolt, die al zo lang met Vanja Vaage samenwerkt dat hij haar beter kent dan haar eigen vader, wacht tot ze terugkeert tot haar rollenspel en weer die harde politievrouw wordt die ze heet te zijn. Ze staat met haar armen stijf langs haar lichaam heen en weer te zwaaien. Een rietstengel in de wind zal ze nooit worden, daar is ze te robuust voor, maar ze heeft haar kwetsbaarheid getoond. Natuurlijk weet hij dat ze die heeft, ook al laat ze dat zelden blijken.

"Ga zitten, Vanja", zegt Stribolt, terwijl hij op een verschrikkelijke manier zijn keel schraapt. Hij heeft geprobeerd om Thygesens voorbeeld te volgen en tabak te pruimen. Het is geen succes. Hij had net zo goed kunnen proberen om gemalen kattenstront te nemen.

Voor hem op tafel ligt een close-up van Picea's gezicht. Die ligt daar om hem eraan te herinneren in wat voor duistere materie ze graven. Dat Picea's linkeroor is misvormd als gevolg van een verwonding zou hen bij de identificatie moeten kunnen helpen. De patholoog-anatoom is van mening dat die verwonding afkomstig kan zijn van een beet, misschien van een hond, hoogstwaarschijnlijk toen ze nog tamelijk klein was. De odontologisch expert meende dat haar vullingen – niet veel voor haar leeftijd, ze vermoeden dat ze tussen de dertig en vijfendertig jaar oud was – typerend waren voor het Midden-Oosten. In haar onbeschadigde oor zat een 'verse' scheur. Mogelijk dat de dader, of daders, haar een oorbel heeft afgerukt.

"Van de jas die ze droeg gaan er dertien in een dozijn", zegt Vaage, en ze start haar laptop, die ze op haar schoot heeft gezet.

"Kunststof van het merk Portofino. Geproduceerd in Slovenië. Te verkrijgen in alle EU-staten en op Groenland. Zou Picea soms een eskimo zijn geweest?"

"Dat heet tegenwoordig Inuit", corrigeert Stribolt.

"Sorry, flauw grapje", zegt Vaage. "Picea's laarsjes waren zo versleten dat we geen merk meer in de zolen konden vinden. De rest van wat ze aanhad waren keurige, weinig sexy vrouwenkleren."

"En al die bloederige messen bij Thygesen?"

"Sneeuwhoenbloed, forellenbloed. Die man eet in elk geval gezond. Volle vriezer. Genoeg rode bessen om een heel regiment mee te voeden."

"Hij maakt er wijn van. Zware wijn, niet eens zo slecht. En dat mes met dat zogenaamde ivoren heft?"

"Runderbloed, zoals hij al zei. O ja. En die bandensporen waar ik mijn hoop min of meer op had gevestigd, blijken dus geen cent waard."

Ze legt de foto's van de afgietsels van de sporen op Stribolts bureau neer. Hij schuift een stapel boeken opzij met bovenop de twee delen van Frans G. Bengtsson over koning Karl XII.

"Er lag puur ijs op de weg", zegt Vaage. "We hebben een flinter van een afdruk in de sneeuw vlak bij het hek. Die lui van het lab zijn van mening dat het een standaardband van Continental betreft. De meest voorkomende in Noorwegen. Hij kan van een kleine bestelwagen zijn. Het afgietsel vertoont geen speciale kenmerken van de banden."

"Geen andere sporen dan van Thygesen in de tuin?" vraagt Stribolt.

"Niets. Ook geen enkel spoor in de onderste sneeuwlagen."

"Ik overtreed de Noorse wet en steek een sigaret op."

"Dan roep ik de arbeidsinspectie", zegt Vaage liefjes. Ze loopt naar het raam, doet dat open en blijft daar staan. "Vertel me nu eens wat jij eigenlijk denkt, met die mentale radar van je die af en toe tot achter de zichtbare horizon reikt. Ik wil geen kruimels of bedroevende feiten. Doe mij eens zo'n typisch Stribolt-panorama."

Stribolt legt het pakje sigaretten weg, pakt de sneeuwbol die onder zijn archief van losse vellen schuilging, schudt hem heen en weer, laat de sneeuw over de Eiffeltoren dwarrelen – de bol is een cadeautje van zijn moeder, van een bejaardenreisje naar Frankrijk – en roept met zalvende stem: "De maestro van de Arctis schouwt naar wat voor het gepeupel verborgen is ..."

"Terzake", zegt Vaage.

"Goed, aan de rand van een stoffig dorp aan de bovenloop van de Eufraat zie ik een jong meisje hollen. Ze speelt met een hond. Hij bijt haar, maar het beest heeft gelukkig geen hondsdolheid. Die schandvlek aan haar oor stoort haar niet zo. Maar er is iets met haar waardoor ze niet gewoon trouwt en een vrouw met een hoofddoekje wordt. De hang naar avontuur misschien? Een drang om uit de verveling, de armoede te ontsnappen. Ze gaat naar de grote stad – Beirut, Istanbul, Samarkand. Ze krijgt de verkeerde vrienden. Ze beloven haar rijkdom als ze een enkele trip maakt. Ze plakken zakjes met heroïne op haar lichaam. Misschien verkeert ze in een positie waarin ze niets te verliezen heeft. Ze reist naar het noorden. In Noorwegen, of voor mijn part in Zweden – ze kan een heel eind vervoerd zijn na haar dood – loopt er iets fout tijdens de overdracht. Er is iets wat de argwaan of de angst van de drugsbende wekt. Misschien is Picea gezien door iemand die haar niet had mogen zien. Het is niet de meest professionele bende. Want dan zou ze met een kleinkaliber pistool zijn doodgeschoten en in een fjord of een meer zijn gedumpt. De bende doodt haar met het wapen dat voorhanden is, het gebruikelijke mes. Maar degene, of degenen, die het gedaan heeft, is gewiekst genoeg om te checken of er geen sporen worden achterlaten die kunnen verraden wie ze is – in elk geval geen gemakkelijke – en dan dumpen ze Picea in een stille wijk, in een stille nacht."

"Goed scenario", vindt Vaage. "Maar je hebt één ding vergeten: de rol van Thygesen in het geheel."

"De dieptepsychologische analyse daarvan laat ik aan de diabolische denkster uit Træna over."

"Pas maar op jij, verdorie!"

Stribolt biedt haar een suikervrij Ricola-citroensnoepje aan. Vaage neemt het aarzelend aan, vermaalt het zuurtje in no time en zegt: "Ik heb ook een zwak voor die drugstheorie. Maar dan inclusief Thygesen, en misschien Vera Alam. Zij opereert op de

Balkan. Ze kan contacten hebben met de Kosovo-Albanese maffia. We weten dat ze hasj gebruikt."

"Ho, stop", zegt Stribolt. "Die paar gram die we in dat autowrak van haar hebben gevonden waren prehistorisch. Groene libanon. Groen van de schimmel."

"Laat me uitpraten. Thygesen is degene die het spul hier in ontvangst neemt. Hij is een zwakke schakel. Verdomde kakker, bezig de drugshandel te verruilen voor het postzegelparadijs. Toch heeft de bende hem nodig. Geen reden om Ville Thygis een kopje kleiner te maken. Hij verdient een waarschuwing. Het schorem denkt: we helpen een koerier om zeep die we niet meer nodig hebben. We dumpen haar bij Thygesen. De boodschap is: zo vergaat het jou de volgende keer als je met je verfomfaaide vleugels probeert weg te fladderen, ouwe arend. Ze rekenen erop dat hij haar zal vinden en haar in zijn composthoop zal begraven. Ze hebben nooit gedacht dat *wíj* Picea zouden vinden."

"Een acht plus voor die theorie", zegt Stribolt. "Voor een tien had je erin moeten verwerken dat Thygesen ons over de vondst van het lijk informeerde, en dat we geen ene mallemoer hebben die hem met drugs of een of andere vorm van georganiseerde misdaad in verband brengt."

"Vertel eens wat Thygesen zei over die oplichtingszaken", vraagt Vaage.

Stribolt roept zijn proces-verbaal van verhoor op, netjes aangebracht in het schema, dat een onderdeel is van het registratieprogramma van de politie: Bedrijfs Processen Systeem of BPS. Wat er op zijn bureau aan orde ontbreekt, maakt hij in de computer weer goed.

"Nou ja, bedrog. Beide gevallen lijken mij pure soap."

"Hoezo soap?"

"Theater uit de beste wijk van de stad. De eerste aangifte was van een buurman, die beweerde dat Thygesen hem had belazerd in verband met een lading berkenhout. Die buurman had Thygesen een paar bomen op zijn grond laten vellen. In de aangifte beweerde hij dat het nooit vanzelfsprekend was geweest dat Thygesen het hout voor niets zou krijgen."

"Sluwe vos", zegt Vaage.

“Dat zei Thygesen ook, en hij voegde eraan toe, ik citeer: ‘Buurman Kyrre Svendsby is zo pathologisch gierig dat hij waarschijnlijk de velletjes berkenbast die na het omhakken zijn blijven liggen in plaats van wc-papier heeft gebruikt. De aangifte is vast het gevolg van Svendsby’s afgunst toen hij over het hek keek en zag hoeveel prima brandhout al die berken opleverden.’”

“En de volgende act in die rijkeluissoap?”

“Hier hebben we te maken met een juffrouw van een spoedig uitgestorven ras. Miss Meidell uit Sollerud. Een stinkend rijk oud geraamte van het soort dat vroeger couponknipper werd genoemd. Thygesen zou haar helpen haar aandelenportefeuille door te nemen en haar testament op te stellen.”

“En hij verkocht die aandelen voor minder dan de nominale waarde en benoemde zichzelf tot voornaamste erfgenaam?”

“Nee, hij kocht twee sets geëmailleerde olympische speldjes – waarschijnlijk wat we tegenwoordig pins noemen – van juffrouw Meidell. Zelf zegt Thygesen over deze handel: ‘Die speldjes waren gemaakt ter gelegenheid van de Olympische Winterspelen in Oslo in 1952. Alle scholieren in de stad kregen een paar sets, die ze moesten verkopen. Het geld zou aan een goed doel worden besteed. Die heks van Meidell verbood haar neef die dingen aan de gewone man te brengen. Dat vond ze beneden de waardigheid van de familie. Ze nam de sets in beslag. Ik vond ze tussen haar stapel documenten. Ze vroeg of ik ze wilde hebben. Ik was bang dat ze dat dan van mijn honorarium zou aftrekken, dus bood ik haar aan ze voor honderd kronen per set te kopen. Ik geef toe dat het een symbolisch bedrag was en dat ik wist dat ik een goede slag sloeg. Maar handel is handel, en dat mens was het ermee eens. Pas toen ze erachter kwam hoeveel die sets waard waren – helaas – gaf ze me aan.’”

“En wat waren ze waard?” vroeg Vaage bars.

“Volgens Thygesen zijn dat de enige twee complete sets ter wereld. Hij vertelde dat hij tienduizend kronen heeft gekregen voor de zilveren speldjes en achtduizend voor de bronzen. Ik snap dat je niet bijster onder de indruk bent van zijn handel en wandel, maar het is nu niet direct een geval voor de belastingdienst.”

“Als hij met al zijn deals zo uitgekiend is, dan hóéft hij misschien helemaal niet te dealen”, zegt Vaage.

“We hebben in elk geval die morfine nog”, troost Stribolt.
“Klotemorfine.”

Wat de morfine betreft, die de recherche in een oud medicijnkastje in Thygesens kelder had gevonden, kan Vaage slechts melden dat Thygesens verklaring aannemelijk klinkt. Hij beweerde dat het om ampullen ging die hij in een reddingsboot had gevonden toen hij in zijn jonge jaren een blauwe maandag op zee was geweest, aan boord van een tanker. Hij moest de inhoud van de reddingsboten opruimen en proviand en medicijnen die niet meer houdbaar waren, weggooien. Hij hield de morfine als souvenir en verstopte en vergat die toen hij afmonsterde.

“En meer zit daar waarschijnlijk niet achter”, zegt Vaage.

Stribolts telefoon gaat. De centrale meldkamer meldt dat iemand een ogenschijnlijk bruikbare tip lijkt te hebben, maar dat die persoon anoniem wil blijven.

Stribolt noemt zijn naam. Hij maakt ijverig notities, terwijl Vaage er zwijgend bij zit.

“Ik heb een of andere paljas aan de lijn”, zegt Stribolt terwijl hij de hoorn met zijn hand afdekt.

“Ga in de aanval”, zegt Vaage.

Stribolt vraagt: “Waar kwam die verdwenen huishoudelijke hulp van u vandaan? Nee, als u zegt van een eiland in de Caribische Zee is dat niet genoeg. We moeten weten wélk eiland in de Caribische Zee. U hebt haar overgenomen van een zakenrelatie in Londen en u neemt aan dat ze uit Jamaica komt? Maar u hebt haar pas toch zeker gezien toen u een werkvergunning voor haar hebt aangevraagd? Geen werkvergunning? Nee, u kunt zich er niet op beroepen dat mensen uit Jamaica in Noorwegen geen visumplicht hebben tot de Schengen-afspraak van kracht wordt. Wat ik in de eerste plaats moet weten, is welke huidskleur ze heeft. Nee, nee, ik zal u geen racist noemen als u zegt dat ze een negerin is. Donkerder dan Merlene Ottey? Dat is genoteerd. U vindt dat ik mezelf deze onbeschaamde tirade had kunnen besparen? Prima. Als u ons wilt helpen en wilt dat wij u helpen, dan moeten we wel weten wie u bent.”

De stem aan de andere kant wordt zo luid dat Vaage voorovers buigt om mee te luisteren.

“Niet?” zegt Stribolt, en hij voelt dat hij een rooie kop krijgt.

"*No name, no shame,* zegt u. De discrete charme van de gegoede burgerij, nietwaar?"

Stribolt smijt de hoorn op de haak, maar blaft daarna gewoon door: "Ik moet zeggen dat u erger bent dan de gemeenste stroper. Dat u maar in uw eigen val mag lopen, onverdraaglijke *usurpator.*"

"Zelden dat je zo beleefd tegen mensen doet", zegt Vaage.

"Bespaar me die hinnikende lach van je. Dat was typisch weer zo'n boerenpummel uit het diepe achterland."

"Heb je een naam op dat briefje geschreven terwijl je zo tekeerging?"

"Een naam?" zegt Stribolt afwezig, en hij bekijkt het gele papiertje onderzoekend. "Hier staat Herard Geiberg. Dat kan toch onmogelijk kloppen?"

"Nee, dat klinkt niet helemaal goed", zegt Vaage.

"Dat is vast weer zo'n zieke inval van me, neem ik aan."

Stribolt wipt zijn stoel naar achteren, vouwt zijn handen in zijn nek, staart naar het plafond en zegt tot zichzelf: "Maar een neger is onze arme Picea in elk geval niet, zou ik zeggen."

"Wil je even mediteren?" vraagt Vaage. "Of zullen we de resultaten van de huis-aan-huisactie nog eens doornemen?"

"NTR."

"En dat betekent?"

"Legertaal. Engels voor 'niets te melden'. We hebben alleen die twee overeenkomstige getuigenverklaringen dat er in de nacht van zondag 28 januari, tegen vier uur 's morgens, stemmen zijn gehoord bij de plaats waar het lijk gevonden is, plus de klap van een portier en het geluid van een motor. De ene getuige is Thygesens buurman, Svendsby, die wakker werd van het lawaai. De andere getuigenverklaring is van die twee jongelui die aan de kruising van de Skogvei en de Bestumvei stonden te flikflooien. Die ene jongen dacht dat hij een lichte bestelauto had gezien. De andere beweerde met grote stelligheid dat het een gele taxi was. Ik heb hem onder handen genomen, en hij gaf toe dat hij XTC had genomen en een zonnebril ophad – in het holst van de nacht nota bene."

"Wat zegt Thygesen?"

"Hij beweert dat hij niets heeft gehoord. Dat hij sliep als een os nadat hij vanaf het restaurant een taxi had genomen. De rekening, die hij bewaard had, geeft aan dat hij om halfdrie is thuisgekomen."

"Maar jij denkt dat hij liegt over waar hij geweest is. Waarom?"

"Waarom hij liegt weet ik niet. Wat ik wel weet, is dat hij onmogelijk in Arcimboldo kan zijn geweest, want dat restaurant ligt in het Kunstnernes Hus aan de Wergelandsvei en dat gebouw is de hele winter al gesloten vanwege renovatie."

"Daar kom ik nooit", zegt Vaage. "Maar ik heb in de krant gelezen dat het kunstenaarshuis gesloten was. Waar wachten we op? Waarom zijn we niet al onderweg naar Thygesen om hem vast te pinnen? Ik kom mee naar Bestum, als je er niets op tegen hebt."

3

"We zijn wat onzeker over uw doen en laten, meneer Thygesen", zegt Stribolt. "Daarom hebben we om nog een gesprek gevraagd."

"Is dit een formeel verhoor?" vraagt Thygesen. Hij plant zijn ellebogen op de keukentafel en leunt naar voren.

Zijn ogen zijn bloeddoorlopen, alsof hij dagenlang niet heeft geslapen. Of alsof hij heeft gehuild, denkt Stribolt. Die vermoeide uitdrukking wordt nog eens versterkt doordat de man deze keer niet in het pak is gestoken, zoals tijdens hun vorige bezoek, maar in slordige werkplunje. Thygesen draagt een IJslandse trui die aan de mouwen gerafeld is, een speciale broek die hem moet beschermen bij zijn werk met de motorzaag, en geitenwollen sokken in Zweedse klompen. Zijn haar hangt los, zonder hippiestaart, van onder een muts die eruitziet alsof hij in de tijd van de inca's in de Andes is gebreid. Toen ze kwamen, troffen ze Thygesen in de houtschuur aan, waar hij met de zaag in de weer was, vloekend en wel omdat die niet wilde starten.

"Ja", zegt Vaage.

Sneeuwvlokken dwarrelen langs het hoge keukenraam. Bij het zinken aanrecht, dat net zo oud moet zijn als het huis zelf, staat een petroleumbrander op de grond op de spaarvlam. Thygesen heeft koffie geserveerd. Stribolt vindt dat die smaakt alsof hij van de prut van eergisteren is getrokken.

"Moet ik op de foto en wordt er hier nog meer doorzocht?" vraagt Thygesen.

Vaage heeft een politiecamera om haar hals en een hoofdlantaarn om. Ze hadden er in de auto ruzie over, maar Vaage bleef erbij dat een dergelijke politie-uitrusting meer gezag uitstraalt en dat degene die ondervraagd wordt erdoor geïntimideerd wordt. Stribolt bracht daartegen in dat een pistool dan misschien het eenvoudigst was geweest.

Nu antwoordt ze niet op de vraag die Thygesen stelt.

Stribolt heeft zijn blocnote op het tafelzeil gelegd, dat een patroon met Delftsblauwe molentjes heeft. Hij probeert Thygesens blik te vangen, maar die ontwijkt hem.

"U hebt verklaard dat u na nieuwjaar twee keer in het centrum van Oslo bent geweest", zegt Stribolt. "De laatste keer op donderdag 1 februari, dus de dag voordat u Picea dood in uw tuin hebt gevonden."

"Picea?"

"Dat is onze codenaam voor de overledene."

"Jullie hebben dus nog geen identiteit. Geen flauw idee wie ze is", constateert Thygesen.

"We hebben een hele reeks aanknopingspunten", zegt Vaage, "en we rekenen erop dat er een overtuigende identificatie plaatsvindt terwijl we hier zitten."

Thygesen staat demonstratief op, pakt de koffieketel en spoelt de prut in de gootsteen. Met zijn rug naar hen toe zegt hij: "Het heeft geen zin om te proberen mij iets op de mouw te spelden. Ik ben tegenwoordig met een vreselijke helderziendheid behept."

Hij vult de ketel met water en zet hem op het fornuis, dat het enige niet-ouderwetse in de keuken is. Hij blijft met zijn rug naar de twee politiemensen doorpraten: "Ik kan van hier tot Sarajevo kijken. Sorry dat ik er met mijn hoofd niet zo bij ben, maar ik heb slecht nieuws. Het slechtst mogelijke, afgezien van het doodsbericht."

Thygesen vertelt dat hij een weinig prettige mededeling heeft gekregen naar aanleiding van het gezwel dat ze bij Vera Alam hebben weggehaald.

"Dat spijt ons natuurlijk erg voor u", zegt Stribolt. "Maar wij moeten ons werk doen. U bent dus met die demonstratie meegelopen?"

"Ja", zegt Thygesen, en hij gaat op de krakende keukenstoel zitten. "Ik heb aan die fakkeloptocht meegedaan om die jongen te herdenken die door neonazi's is vermoord."

"Waarom?" vraagt Vaage.

"Daar hoef ik geloof ik geen verklaring voor te geven", zegt Thygesen. "Maar laten we zeggen dat ik in mijzelf ben afgedaald, helemaal tot op een soort oud politiek basisgesteente dat onder de sedimentaire lagen verborgen ligt. Vera vertelde door de telefoon vanuit Sarajevo dat ze met die tocht ter herdenking aan Benjamin Hermansen zou zijn meegelopen als ze thuis was geweest. Dus ben ik ook in haar plaats gegaan."

"Alleen?" vraagt Stribolt.

Thygesen knikt.

"Bent u iemand tegengekomen die kan bevestigen dat u in die optocht hebt meegelopen?"

"Of iemand mij herkend heeft, bedoel je?"

"Ja", antwoordt Stribolt.

"Gelukkig herkent bijna niemand mij meer op straat. Die dertig- tot veertigduizend mensen die meeliepen, hadden het er veel te druk mee om te kijken of ze de kroonprins en zijn aanstaande zagen."

"Zijn aanstaande", roept Vaage uit.

"Zijn verloofde dan", corrigeert Thygesen, gemaakt gedwee, met een plotselinge twinkeling in zijn ogen. "Laat me eraan toevoegen dat ik ook met een fakkel in de hand in de optocht meeliep omdat ik dit jaar mijn vijfentwintigjarig jubileum heb. Het is vijfentwintig jaar geleden dat ik werd veroordeeld voor moord met voorbedachten rade op een met het ijzeren kruis versierde oud-nazi. De strijd tegen het nazisme heeft me heel wat jaren van mijn leven gekost, misschien wel de helft. Zonder bitterheid waag ik het te beweren dat ik tegenwoordig nooit veroordeeld zou zijn – dat het mogelijk was dat ik naar de gevangenis werd gestuurd dankzij het hysterische politieke klimaat in de jaren zeventig. Als jullie het merkwaardig vinden dat ik thuiskwam van een ceremonie waarbij een doodgestoken jongeling met een Afrikaanse vader werd herdacht, en de volgende ochtend een doodgestoken jonge allochtone vrouw in mijn eigen tuin vond, midden in de Noorse idylle, dan kan ik jullie verzekeren dat ik daar zelf ook al aan heb gedacht. Het klinkt als zwarte magie. Maar ik geloof niet in voodoo."

Thygesen strooit grofgemalen koffie in de ketel. Hij zegt dat hij even weg moet, terwijl die pruttelt.

Stribolt tekent een mooie vis op zijn blok. Vaage schijnt met haar hoofdlantaarn in een hoekkast, die dienstdoet als koffiemagazijn en als rek voor kookboeken. Ze haalt een boek tevoorschijn en laat dat Stribolt zien. Het is Slettan en Øies *Misdrijf en straf – Een leerboek in het strafrecht.*

"Ik vraag me af waarom hij een lucifer bij pagina 449 heeft gelegd, bij gappen", zegt Vaage.

Stribolt heeft daar geen antwoord op, en hij heeft er ook geen vraag bij. Hij staart naar buiten. De sneeuw valt nu dichter.

"Als het niet om drugs gaat, gaat het om seks", gaat Vaage verder. "Thygesen verkoopt postzegels via internet. Dan is het toch mogelijk dat hij ook dames via het net zoekt? Arme meisjes. Het lukt hem Picea te lokken. Het wordt een mislukking. Impotentie kan bij mannen een reden zijn om te doden. In blinde frustratie vermoordt hij haar. Hij is veel koelbloediger dan wij denken. Stel je voor dat hij haar in de houtschuur met het mes bewerkt. Daar zul je geen enkel bloedspoor vinden door al die olie, dat zaagsel en de andere rommel op de vloer. En daar laat hij Picea liggen tot ze diepgevroren is. Pas na dagen – weken! – pakt hij haar op en legt haar onder de sparrenboom, en doet alsof hij haar daar vindt. Het moordwapen heeft hij allang in de vijver hier in Bestum gegooid. Die andere messen die hij in zijn bezit heeft, zijn alleen maar een dood spoor."

"Een zwak punt van die hypothese is dat de vijver van Bestum al sinds de kerst dichtgevroren is", zegt Stribolt.

"Er is een stuk open. Daar borrelt het water op ... Nou ja, verdomme!"

Het geluid van een motor doet hen allebei opschrikken. Ze zien Thygesen de houtschuur uitkomen, de motorzaag in de aanslag en een grijns op zijn gezicht. Hij zet de motor in z'n vrij.

Voor Stribolt echt bang kan worden, heeft Thygesen het ding alweer afgezet. Het geluid sterft weg als het gerochel van een onthoofde dinosauriër.

Vaage rent naar buiten. Stribolt blijft binnen, gluurt door het keukenraam. Ze scheldt Thygesen de huid vol. Ter verdediging weet hij niets beters te zeggen dan dat hij even naar de buitenwc was en op weg terug door de schuur voor de verleiding viel om de zaag te proberen. Die gaat na een paar weigeringen vaak gemakkelijk aan, als hij eenmaal is afgekoeld.

Thygesen probeert het met charme en zegt dat dat een van de weinige pleziertjes is die hij in dit leven nog heeft: dat de zaag start.

"Zielig", blaft Vaage.

Als ze in zo'n furieuze bui is, is ze volkomen ongevoelig voor charme, al zou de engel Gabriël uit de hemel neerdalen, denkt Stribolt, terwijl hij een engel op zijn blok krabbelt.

Een ietwat beschaamde Thygesen wast onder de keukenkraan zijn handen met Sunlight-zeep. De zeeplucht doet Stribolt denken aan de wasruimte van de fileerfabriek waar zijn moeder en diverse tantes van hem hun dagelijks brood verdienden, en waar hij zelf zijn eerste kus kreeg, van een fileerster uit Kuusamo.

Koffie en een sigaret moeten hem uit zijn gedachtevacuüm redden. In Thygesens keuken mag gerookt worden. Het is een tolerant huis in dat opzicht. Dat het het huis van een moordenaar is, kan Stribolt niet helemaal geloven.

"U hebt verklaard, meneer Thygesen, dat u op zaterdag 27 januari samen met uw vriend Levin en diens vriendin een restaurant hebt bezocht", zegt Stribolt zo streng als hij kan, en hij heeft de indruk dat hij een lichte onzekerheid in Thygesens mimiek ziet.

"Dat klopt", antwoordt Thygesen.

"Was er een speciale aanleiding voor dat restaurantbezoek?" vraagt Stribolt.

"Alleen dat Berny wilde laten zien dat *gentlemen prefer blondes*, of omgekeerd."

"En dat betekent?" bromt Vaage.

"Dat hij op zijn leeftijd nog een dom blondje aan de haak heeft weten te slaan en daar kinderlijk trots op is."

Stribolt haalt een uitdraai uit zijn tas waarop hij met roze viltstift Arcimboldo en Kunstnernes Hus heeft gemarkeerd. Hij legt hem op tafel neer, goed zichtbaar voor Thygesen.

"U hebt verklaard dat dat etentje in het restaurant in Kunstnernes Hus plaatshad", zegt Stribolt. "Wilt u in verband hiermee nog iets veranderen?"

"Nee", zegt Thygesen, en hij neemt zijn muts van zijn hoofd en veegt met zijn vuist zijn voorhoofd af.

Vaage staat op, maakt een slaande beweging naar de keukendeur, draait zich plotseling om en vraagt: "Wat zegt u als we u vertellen dat het restaurant sinds oktober vanwege renovatie gesloten is?"

"Dan zeg ik dat de kabeljauw ons op een stapel planken werd geserveerd."

"Het zou allemaal een stuk gemakkelijker worden als u een paar toontjes lager zou zingen", zegt Vaage.

"Bullshit", antwoordt Thygesen. "Dan wil ik er van mijn kant graag op wijzen dat alles voor beide partijen gemakkelijker wordt als jullie eens zouden ophouden met dat *good cop, bad cop*-spelletje. Als ik Arcimboldo heb gezegd, dan heb ik me blijkbaar versproken."

Stribolt laat een stilte vallen en telt zorgvuldig alle keren dat de naam van het restaurant, dat naar zijn weten naar een Italiaanse kunstenaar is vernoemd, in het proces-verbaal van verhoor door Thygesen genoemd wordt. Hij komt tot de conclusie dat dat vier keer is. Dat zegt hij tegen Thygesen, en hij voegt eraan toe: "U lijkt me niet iemand die zich zo vaak verspreekt."

"O, jawel hoor", zegt Thygesen met een strak gezicht. "Moet niet veel van wat iemand tijdens een lang leven zegt als versprekking worden aangemerkt? Loos geklets en gelul."

Nu is het Stribolts beurt om op te staan en naar buiten te gaan, onder het voorwendsel dat hij zijn mobiele telefoon moet halen, die nog in de auto ligt. Hij laat de sneeuw op zijn voorhoofd vallen. Misschien worden zijn gedachten daar helderder van en vindt hij een barst in Thygesens masker.

In alle schouwburgen over de hele wereld hangt zo'n kop die zowel glimlacht als huilt. Dat dubbele masker is niet alleen een passend symbool voor de komedie en de tragedie op het toneel, maar ook voor die in het ware leven, heeft Stribolt altijd gevonden. Het ene moment staart zijn idool Sundquist naar een doodskop; het volgende speelt hij in een stuk van Beckett en houdt een of andere stomme banaan in zijn hand.

Stribolt gaat buiten goed zichtbaar voor het keukenraam staan en doet alsof hij in zijn mobiele telefoon praat.

Vaage zit binnen en ziet eruit alsof ze Thygesen met haar gestaar door de grond wil laten gaan. Het zal niet helpen. Ze hebben niets om hem op te pakken. Als die misser met dat restaurant werkelijk fataal voor Thygesen zou zijn geweest, dan hadden ze dat allang aan hem gemerkt; dan was hij misschien zelfs al begonnen te praten.

Stribolt gaat naar binnen, klopt netjes de sneeuw af, schenkt nog een koffie in. Over de keukentafel met de molentjes is stilte neergedaald. Hij doorbreekt die met een vraag die niet tot Thygesen gericht is, maar tot Vaage: "Misschien moeten we een aanklacht wegens valse getuigenverklaring overwegen? Ik heb daar de raad van de officier van Justitie over ingewonnen."

"Nu draven jullie echt door", zegt Thygesen.

Hij vertelt dat het hem op de een of andere manier is ontgaan dat Kunstnernes Hus, of 'het Hus', zoals hij het noemt, deze winter gesloten is. Vroeger, in de tijd dat hij graag met bohémiens omging, was het altijd een van zijn vaste stekken, maar nu is hij er al jaren niet meer geweest.

"Als het Hus echt dicht was, heb ik natuurlijk een blunder begaan toen ik vertelde dat we daar gegeten hadden. Maar als jullie geloven dat dat leugentje een moordraadsel kan oplossen, hebben jullie het bij het verkeerde eind. We waren in Lorry, vlak bij het Kunstnernes Hus. Als het van belang is, heb ik vast en zeker honderden getuigen die dat kunnen bevestigen. Want Berny was behoorlijk zat en zong iets wat volgens hem joodse liederen uit het getto in Warschau waren. Ik had zelf ook een stuk in mijn kraag. Dat verklaart misschien dat ik een stommiteit uithaalde toen we tegen sluitingstijd weggingen."

Stribolt kijkt tersluiks naar Vaage en vermoedt wat ze nu denkt: dat die stommiteit waar Thygesen over wil vertellen erop neerkomt dat hij een onbekende exotische dame mee naar huis heeft genomen en dat het toen misging, en dat hij haar vervolgens heeft vermoord.

"Was u op vrijersvoeten?"

"Absoluut niet. Dat blondje van Berny genas me die avond met haar gepuber van elke vorm van begeerte naar een vrouw. Maar ik heb wat je noemt een misdrijf gepleegd."

"Vertel op", zegt Vaage.

"Ik heb een mantel gestolen", zegt Vilhelm Thygesen.

"U hebt een mantel gestolen?"

"Ja, ik heb een mantel gestolen. Zo zit dat. Zo diep ben ik gezonken."

"Een mantel..." verzucht Vaage.

"Een kameelharen mantel, ontworpen door de grote Armani. Voor het geval jullie daar een proces-verbaal van willen opmaken: ik geloof niet dat het voor gewone diefstal kan doorgaan.

Ik zal me erop beroepen dat het een vergissing was, dat de mantel op de mijne leek, die ik in alle haast niet kon vinden. Mocht ik gemarteld worden, dan zal ik naar alle waarschijnlijkheid toegeven dat ik hem gejat heb, maar voor de laagst mogelijke straf pleiten onder verwijzing naar 'de overige omstandigheden', zoals dat in paragraaf 391 van de strafwet heet. Je zou kunnen beweren dat een vergissing voor de hand lag tijdens het gelijktijdig opbreken van zoveel dronken en wauwelende mensen uit Lorry, en dat het in het gedrang onmogelijk was om de rechtmatige eigenaar van de mantel terug te vinden."

"Bespaar ons uw juridische spitsvondigheden", zegt Vaage. "Kunt u bewijzen dat u die verdomde mantel hebt gestolen?"

"Hij bevindt zich in elk geval hier. Hij hangt in de hal, en uw collega begon er bijna van te kwijlen toen jullie hier laatst waren."

"Verdorie, Arve, waar lach je om?" sist Vaage.

"Ik lach helemaal niet. Ik hoest, ik word verkouden", antwoordt Stribolt. "Kan ik nog wat koffie krijgen?"

Thygesen voelt geen triomf, denkt Stribolt, omdat hij ons te slim af is geweest en ons met zijn ingeving over die mantel om de tuin heeft geleid. Hij valt snel terug in zijn verdriet over wat er in Sarajevo is gebeurd, en aangezien het leven als puntje bij paaltje komt eerder een tragedie dan een komedie is, betekent dat waarschijnlijk dat Vera Alams gezwel kwaadaardig is.

"Ik moet een lening regelen, zodat ik een ticket naar Belgrado kan kopen", zegt Thygesen. "Ik heb over drie kwartier een afspraak met Levin bij hem thuis in Bjørnsletta. Ik moet zo langzamerhand eens op pad. En ik heb verder niets meer te melden, behalve iets over politiewerk, iets wat ik serieus meen."

"We zijn wel zo ongeveer klaar hier", verklaart Vaage, en ze staat op.

"Nee, dat zijn we niet", zegt Stribolt.

Verrast door zijn barse toon zakt Vaage weer terug op haar stoel.

"Ooit, in de vorige eeuw, was ik een juut", zegt Thygesen. "Eerlijk gezegd was ik waarschijnlijk niet zo'n goeie, en jullie zouden, denk ik, niet veel van me kunnen leren. Maar ik heb het een en ander meegemaakt. Heel wat zelfs. Jullie van de huidige recherche in de eenentwintigste eeuw zijn beslist allemaal prima politiemensen, gewend aan verandering en herstructurering en hoe dat tegenwoordig ook allemaal zo mooi bureaucratisch heet. Toch geloof ik niet dat jullie helemaal voorbereid zijn op de nieuwe werkelijkheid, waar die zaak waar jullie het op het moment zo moeilijk mee hebben, een voorbeeld van is. Jullie weten niet wie er vermoord is, en ik voorspel jullie dat jullie dat nooit te weten zullen komen. En dan vinden jullie de moordenaar natuurlijk ook niet."

"Niet te hoog van de toren blazen, meneer Thygesen", zegt Vaage.

"Dat heeft er niets mee te maken. Het gaat om een nuchtere analyse. Ik heb die publieke website van het hoofdkwartier van Interpol in Lyon bekeken. Je wordt beroerd van de statistieken over onbekende vrouwen uit derdewereldlanden die in Europa zijn vermoord. Jullie weten daar nog veel meer van af dan ik; jullie kunnen in het beveiligde gedeelte van de politiestatistieken kijken. Misschien dat die zaak met ... hoe noemen jullie haar ook alweer ... Pinea ..."

"Picea", zegt Stribolt.

"... dat die zaak ons een kijkje in de toekomst geeft, ook de politie van Noorwegen, van dat deel van de vesting Europa dat wij vormen, waar arme mensen zonder papieren, die de armoede in Verweggistan zijn ontvlucht, door de scheuren in de muren binnensijpelen. De meesten om het geluk te vinden in de vorm van werk en geld, maar sommigen om het ongeluk te vinden in de vorm van een plotselinge dood. Die plotselinge doden lijken steeds vaker vrouwen te zijn, behandeld volgens de wegwerpmethode, door pooiers en dealers, door lichtschuwe werkgevers en door schofterige echtgenoten die een huisvrouw hebben gekocht en haar in de stortkoker smijten als ze haar lang genoeg hebben uitgebuit. Dit soort slachtoffers zal in de toekomst in aantal toenemen: weggeworpen vrouwen. Verminkt. Diepgevroren, zoals de vrouw die ik heb gevonden. En dan al die kinderen. Verdwenen, als pluisjes op de wind, weggewaaid in de greppels, uitgevaagd op de vuilnisbelten. Weggeveegd in de goot langs de Stalingrad-boulevard in Parijs, toegetakeld op een binnenplaatsje in Berlijn, doodgeschoten in een schuur in Skopje."

Thygesen staat op en doet de deur van de koelkast open, pakt een karaf en haalt drie portglazen uit de keukenkast.

"Laten we die bittere pil wegspoelen met dit zoete drankje", zegt hij. "Dit is een oude bessenwijn uit de progressieve jaren zeventig, toen we er nog van droomden – krankzinnig, nietwaar? – dat mensen niet als dingen behandeld zouden worden."

"Ik moet nog rijden", zegt Vaage.

"We zijn met dat Nissan-wrak en dan rijd ik altijd, Vanja", zegt Stribolt. "En het is geen geheim dat ik op gladde wegen het best rijd als ik een glaasje op heb."

Ze proosten voorzichtig, en nemen dan algauw afscheid. Thygesen trekt een parka aan, die bij de werkplunje past die hij aanheeft.

Vanuit de auto ziet Stribolt dat Thygesen te voet over de Skogvei verdwijnt, voorovergebogen tegen de sneeuwbui, met de capuchon van zijn parka over zijn hoofd. Hij is algauw uit het zicht door de sneeuw.

Stribolt schakelt de vierwielaandrijving in.

"Nou ja", zegt hij, "we hebben in elk geval de niet-aangegeven diefstal van een mantel opgelost."

4

Het is inmiddels vrijdag 2 maart. Er is precies een maand verstreken sinds de vermoorde, diepgevroren vrouw in de tuin van Vilhelm Thygesen werd gevonden.

Vanja Vaage en Arve Stribolt hebben op een bank in de zon plaatsgenomen, op het dakterras dat bij de kantine hoort van het nieuwe hoofdkwartier van de recherche aan de Brynsallee, in het oosten van Oslo.

De laaghangende middagzon geeft niet veel warmte, maar ze hebben geen zin meer om steeds binnen te zitten en Stribolt heeft trek in een sigaret.

Ze hebben een paar uur besteed aan een inventarisatie van alles wat ze hebben, en gekeken hoever ze na een maand rechercheren zijn gekomen, of juist niet. Vaage is vanaf 1 maart niet meer direct bij de Picea-zaak betrokken. Stribolt is nu alleen verantwoordelijk.

Vaage zegt: "De mathematische waarschijnlijkheid dat er een vermoorde vrouw wordt gevonden in de tuin van een man die ooit voor moord is veroordeeld, en dat hij er niet op de een of andere manier bij is betrokken, is net zo groot als dat ik tien miljoen in de lotto win."

"Ik geloof niet dat je dat nauwkeurig genoeg hebt berekend, Vanja."

"Pas op, anders stuur ik je op jacht naar de tweelingsok van die sok in de Orderud-moord", antwoordt Vanja. "Of ik laat je een van die breikousen opnieuw verhoren, die voortdurend opbellen om ons te vertellen dat die sok een Servisch of Kosovo-Albanees patroon heeft."

Vaage is nu in een positie waarin ze haar collega kan pesten met de jacht op een sok, of in elk geval die mensen die ze 'breikousen' noemt naar hem kan doorverbinden. Ze is benoemd tot commandant van de Centrale Recherche Informatiedienst. Die dienst is verantwoordelijk voor de verwerking en de verspreiding van inkomende gegevens.

Voor hen op de bruin gebeitste tafel liggen de nieuwe visitekaartjes van de recherche.

"Hebben we deze chique exemplaren eigenlijk wel verdiend?" vraagt Vaage.

Ze tilt haar koffiekopje op, dat ze op haar kaartje had gezet opdat het niet weg zou waaien, en leest hardop de Engelse tekst voor: "*National Bureau of Crime Investigation, Communication and Service Section, Desk. Vanja Vaage, Detective Chief Inspector, Duty Officer.*"

"Tja", zegt Stribolt, die met zijn eigen kaartje zit te spelen. "*Detective chief inspector*' klinkt beter dan 'inspecteur van politie."

De manier waarop zijn geboortestreek Finnmark in het logo van de recherche op het kaartje is getekend, irriteert hem mateloos.

Het logo is ook aan de bakstenen muur van de hoog oprijzende nieuwbouw aan de Brynsallee gemonteerd, en het prijkt op een vlag die aan een stok op het grasveld ervoor hangt te wapperen, net als de ondernemingsvlag van Merkantildata voor het gebouw ernaast.

Het logo stelt een kaart van Noorwegen voor, met blauwe lijnen getekend en met de tekst KRIPOS dwars door de provincie Trøndelag geschreven. Rondom de kaart is een blauwe cirkel getekend en rond die cirkel een gele krans van gestileerd eikenloof. Het loof rust op een achtergrond van twee gekruiste knuppels met uiteinden vol stekels.

Elke keer als hij vanaf de ondergrondse naar het nieuwe recherchepaleis loopt en er wind staat, zodat de vlag zich ontvouwt, kan Stribolt het niet laten naar Finnmark te kijken. Ergens half februari zei hij tegen technisch rechercheur Gunvald Larsson, die hij tegenkwam toen die uit de ondergrondse parkeergarage kwam: "Verdomd, Larsson, in dat logo ziet Finnmark eruit alsof de provincie in de trommel van de wasmachine klem heeft gezeten. Geen enkele fjord is goed getekend."

Larsson ergerde zich op zijn beurt meer aan een kleine fontein van graniet, die recht tegenover de hoofdingang is geplaatst. Boven in het blok steen is een smal gootje uitgehouwen voor stromend water. Toen het tweetal erlangs liep, was de fontein ter ere van de komende lente aangezet.

"Ik begrijp niet wat dat pisgootje daar moet", zei Larsson. "Alleen de kraaien drinken van dat water. En ik ga me zorgen maken om mijn prostaat als ik het door die smalle goot zie sijpelen."

"Misschien is die fontein bedoeld om te illustreren hoeveel van ons werk in het grote niets wegkabbelt", zei Stribolt.

"We hebben nog steeds het hoogste percentage opgeloste moorden van de hele westelijke wereld", zei Larsson, waarschijnlijk om zijn collega te troosten, aangezien hij wel wist dat Stribolt niet vooruitkwam met een tactisch onderzoek waarvoor hij de verantwoordelijkheid had gekregen.

"Zo lang als het duurt. We scoren in die statistieken zo hoog omdat we nog steeds een klein, marginaal en dunbevolkt alternatief land zijn, waar iedereen iedereen kent", antwoordde Stribolt. "Die Picea-zaak is voor mij zo langzamerhand een voorbeeld van wat er gaat gebeuren als de druk van vreemdelingen op onze grenzen toeneemt. Dan zullen we keer op keer machteloos staan, omdat er geen bekenden van de slachtoffers zijn om iets te melden."

Nu, in maart, met een zweem voorjaar in de lucht, is Picea nog steeds een ongeïdentificeerd slachtoffer van een moord.

"En de foto?" vraagt Stribolt, terwijl hij zijn sigaret in de omgekeerde bloempot dropt die op het terras als asbak dient.

"Geen vooruitgang", antwoordt Vaage. "Ik begrijp niet waarom wij geen foto van Picea in de krant mogen publiceren."

"Snafu", zegt Stribolt.

Vaage kijkt hem vragend aan.

"Een Amerikaanse afkorting uit de Vietnam-oorlog", zegt Stribolt. "*Situation normal all fucked up.*"

Vaage laat een kort lachje horen, hees van verkoudheid.

"Je kent mijn hypothese waarom dat zo'n opgefokte zooi is geworden."

Stribolt kent haar hypothese over de bureaucratische verwikkelingen, vindt dat daar iets in zit en heeft erop voortgeborduurd. Noorwegen heeft onlangs een nieuw directoraat gekregen, het politiedirectoraat. Een dergelijk hoog orgaan moet zich noodzakelijkerwijs met principiële kwesties bezighouden, om regels op te stellen voor de verschillende taken van de politie. De vraag in hoeverre in een moordzaak een foto van een vermoord persoon mag worden gepubliceerd om de dode te identificeren, is voor het politiedirectoraat een netelige kwestie. In zo'n geval is er mogelijk van twee tegenstrijdige belangen sprake. Aan de ene kant zou de zaak dankzij de identificatie van de vermoorde kunnen worden opgelost; aan de andere kant moet er rekening worden gehouden met het publiek.

Het publiek wordt vaak 'de grote detective' genoemd. Maar het is een collectief van amateurs die niet getraind zijn in de ontmoeting met de wereld van de moord, zoals de politie.

Stribolt ziet in gedachten een bevoegd ambtenaar voor zich, een bedachtzame jurist van het politiedirectoraat, die een foto van Picea's gezicht krijgt voorgelegd met het verzoek van de recherche om die zo spoedig mogelijk te mogen publiceren.

Picea is in bevroren toestand gevonden en wordt gekoeld bewaard in de koelruimte van het gerechtelijk laboratorium, waar het lichaam na de sectie was ondergebracht. Ze was dus geen opgezwollen drenkelinge. En haar lijk, dat in Thygesens tuin was gevonden, was lang niet zo toegetakeld als dat van Ole Johan uit het naturalistische gedicht *Lijkvondst* van Jakob Sande, dat 'ver weg in Håsteins tuin' werd gevonden. Dit gedicht had Stribolt – niet naar ieders genoegen – voorgelezen tijdens een kerstdiner van de recherche, waar ze lamskoteletten geserveerd kregen. Een van de meer fatsoenlijke regels luidt: *En de lippen, van vlees bevrijd, grijnsden met scherpe tanden, als de maartse zon op bevroren ijs die lijkwitte staken glansden.*

Niettemin zou de ambtenaar van mening kunnen zijn dat het publiek aanstoot zou kunnen nemen aan een foto van de dode Picea. Hij besluit na te gaan wat de praktijk met betrekking tot de publicatie van foto's van vermoorde personen tot dan toe is geweest, en ontdekt dat die hoegenaamd niet existeert. Een dergelijk gebrek aan precedenten kan juridische knieën doen beven.

En dan is er nog iets waarmee rekening moet worden gehouden: de Wet Bescherming Persoonsgegevens. Iedere willekeurige Noorse ambtenaar kan ervan op aan dat het altijd even alerte College Bescherming Persoonsgegevens hem bij de minste of geringste misstap op zijn nek zit.

Het is een harde juridische noot die de ambtenaar plotseling heeft te kraken. Heeft een persoon van wie de Noorse openbaarheid de indentiteit niet kent recht op een zekere bescherming van die identiteit? De betrokkene is niet alleen dood en daardoor niet in staat zijn belangen persoonlijk te behartigen, maar is bovendien onbekend, zodat het niet te verwachten valt dat iemand anders die zijn belangen zou kunnen behartigen dat zal doen.

"We zouden vandaag bericht krijgen over het standpunt van het politiedirectoraat", zegt Vaage, en ze tikt een nummer in op haar mobiele telefoon. "Ik zal even checken of het er al is."

Stribolt staat op en strekt zijn stijve benen. Vanaf de ringweg die achter het gebouw langs loopt, klinkt het monotone geruis van auto's die op weg zijn de stad uit. De weekenddrukte is begonnen. Zelf gaat hij nergens heen, ook al zou het hem goeddoen Oslo en het bureau even achter zich te laten. Hij heeft besloten om het weekend te benutten voor een nieuwe poging in het Koerdische, Iraanse en Iraakse milieu in de hoofdstad iemand te vinden die Picea kan identificeren op grond van de foto die hij in zijn portefeuille bij zich heeft.

"Laatste nieuws", zegt Vaage. Ze steekt haar telefoon in haar zak en kijkt ironisch. "We hebben de informatie van het Poldir dat ze overwegen om ons toestemming te geven een tekening te publiceren."

"Een tekening? Terwijl we een bruikbare foto hebben?"

"Onze chef zegt dat ze zullen protesteren. Dan zal er wel weer een flinke strijd uitbreken tussen de recherchedienst en het directoraat."

"In het ergste geval zullen dat volkomen vruchteloze pennenvruchten zijn. Een prestigekwestie, met als mogelijk gevolg dat de vraag over de publicatie van de foto erbij inschiet."

"En als het ministerie van Justitie zich er ook nog mee gaat bemoeien, dan hebben we een conflict in de hoogste regionen", zegt Vaage, en ze doet met haar armen vleugelslagen na. "Killengreen tegen Harlem. Daarboven stormen snavels en klauwen op elkaar af. Veren stuiven. De tijd verstrijkt."

"Verdomme", mompelt Stribolt. "Verdomme, wat een scenario."

"Ik hoor Killengreen al", zegt Vaage. ' "Geloven jullie bij de recherche nu echt dat we onze toestemming geven om de kranten vol te smeren met afbeeldingen van lijken?' "

"Heeft de geëerde directeur van politie dat gezegd?"

"Geen idee. Waar het om gaat, is dat ze zoiets had kúnnen zeggen. Ik word zo depri als ik denk aan al die intriges dat ik verdomme geloof dat ik aan mijn weekend ga beginnen."

"Prettig weekend dan maar", zegt Stribolt.

"En jij?"

"Ik kijk nog wat aantekeningen door."

"In de Picea-zaak staan we met onze rug tegen de muur", zegt Vaage. "Je moet je er maar mee troosten dat er bijna altijd een scheur in die muur ontstaat."

"In Geiranger is dat niet gebeurd. Daar stootten we op puur beton."

"Beschouw de ontbrekende oplossing in de Geiranger-moord maar als de uitzondering die de regel bevestigt."

Stribolt gaat naar zijn kantoor. Klikt Zeta-Jones van zijn beeldscherm weg. Blijft melancholiek vanuit het raam van zijn kantoor op de tweede verdieping naar beneden zitten kijken, naar een kleine spar die helemaal alleen op het grasveld tussen de recherche en Merkantildata staat. Een paar meisjes van het computerbedrijf zitten aan de tafels voor de hoofdingang te roken. Een van hen draagt een gewatteerde jas, die aan die van Picea doet denken.

Op de Hoffsvei, waar hij woont, zag hij op een regenachtige avond een vrouw die hij gedurende een paar duizelingwekkende seconden voor Picea hield. De vrouw schrok van de blik waarmee hij haar aankeek, zocht dekking achter haar paraplu en liep op een holletje weg over het trottoir langs de Smestad-vijver.

Stribolt trekt de bovenste la van zijn bureau open. Onder de glasplaat, tussen andere memorabilia, heeft hij een portret gestoken van een van zijn politie-idolen: Rolf Harry Jahrmann, in zijn tijd leider van de moordbrigade, de voorganger van de recherche. Daaronder ligt keurig opgevouwen een onlangs geschreven versie van de brief waarin inspecteur Arve Stribolt ontslag neemt bij de recherche.

Hij vouwt de brief open en leest: "Het is voor mij een probleem bij een instituut te werken waar de media voortdurend – en niet zonder succes – proberen te bepalen met welke zaken wij ons moeten bezighouden, zodat onze aandacht wordt afgeleid van zaken waarop de media zich niet zo sterk focussen. De drievoudige moord op de boerderij Orderud en de dubbele moord in Baneheia zijn, naar Noorse maatstaven, grote en belangrijke misdrijven. Maar ik heb de verantwoordelijkheid gekregen voor een moord die in principe net zo belangrijk is als de Orderud- en de Baneheia-zaak, ook al boeit hij de media niet. Ik vind het beklagenswaardig dat er voor deze zaak zulke geringe middelen ter beschikking zijn gesteld. Een reden voor mijn ontslag is dat mijn verzoek om een rechercheur naar Sarajevo te mogen sturen met als doel de huurster van Vilhelm Thygesen, Vera Alam, te verhoren, op 7-2-01 werd afgewezen met als argument dat dit om budgettaire redenen niet uitvoerbaar was."

Thygesen vertrok naar Sarajevo, waar hij Alam bezocht, die aan kanker leed. Tijdens zijn verblijf daar had Stribolt een paar keer telefonisch contact met hem gehad.

Stribolt roept een Word-bestand op dat "Thygesen op reis" heet. Vanuit Sarajevo vloog Thygesen naar Parijs, naar eigen zeggen omdat zijn vlucht via die stad ging, en omdat hij postzegels en munten in de Franse hoofdstad wilde kopen. Hij bleef er anderhalve week en beweerde tijdens een telefoongesprek dat hij zo'n goede slag had geslagen dat hij erop rekende de lening voor de reis aan zijn vriend Levin te kunnen terugbetalen.

De douanebeambte die bij Thygesens terugkomst op Gardermoen zijn bagage onderzocht, vond niets buitengewoons. Dat hij een fles wijn te veel bij zich had beschouwde het douanepersoneel als normaal.

Thygesen is in de Picea-zaak in geen geval boven alle verdenking verheven. Tot er een moordenaar gevonden is die niet Thygesen is, zal er een schaduw van argwaan op hem rusten. Maar het is een vluchtige schaduw, al bezig te vervagen.

Volgens Stribolt is het volkomen terecht geweest om het onderzoek niet op Thygesen en zijn naaste omgeving te concentreren, ook al is het te gek voor woorden dat Alam niet naar behoren door een afgevaardigde in Sarajevo is ondervraagd. De telefonische ondervraging was gedoemd te mislukken, omdat ze na de operatie aan haar hals zo ziek was dat ze nauwelijks kon praten.

Stribolt haalt zijn zelfkritische themalijst tevoorschijn met fouten die hij gemaakt kan hebben: "1. Te sterk op drugs geconcentreerd? Een buitenlander kan bij een legale/illegale aankomst in Noorwegen heel andere dingen dan heroïne op zijn lichaam geplakt hebben – reisdocumenten (echte/valse) bijvoorbeeld, of namen van contactpersonen, persoonlijke brieven, foto's waaraan hij/zij is gehecht, etc. 2. Gaan we er te zeer van uit dat Picea pas onlangs het land is binnengekomen? Ze kan hier al een hele tijd zijn, als slavin gevangengehouden door een of andere schoft. 3. Hebben we ons laten misleiden door het feit dat Picea ogenschijnlijk niet seksueel misbruikt was, en daardoor niet in overweging genomen dat een eventuele verkrachter een condoom kan hebben gebruikt om geen genetische sporen achter te laten? Als ze een prostituee was, zou een klant die amok maakte tijdens de daad een condoom kunnen hebben gebruikt, kunnen zijn doorgedraaid en zijn mes kunnen hebben getrokken. 4. Heb ik me vanuit mijn intuïtieve overtuiging dat Picea een Koerdische vluchtelinge zou kunnen zijn in een Koerden-spoor verstrikt, net als Hans Holmér in de Palme-zaak? Te veel tijd besteed aan verhoren van Koerden? Al dergelijke verhoren negatief. De Koerden hebben een solide netwerk. Als zij echt Koerdisch was geweest, zouden ze van haar geweten hebben. Maar geen enkele Koerd kent haar, of geeft toe haar te kennen."

De lijst bevat nog een stuk of tien punten, maar hij brengt het niet op die voor de zoveelste keer te lezen.

Stribolt legt zijn hoofd in zijn handen en bestudeert zijn eigen spiegelbeeld in het raam.

Wat had Thygesen – duidelijk aangeschoten – aan de telefoon vanuit Parijs ook over hem gezegd?

"Stribolt, als ik je zo voor me zie, dan zie ik dat je glimlacht op een manier die aan een dolfijn doet denken."

Ook goed. Beter dan de grijns van een haai. Stribolt legt een cd in de cd-rom-drive van zijn computer, waarop Lotte Lenya liederen zingt van Kurt Weill met teksten van Bertold Brecht.

Und der Haifisch, der hat Zähne
Und die trägt er im Gesicht
Und Macheath, der hat ein Messer
Doch das Messer sieht man nicht.

Er is een winter verstreken, denkt hij, en misschien verstrijkt er nog een voorjaar. Maar ergens is mijn Mackie met zijn mes, en de muur zal scheuren en ik zal hem zien.

5

"Banzai, samoerai, banzai!" roept de jongen die achter op de motorfiets zit. De bestuurder stuurt de motor een open plek op langs de weg door het bos bij Våler, waar ooit een grindgroeve was. Hij blijft stilstaan voor een vervallen gebouw, waar verroest staal uit het gewapende beton steekt. De jongen, zo'n jaar of twintig, glijdt van de zitting, strekt zijn armen in de lucht en maakt een paar danspassen op het grind.

"Weet je, Kykke, het is verdomd tof om weer buiten te zijn", zegt hij, en hij knijpt zichzelf in zijn bovenarmen. Hij zet zijn helm af en ontbloot een hoofd met haar dat felgeel is geverfd, met gel is behandeld en in plukjes is gestyled.

"Je ziet eruit alsof je een lawine op je kop hebt gekregen, Beach Boy", zegt de man die Kykke genoemd wordt.

"Dat zei mijn zus ook bij de begrafenis, en als mijn moeder iets had weten uit te brengen, had zij me vast de huid vol gescholden. Maar niemand vroeg wie er ook zo'n kapsel heeft. Ik heb het net zo laten knippen als die drummer van Marilyn Manson, om mijn vrijheid te vieren", zegt Beach Boy, en hij zet zijn diskman aan, die aan zijn riem is bevestigd.

Vanuit zijn oordopjes klinkt geen Manson-lied in zijn oren. Het is een lied van een zangeres die Laurie Anderson heet en van wie hij nog nooit had gehoord voor hij na de begrafenis het schijfje van zijn zus had gekregen.

Hij laat de helm op de wijsvinger van zijn rechterhand rondtollen en is een en al glimlach en uitgelaten zomervreugde. Dan hoort hij wat de Amerikaanse zingt en met een gezicht dat in droeve rimpels is getrokken, herhaalt hij het couplet: *When my father died we put him in the ground, when my father died it was like a whole library had burned down.*

Beach Boy zet het ding weer af en doet de oordopjes uit.

"Ik zal je één ding vertellen, Kykke", zegt hij. "Als mijn vader echt een bibliotheek was geweest, dan was dat een bibliotheek vol gebruiksaanwijzingen hoe je een atoomraket moet bouwen."

Kykke luistert niet. Hij zit in gedachten verzonken, terwijl hij met een dot poetskatoen het glas van de snelheidsmeter van zijn motor poetst.

"Je bent verdorie met de zomer weer buiten, Beach Boy", zegt Kykke ten slotte. Hij stapt af, met enige inspanning omdat hij zo groot is, wipt het zware gevaarte op de standaard, zet zijn helm af en legt die op het zadel. Op de tank van de motor is met gekrulde gouden letters *Brontes* geschilderd en onder die naam, met kleinere letters, *Zoon van Uranus en Gaea*. Het is een standaard zwartgelakte Kawasaki, het grootste model, KZ-1100, die er al zoveel kilometers op heeft zitten dat, zoals Kykke altijd zegt, "ze hem achter de stal zouden hebben geleid en hebben doodgeschoten als Brontes een renpaard was geweest".

Kykke leunt tegen de motor, strekt zijn benen. Masseert zijn ellebogen en knieën.

"'k Geloof dat ik jicht krijg", zegt Kykke. "Op zulk gedonder moet je waarschijnlijk voorbereid zijn als je vanaf je veertiende op een viertakt rijstkoker hebt gezeten."

"Dan rijd je al een halve eeuwigheid", zegt Beach Boy eerbiedig.

"Het is vijfendertig jaar geleden dat ik in *fucking* Århus op mijn eerste Kawasaki Samurai dwars over het schoolplein scheurde", zegt Kykke, en hij kijkt op zijn horloge, een Rolex Oyster. Het edele ding past niet erg bij de stijl van de man, die eruitziet als iemand die zwaar werk verricht, een echte arbeider. "'t Is nog maar tien uur. Wordt snikheet vandaag. Hé, jochie, wil je nog steeds Beach Boy genoemd worden?"

"Beach Boy, Banzai Boy, of Nike Boy. Dat hangt een beetje van mijn bui af. De psycholoog in de gevangenis zei dat ik een gespleten persoonlijkheid heb, maar dat mijn persoonlijkheid als geheel een bron van talent is. En wat doet het ertoe dat die bron niet rein en klaar is, zoals we op de begrafenis zongen?" zegt Beach Boy, zonder zich eraan te storen dat Kykke nauwelijks met een half oor luistert.

"Ben ik in een geweldig humeur, of niet soms?" roept de jongen, en hij stept zodat het stof tot aan de betonmuur opstuift. "Jezus, wat heb ik naar dit clubhuis verlangd. Bijna te goed om waar te zijn dat je me hebt opgehaald en hier naar The Middle of Nowhere hebt gebracht."

Zijn blik valt op een figuur in miniatuurformaat die met zwarte viltstift op de muur is getekend. De kinderlijke lijnen stellen een mannetje voor dat aan een galg hangt. Onder het figuurtje is een naam geschreven met letters die in weer en wind bijna zijn uitgewist, en die naam is Vilhelm Thygesen.

"Ik heb de duivel in mensengedaante getekend", zegt Beach Boy tot zichzelf. "Klein klotekind tekent grote klootzak."

Hij tikt met zijn nagels tegen het beton. Er valt een schilfer af en het mannetje heeft een been minder.

"Net goed, Thygesen", fluistert Beach Boy. "Je had een kogel in je knieschijf moeten krijgen, omdat je alles voor de Seven Samurais hebt verziekt."

Hij danst weer naar de grote Kawasaki.

"Bedankt dat je me hebt gehaald, Kykke. Je was verdomd vroeg vanmorgen. Voordat de duvel z'n schoenen aanhad, en mijn moeder haar pantoffels. Maar bedankt, bedankt, bedankt. Banzai!"

"Kun je je snavel eens houden?" zegt Kykke. "Als je dat sexy gevaarte had gezien dat in de bunker op je wacht, was je in zwijm gevallen, ventje."

Kykke trekt de ritssluiting van zijn leren pak naar beneden, haalt een zakdoek tevoorschijn en veegt het zweet van zijn dunbehaarde kruin en uit zijn hals, die bedekt is met een wortelrode baardgroei met grijze strepen erin. Dan trekt hij het bandje recht dat het suède lapje voor zijn rechteroog op zijn plaats houdt.

"Sexy gevaarte, sexy gevaarte!" zingt Beach Boy. Hij gaat op een denkbeeldige motorfiets zitten en maakt motorgeluiden, houdt opeens op en vraagt bezorgd: "Je hebt de sleutel toch wel bij je, Kykke?"

Hij wijst naar een solide hangslot aan een van de geteerde deuren.

Kykke rinkelt met de sleutelhanger die aan zijn riem hangt.

"Hoe high ben je eigenlijk?" vraagt hij.

"Ik ben zo nuchter als Mette-Marit na de verloving", antwoordt Beach Boy, en hij hikt van het lachen. "Misschien heb ik een overdosis anabole steroïden in m'n flikker. Maar het is pure onzin dat dat spul iets met je hersenpan doet."

"Het ziet er ook niet naar uit dat het iets met je lichaam heeft gedaan", zegt Kykke. "Je bent nog net zo miezerig als altijd."

"Als je de hele dag planken staat te stapelen in die godvergeten kou in de zagerij van Trøgstad, heb je geen behoefte meer om 's avonds ijzer te pompen in de sportschool. Dan ben je te kapot om echt te trainen", zegt Beach Boy verontschuldigend. "Zu'we nie na binne gaan?"

"Even wachten", zegt Kykke, en hij grijpt de jongen bij zijn schouders. "Eerst moet ik even een hartig woordje met je spreken. En ik moet me even wassen met al dat gezweet."

Beach Boy vraagt of ze nog water hebben, of hebben die idioten van de gemeente dat afgesloten? Kykke antwoordt dat het voor de winter is afgesloten, maar dat hij een ton onder de regenpijp heeft geschoven.

"Nu is de lente ontloken", zegt Beach Boy, en hij neemt een slok van de cola die hij uit een van de verborgen zakken in zijn wijde legerbroek tevoorschijn heeft getoverd. "11 mei. Een week voor de 17e, en het is verdomme volop zomer."

"Binnen een dag."

"*Instant summer*, zogezegd."

"Zeker weten. Als je maar weet dat ik je altijd al een kleine slimmerik heb gevonden", zegt Kykke. Hij haalt een pakje Marlboro uit het borstzakje van zijn leren pak.

"Peuk?"

"Ik draai liever", zegt Beach Boy. "In die hel van de palletspijkerij raak je al snel verslaafd aan Rød Mix, de enige shag die ze in die kiosk daar altijd hebben. Het is verdomme net paardenstront, maar als je het een paar maanden hebt gerookt, smaken die filtersigaretten nergens meer naar."

"Ik rook ook geen kant-en-klare", zegt Kykke. "Ik heb ter ere van jou een pakje gekocht. Ik heb je altijd al een fijne knul gevonden, en ik verdomde het om al die kutpraatjes aan te horen die de ronde deden."

"Dat vind ik tof van je", zegt Beach Boy. Hij glimlacht en laat een reeks volkomen gave tanden zien, als uit een kauwgomreclame, en maakt een paar danspassen. Zijn basketbalschoenen doen stof opwervelen. Zijn broek hangt een stuk onder zijn kruis, zoals dat hoort. Hij raapt een leeg Castrol-blik op, pakt een stok en begint te trommelen, terwijl Kykke naar hem kijkt zoals een geduldige hond naar een uitgelaten pup. De jongen trekt zijn zeemansjekker uit en hangt die aan het stuur van de Kawasaki. Uit de zak steekt een bundeltje kranten.

"Heb je het laatste nieuws over Jennifer gehoord?" vraagt Beach Boy.

"Welke Jennifer?"

"Jennifer Lopez, natuurlijk", zegt de jongen, en hij wijst op de afdruk op zijn T-shirt. "Een of andere gladjakker wist haar te filmen terwijl ze met een kerel lag te neuken."

"Die hoererij in Hollywood zal me aan m'n reet roesten", zegt Kykke. "Ik ga effe pissen."

Hij loopt met zware passen langs het betonnen gebouw, dat tijdens de oorlog door de Duitsers als garage is gebouwd, zoals hij had ontdekt – wat Hitlers mensen ook midden in het diepste sparrenbos met een garage moesten. Jongeren uit de buurt, die er geen mallemoer vanaf weten, beweren dat het als NAVO-bunker was bedoeld om rijksweg 120 te kunnen bestrijken als de Russen met hun tanks daarover kwamen aanrollen, met koers op de Nike-raketten in de Våler-batterij.

Kykke loopt aan de schaduwkant om het gebouw heen, schopt tegen het SEVEN SAMURAIS-bordje dat hij daar van de winter heeft neergegooid, bestudeert de thermometer aan de muur. Die is op een geëmailleerd bordje gemonteerd waarop IG FARBEN staat. Het email is niet gebarsten en de thermometer heeft nooit anders aangegeven dan wat er in de weersverwachting werd voorspeld. De schroeven die het plaatje op zijn plaats houden, zijn echter tot deeltjes roest vergaan. Natuurlijk konden de Duitsers het zich niet veroorloven om gegalvaniseerde schroeven te gebruiken om een simpel meetinstrument aan een of andere afgelegen muur in Noorwegen te monteren.

Er klinkt geklater en er is zo te zien niets mis met zijn nieren. Zijn urine heeft de kleur van pils, niet van Oud Bruin. Op het water in de regenton ligt een laag berkenpollen. Hij spoelt zijn handen er snel even in af. Rukt de Duitse thermometer van de muur, als souvenir aan The Middle of Nowhere.

"Twintig graden", roept hij naar de jongenswelp. "Het wordt in de loop van de dag vast vijfentwintig."

"Perfect, dan ga ik naar de beach bij Fuglevik om mijn bast te bruinen", antwoordt Beach Boy, en hij slaat een Tarzan-roffel op zijn borst. Hij draait een shagje met vingers vol splinters na zijn inspanningen in de zagerij van Trøgstad, steekt het aan en begint te hoesten.

Hij bekijkt het clubhuis. Boven de bruine deuren, die naar teer beginnen te ruiken als ze echt warm worden, is de naam THE MIDDLE OF NOWHERE MC nog goed zichtbaar. Geschilderd met grote witte letters met zilveren schaduwranden. De witte verf is erger afgebladderd dan de zilveren. Er is iemand met spuitbussen in de weer geweest, en diegene heeft op de betonnen muren en op de deuren gekalkt. Dakloze zwervers misschien, of eindexamenkandidaten. Die komen altijd naar deze verlaten plek, parkeren hun auto's op de vuilnisbelt achter het gebouw en doen dat wat eindexamenkandidaten en Jennifer doen. Er is ook met rode verf gekladderd, die er nieuw uitziet. Maar tot aan The Middle of Nowhere zijn die smeerlappen niet gekomen. Die naam staat daar als een herinnering aan de tijd dat de chopperfreaks hier huishielden en Beach Boy nog maar een dreumes was.

Toen een vliegtuigmechanicus met de naam Ottar Strand een vaste baan had en de raketten op de Nike-basis moest onderhouden. Dat duurde tot '91, toen de Nikes zogenaamd uit de tijd waren. De chopperfreaks pakten een jaar later hun boeltje en kregen na een besluit van de Arbeiderparti een waar slot in Spydeberg toegewezen. Papa Strand kreeg een herscholing. Dat was voor de tijd van de gouden handdrukken, voordat de mensen van het leger parachuutjes omgehangen kregen, ook al waren ze niet bij de paratroepen, maar gewoon miezerige majoortjes.

Toen stond The Middle of Nowhere leeg. Maar goddank doken de Seven Samurais op en vestigden zich hier met het volledige MC-clubpakket, inclusief geheimzinnige toelatingsrituelen voor de jeugd, die met grote ogen rond het clubhuis hing. Kykke begon een werkplaats op te zetten en beweerde dat die de beste voor jappenbikes in heel Østfold zou worden.

"Jij weet en kunt bijna alles", zegt Beach Boy, terwijl hij zich uitrekt. Heeft hij niet laten zien dat hij in staat is positief te denken en creatief te werken, zoals Ragnhild, zijn maatschappelijk werkster, hem heeft geprobeerd in te prenten?

Hij vraagt zich af waar het SEVEN SAMURAIS-bordje is gebleven. Het kan onmogelijk verrot zijn, of vanzelf van de muur zijn gedonderd. Hij had mogen helpen het teakhouten ding op te hangen, en hij herinnert zich nog goed hoeveel waarde Kykke eraan hechtte dat ze echt roestvrijstalen bouten zouden gebruiken. Als de sheriff en die opgeblazen types van de gemeente hier geweest zijn en dat bord hebben gejat, dan ...

Beach Boy friemelt aan zijn haarplukjes. Hoe goed hij dat Manson-drummerkapsel ook vindt, toch voelt het vreemd aan, alsof het een ruimtewezen tooit dat net op de planeet Tellus is geland.

"En jij brengt je nieuwe vlechten in model?" zegt Kykke.

Beach Boy schrikt en draait zich om naar de reus, die achter hem dichterbij is gekomen. Kykke is nu niet bepaald de droom van iedere schoonmoeder, tenzij die schoonmoeder eropuit is dat haar dochter met een eenogige trol trouwt. Stel je voor dat híj die man uit Moss was geweest die prinses Märthe-Louise in het slot had bezocht.

"Jij zou de duvel nog de stuipen op het lijf jagen", zegt Beach Boy.

"Komen die apen van die Kamikaze-bende nog steeds naar de nor in Trøgstad om tennisballen vol speed over het hek te gooien?" vraagt Kykke.

"Niet zo vaak", antwoordt Beach Boy lachend. "Het zou best vaker mogen gebeuren, als je het mij vraagt."

"Verdomd riskant en kinderachtig om zo business te doen", zegt Kykke gemelijk. "Het heeft nogal wat verbazing gewekt dat ze je zo ver voor je tijd hebben ontslagen. Was dat alleen omdat je vader in de grond moest dat je zo vroeg weg mocht?"

"De meesten mogen tegenwoordig eerder weg. Als je tweederde hebt uitgezeten – tenminste, als je meer dan zestig dagen hebt gekregen en negatieve pistests hebt. En toen stierf mijn vader, zodat ik ook nog sociale redenen had."

"Maar je weet wat Borken en Lips zeggen, en dat ze je Song Boy en Singing Bird noemen?" zegt Kykke. "Minder slimme types zouden kunnen gaan geloven dat je met mooie praatjes uit de bajes bent gekomen."

"Weet ik."

"Dat je je kornuiten hebt verraden en hebt verkocht aan mensen die nog geen knip voor de neus waard zijn. Maar vergeet 't, Beach Boy. Je hoeft daar niet naar de grond te staan staren als een schooljongen die betrapt is bij een potje rukken in de kleedkamer van de gymzaal. Want Kykke gelooft niet alles wat hij hoort."

Kykke brengt beide handen naar zijn oren om te illustreren wat hij bedoelt.

"De zon brandt zo dat je helemaal gaar in je harses wordt", zegt hij. "Maar je moet afzien, zoals dat in Gokk heet. Dat kreeg ik te horen toen ik een enorme duik maakte, een slip langs het strand op de Lofoten, en plat op mijn bek ging. Afzien, zei de dokter in het ziekenhuis van Gravdal. Daar moet je in kritische situaties aan denken. De stress verdragen."

Hij grist de kranten uit de zak van het jack. Slaat op de tank van zijn motor *VG* open en bladert tot hij de tekening van een vrouwengezicht vindt. Het portret van de donkere vrouw ziet eruit als zo'n montagefoto die de politie van verdachte personen publiceert. Kykke leest de tekst eronder hardop voor, terwijl Beach Boy luistert. Op zijn gezicht staat zowel trots als angst te lezen.

"Dit hier is de goorste klotestreek die we in de club ooit hebben meegemaakt", zegt Kykke, en hij plant zijn wijsvinger op het portret. "Daarom zijn jij en ik gedwongen tot een klein verhoor, hoe verdomde warm het ook gaat worden en hoe bezweet mijn oren ook zullen raken van dat schizofrene gelul van je."

Hij pakt een flesje mineraalwater uit de zijtas van zijn motor en drinkt het in één teug half leeg, giet de rest op zijn zakdoek en bindt die om zijn hoofd.

"Je mag blij zijn dat Borken er niet is", zegt Kykke. "Borken is woedend. Hij heeft me gevraagd of ik je een paar vragen wilde stellen. In de eerste plaats of je weet wie die vrouw eigenlijk is."

"Geen idee."

"In de tweede plaats of je weet wie haar heeft vermoord."

Beach Boy prikt met zijn stok in het grind. "Ik dacht dat het iemand van de Kamikazes moest zijn."

"Waarom dacht je dat?"

"Omdat ik dat damestasje heb gevonden en dacht dat het van haar was, in dat huis in Halden, dat krot in Aspedammen dat de Kamikazes van Board-Bård mochten gebruiken."

"Hoe wist je dat het haar tas was?"

"Nou, tja ..."

"Voor den dag ermee", zegt Kykke.

"Heb je een Marlboro?"

"Dat pakje is voor jou."

Beach Boy steekt een sigaret op. Het lukt hem niet verborgen te houden dat zijn handen trillen.

"Tja", zegt hij, "er was daar ongelooflijk veel bloed, op de keukenvloer en op de kastdeuren."

"Misschien hadden die Kamikaze-jongens een kip de kop afgehakt", zegt Kykke.

De jongen lacht en zegt dat er waarschijnlijk niemand meer is die ooit een levende kip heeft gezien, behalve de boeren met een kippenfarm. Hij breekt de stok in tweeën en gooit de ene helft in een boog over de weg. Een paar seconden later komt er vanuit het noorden een auto aan, een roodgeschilderde bestelwagen zoals die waarin eindexamenkandidaten altijd rondrijden. De auto toetert staccato. Beach Boy steekt zijn middelvinger op.

"Laten we gaan zitten terwijl we staan", zegt Kykke. Hij loopt om het betonnen gebouw heen en komt terug met een bank achter zich aan gesleept. Die zet hij voor een van de poorten neer.

Beach Boy probeert door de kieren in het houtwerk te kijken.

"Staat er echt een te gekke bike daarbinnen?" vraagt hij.

Kykke knikt en gaat op de bank zitten.

"Erewoord?"

"Je denkt verdomme toch niet dat ik lieg?" zegt Kykke. "Mij kun je vertrouwen. Lips en ik zijn de laatste vrienden die je hebt bij de Seven Samurais. Borken heeft gezegd dat ik je met een Engelse sleutel op je kop moest rammen en je in de groene hel moest begraven."

"De groene hel?" zegt Beach Boy, en hij kijkt verschrikt naar Kykke, alsof die grote man een Engelse sleutel uit zijn mouw zou kunnen toveren.

“Het bos, mongool”, zegt Kykke. “Kop op, jongen. Zie ik eruit alsof ik van plan ben je hoofd in je maag te rammen?”

“Neu”, antwoordt Beach Boy, maar hij schuifelt achteruit, trapt naar een steentje, en naar nog een.

“Kun je alsjeblieft stil blijven staan of op de bank komen zitten?” zegt Kykke. “Ik word nerveus van dat geschop van je.”

“En ik dan? Raak ik misschien niet lichtelijk in de stress door wat je daar zegt – dat je me moet vermoorden en begraven en wat niet al?”

“Je weet wat er met de groene hel wordt bedoeld?”

“De jungle in Vietnam.”

“Of de jungle in het Amazone-gebied. Je dacht toch zeker niet dat ik je helemaal naar de oevers van de Amazone zou brengen om je daar in de modder te begraven?” zegt Kykke lachend. Zijn gelach klinkt als het gebulder van een afgereden Kawasaki zonder uitlaat.

“Dus je maakt maar een grapje?” zegt Beach Boy.

“Heb ik ooit iemand geslagen?” vraagt Kykke.

“Voorzover ik weet niet.”

“Ik ben groot, daarom sla ik niet.”

Kykke wijst naar de rand van het bos aan de andere kant van rijksweg 120, waar kleine berken, wilgen en lijsterbessen met hun lichtgroene pasuitgekomen bladeren voor een muur van donkere dennenbomen staan. Tegen al dat lichtgroen steekt een bloeiende wilde kers af.

“Dacht je dat het mijn stijl was om een jonge jongen in het bos te begraven, net als die Zweedse seriemoordenaar Thomas Quick?”

“Nee, seriemoord is absoluut jouw stijl niet”, zegt Beach Boy, en hij gaat op de bank zitten, naast de man met het lapje voor zijn oog en de druipende zakdoek op zijn hoofd.

“Al had Borken me het mes op de keel gezet en opgedragen je levend te begraven, dan nog zou ik nooit met zo’n moord hebben ingestemd”, zegt Kykke. “Nu weet je wat voor boze gedachten chef-samoerai Borken over jou heeft. Je mag God op je blote knieën danken dat ik als tweede man en Lips als penningmeester er anders over denken.”

Kykke wringt zich uit het bovendeel van zijn leren pak en

knoopt de mouwen om zijn middel. Daaronder draagt hij een geruit werkhemd, dat nat is van het zweet. Dat overhemd trekt hij uit en hij hangt het aan een spijker aan de deur te drogen. Slechts gekleed in een hemd loopt hij naar zijn motor en haalt een groen blikje bier uit de linkerzijtas van de Kawasaki. Het is Carlsberg en het is beslagen van de kou. Beach Boy vraagt hoe het bier zo koud is gebleven en krijgt ten antwoord dat er een kleine koeltas in de tas is geplaatst en dat de koelelementen nog bevroren zijn. De jongen kijkt verlangend naar het blikje bier, maar krijgt te horen dat hij het mooi bij cola moet houden, aangezien hij nog een proefrondje met de motor moet maken.

Het verbaast Beach Boy dat Kykke, die er al zo lang bij is, maar één tatoeage heeft, in elk geval maar één die zichtbaar is op de winterbleke huid die hij nu laat zien. Het is een fijn getekend dingetje op zijn linkerbovenarm. Ziet eruit als een diamant. Ooit, lang geleden, toen hij nog een opdringerige *hangaround* was, had hij Kykke gevraagd wat die tatoeage moest voorstellen. Toen kreeg hij nors ten antwoord dat het een herinnering was aan Kykkes tijd als zeerover, en dat had hij bijna geloofd.

"We moeten het nog even hebben over wat er van de winter is gebeurd", zegt Kykke terwijl hij met de rug van zijn hand het bierschuim uit zijn baard veegt. "Je bent dus naar dat huis in Aspedammen gegaan. Hoe kwam je daar?"

"Met een auto die ik gejat had."

"Wat voor auto?"

"Niks bijzonders. Een roestige, oude Opel Corsa."

"Wat moest je daar eigenlijk, potverdomme?"

"Ik wilde kijken of er wat speed in het huis verstopt was. Het duurde nog maar een paar dagen voordat ik naar Trøgstad moest voor die diefstallen. Ik had zo'n verdomde trek in het een of ander. Bård had verteld dat volgens hem die Kamikazebende dat krot als een depot voor een heleboel pep gebruikte."

"Was je alleen?" vraagt Kykke.

"Ik was helemaal alleen, 's avonds laat. Donker en ongelooflijk koud. Het was tamelijk luguber in dat gore huis."

"Hoe ben je binnengekomen?"

"Breekijzer tegen de vermolmde voordeur. En toen scheen ik

rond in dat spookhuis; ik had een zaklamp bij me en zocht systematisch alles af."

"Heb je speed gevonden?"

"Een beetje gemorst poeder in een keukenkastje. Het smaakte naar amfetamine, maar ik was er niet zeker van. Het kon net zo goed rattengif zijn, en het was niet genoeg voor een lekkere shot. Dus heb ik het laten liggen. Die damestas vond ik achter de keukendeur, en een hoop in elkaar gefrommeld plakband met een envelop eraan. In die envelop zat een vel papier met de naam van die rijke stinkerd. De tas was leeg. Maar het was een mooi ding, van krokodillenleer."

"En die tas heb je meegenomen?"

"Die wilde ik aan een meisje geven met wie ik wat had – Anita heet ze – als afscheidscadeautje voordat ik naar de gevangenis moest. Dus reed ik naar het huis in Remmen waar ze op kamers woont. Ze studeert. Anita was weg van die tas. Maar toen kwam er een ander meisje, Dotti wordt ze genoemd. Toen zij die tas zag, zei ze dat ze hem al eens eerder had gezien. Dat hij van een buitenlandse vrouw was naast wie ze in de trein vanuit Göteborg had gezeten. Het werd een beetje pijnlijk voor me, maar ik wist me eruit te redden door te zeggen dat ik die tas in een afvalbak op het station had gevonden."

"In Halden?"

"Ja, in Halden."

"Oké", zegt Kykke. "Je vindt een damestas in een leegstaand huis, die in verband kan worden gebracht met een vrouw die iemand in een trein heeft gezien. Waarom denk je dat degene van wie die tas is, vermoord is?"

"Door al dat bloed, zoals ik al zei. En dan die dronkelap nog, die kwam toen ik ervandoor wilde gaan."

"Een dronkelap, daar in dat huis?"

"Ja, toen ik weg wilde, stond er een vent in de deur. Ik schrok me wezenloos. Die kerel had een enorme kegel. Hij zei dat hij in het huis ernaast woonde en vroeg verdomme of ik een juut was. 'Ben jij van de politie, jongeman?' Hij zei dat hij een paar dagen tevoren de politie had gebeld, omdat hij in Reidars huis iets uiterst verdachts had gezien. Reidar is de oom van Bård; die geeft geen ruk om dat krot in Aspedammen, dat is zo vervallen, en hij woont zelf op Lanzarote. Die vent jammerde dat de politie hem nooit serieus nam als hij rare dingen zag en iets te melden had over drugsbendes en terroristen en zo. Ik zei dat ik geen juut was, maar de neef van Reidar, en dat ik de opdracht had op het huis te passen. Toen vroeg ik die vent wat hij dan voor verdachts had gezien."

"Ik sterf van de zenuwen", zegt Kykke grijnzend. Maar zijn gezicht staat gespannen. Het oog dat niet door een lapje is bedekt, tuurt waakzaam naar de zon. Hij trekt de zakdoek van zijn hoofd en wringt hem uit. Blijft erin zitten knijpen.

"Hij zei dat hij een paar kerels had gezien die een zigeunervrouw – zo noemde hij haar: zigeunervrouw – dwongen om uit een auto te stappen en het huis binnen te gaan. En toen had hij gegil gehoord."

"Goh", zegt Kykke. "Heeft die vent nog een nauwkeuriger beschrijving gegeven van die kerels en van de auto waarin ze gekomen waren?"

"Nee, en daar heb ik ook niet naar gevraagd. Ik zei dat de mensen die hij had gezien vrienden van me waren, die ik had gestuurd om die zigeunervrouw het huis te laten zien. Dat ze een plek zocht om te wonen, maar dat ze vond dat het huis te afgelegen lag en dat de huur veel te hoog was. Dat ze boos was geworden, had geschreeuwd en tekeer was gegaan, en 'm toen was gesmeerd."

"En slikte die vent dat verhaal?"

"Hij was ladderzat, hij kwijlde ervan. Hij probeerde wat poen van me te bietsen. Ik raakte in paniek, maakte dat ik naar de auto kwam en reed zo snel weg dat het ijs op de weg ervan kraakte. Later, toen ik wat tot bedaren was gekomen en van die vrouw in de trein hoorde, telde ik het een en ander bij elkaar op en dacht dat die Kamikaze-lui in dat huis met een vrouwelijke drugskoerier hadden afgerekend. Eentje die hen had belazerd bijvoorbeeld, en die daar akelig voor moest boeten."

Kykke neemt een slok van zijn blikje bier, stopt wat pruimtabak in zijn mond, spuwt majesteitelijk en geeft Beach Boy een complimentje voor zijn logische verklaring. Hij vraagt waarom de jongen dacht dat het die Kamikaze-lui waren die het huis hadden geleend, en krijgt ten antwoord dat Bård, Board-Bård, het snowboardfenomeen, dat had verteld. Kykke zegt dat er heel wat rare snuiters in Aspedammen rondhangen, aangezien daar een crossbaan is en iedereen die in bikes geïnteresseerd is die plek kent – en het is vlak bij Zweden. Aangenaam afgelegen. Een prima plek voor iemand die een bepaald soort handel over de grens drijft en een opslagplaats nodig heeft.

"Je hebt er nooit iets over gehoord of eraan gedacht dat het misschien anderen waren dan die Kamikazes?" vraagt Kykke.

"Nee", antwoordt Beach Boy.

"Dan blijft alleen nog de vierenzestigduizenddollar-vraag over: waarom dacht je dat er een verband was tussen een vrouw die in Aspedammen kan zijn vermoord en de vondst van een vermoorde vrouw bij Thygesen in Oslo?"

"Toen ik in Trøgstad kwam, stond er nog steeds iets over die vermoorde vrouw in de kranten en ..."

"Wacht even", zegt Kykke. "Was iemand in de bak ervan op de hoogte dat jij bij de Seven Samurais hoorde?"

"Nee, gelukkig, in het begin niet", zegt Beach Boy met een brede glimlach. "Toen begreep ik hoe verdomd slim 't was dat we die regel hadden dat het lidmaatschap geheim was. Want in Trøgstad zaten twee kerels die er prat op gingen dat ze Hells Angels waren en één van wie ik zeker weet dat hij een Kamikaze was. Het had een enorme heibel kunnen geven als ze geweten hadden dat ik een samoerai was. En dan heb je nog die Albanezen met hun versteende smoelen, die bikers niet kunnen uitstaan, en die woestijnratten uit Somalië, die mensen als wij ook niet mogen."

"Wat dachten die andere gevangenen dan van je, jochie?"

"Dat ik was wat ik zei dat ik was: een kleine dief uit Hobøl, die tijdelijk bij zijn moeder thuis in Tistedal woonde."

"Je zei 'in het begin'?"

"Later voelde ik me wat meer op mijn gemak. Die twee van Hell's Angels vertrokken vlak nadat ik daar was aangekomen, en degene die volgens mij een Kamikaze was, werd naar de gevangenis in Mysen overgeplaatst omdat hij in de eetzaal iemand met een vork had gestoken. En toen kreeg ik een celgenoot uit Fredrikstad, absoluut een straight type, die daar alleen zat omdat hij de sociale dienst had belazerd en die ervan droomde op een bike rond te rijden. Hij was op de Harley-toer en ik probeerde hem te bekeren. Ik heb hem over Kawasaki's verteld en over Seven Samurais, en laten doorschemeren dat ik van die club het een en ander af wist."

"Prima", zei Kykke. "Waar ik heen wil, is of je iets tegen de bewaarders, de maatschappelijk werkers en dat soort lui hebt gezegd."

"Geen woord. Ben je gek!"

Kykke gooit de zakdoek weg, draait een shagje uit het pakje van de jongen, steekt het aan, vraagt naar Thygesen en blaast een wolk uit, die in de windstille lucht blijft hangen.

"Die ene van de Hell's Angels werkte samen met mij in de werkplaats waar we beslag op pallets monteerden", zegt Beach Boy. "Hij vertelde dat de grote jongens van HA een keer bij Thygesen waren geweest om raad te vragen voor hun blad, *Scanbike*. Iets met vrijheid van meningsuiting, en dat Thygesen toen tegen een flinke som een soort rechtsbijstand zou verlenen. Maar het werd een zooitje en die HA waren zo nijdig dat de boss zei dat ze er niet voor zouden terugdeinzen om dat hele spookhuis van hem plat te branden. Ik dacht dat die Kamikaze-lui Thygesen misschien ook als advocaat hadden gebruikt en dat ze zo woedend op hem waren geworden dat ze een dode vrouw in zijn tuin hadden gedumpt, als een soort wraakactie of zoiets."

"Je hebt een scherp stel hersens", zegt Kykke. "Maar is je geheugen net zo goed? Herinner je je nog of je mij ooit hebt horen zeggen dat ook wij een soort advocaat hadden hier in The Middle of Nowhere?"

"Nee, daar heb ik nooit iets van gehoord."

"We – dat wil zeggen ik persoonlijk, aangezien ik de monteur van de Seven Samurais was – hebben voor veel poen juridische bijstand ingehuurd om te proberen te voorkomen dat de gemeente de bunker en de belt en de hele klerezooi zou onteigenen vanwege een stom bestemmingsplan dat de burgemeester van Våler wilde uitvoeren. Ik verloor omdat die schlemiel van me een termijn om in hoger beroep te gaan over het hoofd had gezien, zodat ik de gemeente geen proces kon aandoen en uiteindelijk elke mogelijkheid verloor om het perceel te kopen en er een fatsoenlijke werkplaats met vergunning en al op te bouwen. Daar heb je nooit van gehoord, en nooit iemand iets over verteld?"

"Nee", zegt Beach Boy, en hij staart naar de grond.
"Kijk me aan als je antwoordt, jongen."
"Daar heb ik nooit van gehoord, en als ik er nooit van heb gehoord, kan ik het ook aan niemand vertellen, toch?"
"Dát klinkt logisch", verzucht Kykke. Hij staat op, doet een paar stappen en wijst naar het figuurtje dat met viltstift op de muur is getekend. "Herinner je je wie dat daarop geklad heeft? Dat was een gozertje dat we onder onze hoede namen als hij op zijn mountainbike aan kwam karren, zo'n bijdehandje uit Ringvoll, met een vader die zoop en een valiumwrak van een moeder. Kon goed tekenen. Een echte Edvard Munch. Misschien herinner je je ergens in die mistbank van je wat dat voor jochie was? En waarom hij juist die herfstdag in 1993 stopte met zijn schetsen van atoomraketten en liever Thygesen aan de galg tekende? Omdat kleine potjes grote oren hebben. Dat gozertje had gehoord hoe pislink we waren op die landloper van een advocaat uit die kakbuurt."
Beach Boy verbergt zijn gezicht in zijn handen.
"Het heeft geen zin om mij voor te liegen", zegt Kykke, en hij gaat moeizaam zitten; de houten bank kraakt. "Was de rest van wat je hebt verteld waar, of waren dat ook kanjers van leugens? Bijvoorbeeld dat je moederziel alleen in Aspedammen was?"
"Board-Bård was erbij, maar hij hield de wacht in de auto die we hadden gestolen."
"Die bloedsporen en die tas heeft hij nooit gezien?"
"Nee", zegt Beach Boy, terwijl hij een kruisje slaat en zijn tranen droogt.
"Dan zijn we klaar met de kruimels", zegt Kykke. "Nu datgene waardoor Borken zo rood zag en waardoor Lips een ware zwartkijker is geworden. Ze gingen door het lint toen jij vanuit de telefooncel van Trøgstad meldde dat je met alle mogelijke trucjes probeerde een foto van die vermoorde vrouw in de kranten te krijgen. Maar ze dachten niet dat het mogelijk was, en dat dacht ik eerlijk gezegd ook niet. Tot ik vandaag kon melden dat je werkelijk succes hebt gehad met je meesterstuk. Je gelooft toch zeker wel dat Borken over de rooie ging? Geef me die diskman eens die aan je riem hangt."
Beach Boy haakt het ding los en geeft het aan Kykke. Die haalt

een kleine schroevendraaier uit een zak van zijn leren broek en draait met snelle, geoefende bewegingen het deksel van het apparaat. Hij pulkt er iets uit en onderzoekt de stukjes nauwkeurig. Monteert ze weer op hun plaats en schroeft het deksel vast.

"Wat doe je nou?" vraagt Beach Boy.

"Ik keek naar een politiemicrofoon", antwoordt Kykke kalm, en hij vertelt over de keer dat hij in het stakingscomité zat op een booreiland dat North Sea Star heette, en de firma de hutten van de militantste stakingsleiders afluisterde. In die tijd werd hij gedwongen te leren naar verborgen microfoons te zoeken.

"Je hebt verdomme helemaal geen vertrouwen in me!" roept Beach Boy. "Je hebt geen enkele reden om mij ervan te verdenken dat ik zo'n adder van een spion ben."

"Lik m'n reet", antwoordt Kykke koel.

"Vertel mij dan maar eens waarom je mijn diskman uit elkaar hebt gesloopt."

Terwijl de jongen vlak voor zijn gezicht staat te schreeuwen, blijft Kykke zwijgend met zijn handen in zijn zakken staan.

"Ja, jij staat daar maar doodgemoedereerd", zegt Beach Boy.

"Mijn rust is van dien aard die de oude Grieken stoïcijns noemden, een stoïcijnse rust", zegt Kykke. "Luister nu eens: iemand zou jou een omgebouwde diskman hebben kunnen toestoppen, met een microfoon en opnameapparatuur, misschien zelfs met een zender. Wat ik heb gedaan deed ik voor de veiligheid van de club, en voor de jouwe. De wereld wordt steeds harder. De smerissen zitten elke MC-groep in het land op de hielen, en die smerissen hebben het nieuwste van het nieuwste wat afluisterapparatuur betreft. En wat hebben wij? Wat ouwe troep."

Beach Boy moet zich voor deze argumentatie gewonnen geven. Hij bedaart snel en verklaart dat áls hij al een spion was geweest, het voor de Russen zou zijn geweest. Hij had ze een hele berg informatie kunnen geven over de atoombases bij de Vålerbatterij.

Uit een leren tasje, dat vooraan aan de tank van de Kawasaki is bevestigd, haalt Kykke een kleine, zilverkleurige Sony-dictafoon. Ze gaan zitten en hij zet de minibandrecorder tussen zichzelf en Beach Boy in op de bank.

"Er is iets waar een eenvoudige ziel als ik niet helemaal bij kan", zegt Kykke, terwijl hij met een dot poetskatoen die hij van de motor heeft gehaald het zweet afwist. Er zit een vlek motorolie op de dot. De strepen die die op zijn gezicht achterlaat, doen denken aan de oorlogsbeschildering van de indianen. "Als je een rijke stinkerd wilde chanteren, waarom heb je dan contact met de politie opgenomen?"

"Ik dacht twee vliegen in één klap te slaan", antwoordt Beach Boy.

"Hoe dan?"

"Eerst heb ik Ryland – algemeen directeur Gerhard Ryland van dat oliegeldfonds – een brief geschreven, waarin ik vertelde dat ik zijn naam en adres had gevonden in een envelop in de bagage van een vrouw die vermoord was. Ik schreef dat ons stilzwijgen een prijs had, en dat die prijs een miljoen kronen was."

"Wat bedoel je met 'ons stilzwijgen'? Je hebt in die brief toch goddomme niets over de Seven Samurais geschreven?"

"Nee, joh", antwoordt Beach Boy snel, terwijl hij een hand door zijn gele haar haalt. "Nee, ik heb alleen geschreven dat ik een liga vertegenwoordigde."

"Godkolere, jongen", steunt Kykke. "Nu lieg je alweer. Zo gaat dat niet. Je dwingt me om dat kleine recordertje aan te zetten. Borken zei dat hij een opname van het gesprek wilde hebben als alles fout liep."

"Voor mijn part", zegt Beach Boy. "Ik heb niks te verbergen. Maar je kunt niet verwachten dat ik me alles nog precies herinner en zo. Er zijn stoffen die je hersens volslagen leegblazen als je ze vermengt. Amfetamine plus vier of vijf Rohypnols, weet je."

"Betekent dat dat je nu speedy bent?"

"Een restje van gisteravond, ook al is mijn kop weer tamelijk helder na die Rohypnol-tabletten. Ik wist toch niet dat jij vanmorgen naar het huis van mijn moeder zou komen om mij op te halen, tot je op de drempel stond en haar de doodschrik op het lijf joeg?"

Kykke zet het apparaat aan. Er brandt een rood lampje, het bandje draait.

En het blijft een hele tijd draaien.

Ten slotte staat Kykke op, zet het uit en zegt dat hij naar de beek gaat – zich wassen en een beetje afkoelen. Hij steekt de weg over, waar het asfalt onder de zolen van zijn laarzen zacht aanvoelt, stapt door berkenstruiken en pollen pasontloken bosanemoontjes. Ze doen hem denken aan de plekken sneeuw langs de weg door het Filefjell-gebergte in juni. Hij vindt een poel. Er groeien wat gele bloemen, waarvan hij graag de naam had geweten, maar daar moet hij dan in zijn volgende leven maar achter zien te komen; dan kan hij botanicus worden, als hij tenminste niet als hommel wordt wedergeboren. Hij doet het lapje van zijn oog en steekt zijn hele kop in de beek. Het water is heerlijk koel.

Dát is vrijheid: een beek langs een landweg ontdekken waarin je je kunt opfrissen.

Hij wacht tot het wateroppervlak weer tot rust is gekomen. Spiegelt zich. Praat tegen zijn spiegelbeeld: "Je bent niet bepaald als door een god geschapen, behalve door Zeus dan, die de cyclopen aan het werk zette in de smederij van Hefaistos, waar ze de donderhamers smeedden."

Kykke breekt dode takjes van een kleine boom, die het tegen de droge zomer heeft moeten afleggen. Legt de takjes in een traliepatroon over de poel. Spiegelt zich weer. Zo zal hij eruitzien achter de tralies van een gevangenis.

"Volgens het gangbare schoonheidsideaal ben je niet knap, maar achter de tralies word je nog lelijker."

Ontbrekende schoonheid kan door verstand worden gecompenseerd.

"Maar je eigen verstand voldeed niet toen je een Hefaistossmederij in The Middle of Nowhere wilde opzetten. In een cel zal je verstand de genadeslag krijgen. Wat er van je overblijft, is een grote, zware, lege man die langzaam wegkwijnt."

Kykke droogt zich af met wat pollen mos. Doet het lapje weer voor zijn oog.

Hij ziet die twee aanvoerders van Hell's Angels voor zich, die dit voorjaar, 2001, allebei werden veroordeeld tot zestien jaar gevangenisstraf omdat ze gepakt werden bij een smokkelzaak met 98,3 kilo amfetamine. Drie tot vier plastic tassen met speed. Zestien jaar!

Sixteen tons. Zestien loodzware jaren. De Belgische koerier kreeg er veertien. Zo lang duurt het om een puber te worden. En een puber is algauw volwassen, heeft al een klein leven geleid.

De straatwaarde van honderd kilo amfetamine is meer dan een half miljard kronen. Tja, en als je voor een half miljard aandelen koopt in Orkla, krijg je een glaasje fris op de algemene aandeelhoudersvergadering en is er geen mens die vraagt waar je dat geld vandaan hebt, of het je grootmoeder bijvoorbeeld op de rug is gegroeid, of dat je cocaïnegeld hebt witgewassen, terwijl je beweert de poen te hebben ontvangen voor de visresten die je aan de Jappen hebt verkocht.

Ook al is een MC'er onschuldig, toch kan hij het risico lopen veroordeeld te worden – voor medeplichtigheid, voor wat dan ook. De overheid heeft een besluit genomen: mensen die aan een motor zijn begonnen omdat ze van de vrijheid langs de weg houden, moeten worden opgepakt, in de nor zitten en wegrotten tot ze vijfenzestig zijn; dan worden ze eruit geflikkerd en kunnen ze de rest van hun leven als rotte appels in een mand in een verpleegtehuis doorbrengen.

"Daar komt niets van in", mompelt Kykke, terwijl hij zich als een beer een weg door het struikgewas baant, kleine boompjes met wortel en al uit de grond rukt, ze in stukken breekt en ze naar de verdommenis helpt, als die voor bomen tenminste bestaat. *You never know, you'll always walk alone, in the end.*

De zon brandt in zijn nek, tenzij hij gestoken is door de hommel die hij zal worden.

"Als die onnozele hals nu maar zo slim is geweest om 'm te smeren."

Maar Beach Boy zit stand-by, rookt en hakt spaanders van een stuk hout dat hij heeft gevonden. Met zijn zakmes snijdt hij een figuur uit.

"Waarom zie je er zo godverdommese pitbullkwaad uit?" vraagt de jongen. "Het schuim staat bijna op je bek."

Kykke veegt zijn mond af.

"Ik dacht dat ik een bonus zou krijgen als ik vrijkwam", zegt Beach Boy. "Daarover scheppen die Hell's Angels-lui op; die krijgen dat. Je zei dat je me een sexy gevaarte wilde laten zien. Opschepperij, zeker?"

"Ik schep nooit op. Wacht maar af, nog even geduld. Weet je hoe Lips je noemde toen hij hoorde wat je allemaal hebt aangericht, voor je grote plan om de club miljonair te maken?"

"Een genie?" antwoordt Beach Boy.

"Lips zei dat je een los kanon aan dek was."

"Wat betekent dat?"

"Denk daar maar eens over na, dan kom je er wel achter", zegt Kykke terwijl hij zijn sleutelbos van zijn riem haalt. "Maar als het je echt gelukt was om een gat in de romp te slaan, dan zou de politie het huis van je moeder wel hebben omsingeld toen je thuiskwam, en hadden ze hier wel rondgezwermd. Ik moet constateren dat er geen serieuze schade is aangericht. Ik denk niet dat Borken het met me eens zou zijn, maar aangezien hij er niet is, ben ik degene die dit hier regelt."

"Waar is Borken naartoe?" vraagt Beach Boy, en hij kijkt naar de weg, waar een trailer zich met moeite tegen de lange helling richting Hobøl op werkt.

"Geen paniek. Borken is thuis op de boerderij en maakt ruzie met zijn familie over de erfenis en zijn golfproject. Hij duikt hier heus niet op om je de nek om te draaien."

Kykke vraagt de jongen te beloven dat hij zijn plan laat varen. Of hij in staat is zijn waffel te houden, alles te ontkennen als hem iets wordt gevraagd.

"Ja, natuurlijk", antwoordt Beach Boy, en hij schopt in de hoop spaanders aan zijn voeten.

"Dan trekken we de grote sluier der vergetelheid over het hele gebeuren, oké? En jij krijgt een bonus van me, en van Lips. Het is niet een van die atoomraketten waar je altijd over fantaseert, maar het scheelt niet veel", zegt Kykke. "Laten we het wonder van Lips eens aanschouwen."

Hij pakt de sleutel die in het hangslot aan de poort past en schuift die open. Een muffe, naar olie ruikende lucht slaat hen tegemoet. Het zonlicht dat naar binnen valt, schittert in de brandweerautorode lak en de verchroomde delen van een gestroomlijnde, sportieve motorfiets met een uitlaat die potent uitsteekt.

"Een Ninja", fluistert Beach Boy. "Verdomd, het is een Ninja!"

"Ik hoop dat je niet teleurgesteld bent als ik je vertel dat het een ZX-11 is", zegt Kykke.

"Teleurgesteld? Kom hé!" roept Beach Boy uit. Hij gaat naar

de motor en streelt over de zijkant, waarop met letters die bijna net zo geel zijn als zijn haar NINJA geschreven staat, veegt wat stof van het zadel, grijpt keurend het stuur beet. "Ik wist niet dat Lips zoiets gaafs had gekocht."

"Je weet hoe zuinig Lips is; hij heeft een hele hoop geld gespaard door niet het grootste sportmodel, de ZX-12, te kopen", zegt Kykke. "Maar deze machine is ook niet gek, wat jij?"

"'Ook niet gek' noemt hij dat!" zegt Beach Boy. "Weet je zeker dat ik hem kan lenen?"

"Zolang Lips in de States is, kun je hem hebben."

"Te gek, man! Dat is de ware samoeraigeest, om zo'n bike uit te lenen. Kunnen we hem naar buiten rijden?"

Voordat hij antwoord op die vraag heeft gekregen, begint Beach Boy de motor al de deur door te duwen. Hij gaat schrijlings op het zadel zitten. Zijn gezicht straalt bijna nog meer dan de lak.

"Is Lips in de States?" vraagt hij.

"Zijn moeder in Florida is ziek geworden", antwoordt Kykke.

"Woont Lips' moeder in Florida?"

"Wat kun jij toch vragen en graven."

"Sorry", zegt Beach Boy, en hij fluit een schril wijsje. "Te gekke bike. Ik krijg al een stijve van minder. Hoeveel cc heeft hij? Negenhonderd?"

"Meer dan duizend. Duizendtweeënvijftig om precies te zijn. En hij heeft ongelooflijk veel pk in verhouding tot de cc. Ik moest je de groeten doen van Lips en zeggen dat hij je wurgt als je erop rijdt als een oud baasje."

"Geen kans, laat hem dat maar weten."

De auto van de eindexamenkandidaten die ze al eerder hadden gezien, rijdt langzaam langs, met maar één zichtbare inzittende, en dat is de bestuurder. Boven de plaats achter het stuur van de wat oudere bestelwagen is een oranje bord met zwarte letters bevestigd, zoals dat van wegwerkers. De tekst luidt: AANPLANTING IN UITVOERING.

"Te gek bord", zegt Beach Boy.

De auto verdwijnt om de bocht richting noorden.

"Ik vind die kar maar niks", zegt Kykke. "Je zou denken dat ze ons in de gaten hielden."

Beach Boy zegt dat het wat merkwaardig zou zijn als de smerissen zich als eindexamenkandidaten zouden verkleden om een oogje op hen te houden. Kykke kan daar alleen maar mee instemmen. Maar hij waarschuwt de jongen om geen praatje te beginnen, mocht de auto terugkomen en blijven staan.

"Nu moet je moven", zegt Kykke. "Ik moet even een proefritje maken om de remmen te testen. Ik geloof dat die een beetje strak afgesteld zijn."

"Je helm", zegt Beach Boy, en hij loopt naar Kykkes motor om de helm te pakken die op het zadel ligt.

"Ik wip alleen even bij de Joker in Folkestad aan. Ik hoef geen helm op voor zo'n klein stukje."

"En de politie dan?"

"Die ligt vast en zeker in een hangmat te luieren bij deze hitte", zegt Kykke terwijl hij zich in het bovendeel van zijn leren pak wurmt en een zijden sjaaltje om zijn hals wikkelt.

"Ik heb trek in een ijsje. Wil jij er ook een?"

"Ja, graag", antwoordt Beach Boy. "Kun je ook een krant meebrengen?"

"Het lijkt me dat jij genoeg kranten hebt", zegt Kykke, terwijl hij op de bundel wijst die uit de zak van het jack steekt, en naar de *VG* die op de grond ligt.

Hij start, jaagt de motor flink op toeren, geeft vol gas, maakt een platte bocht in het grind, komt weer overeind en steigert de rijksweg op.

"Sterk", zegt Beach Boy.

Hij slentert het betonnen gebouw binnen. Drukt daar op een knopje. Er gaat geen licht branden. Dan hebben die vrekken van de gemeente zeker de stroom afgesneden – nog zo'n misselijke truc waarmee die opgeblazen types proberen om de MC-lui in The Middle of Nowhere kwijt te raken. Zijn ogen wennen aan de duisternis.

De ruimte lijkt leeg in verhouding tot hoe het eruitzag toen hij hier in januari voor het laatst was. Er staat een boot op schragen, een plastic jol met een armzalige 6-pk aanhangmotor aan de achtersteven. Die heeft hij nog nooit eerder gezien. Veel van wat hij hier altijd aantrof is weg: alle gereedschap van de club, de draaibank, het statief voor de boormachine. De blauwe gereedschapskist van Kykke staat op de werkbank. Het campingbed waar Kykke vaak op slaapt, staat ook in de hoek, met de slaapzak er nonchalant op gegooid.

Beach Boy doet de koelkast naast het bed open. Die stinkt van de schimmel. Hij vindt een flesje mineraalwater dat nog dicht is. Het kost hem moeite om de dop eraf te krijgen, maar het lukt en hij drinkt ervan.

Met de nieuwsgierigheid van een dief maakt hij de grote gereedschapskist open die Kykke heeft weten mee te nemen van de Noordzee toen die schoften van de North Sea Star hem eruit schopten.

Als hij van de zomer op die Ninja mag rijden, kan hij wel wat gereedschap gebruiken – lenen van Kykke, die meer dan genoeg heeft. Alles de beste Bahco-waar. Onder in de kist ligt een groot, legergroen ei in een nest van lappen vol olie.

Beach Boy tilt de handgranaat voorzichtig op, veegt een olievlek van zijn broek.

"Aardig," zegt hij, "dat Kykke mijn souvenir uit het bos van Våler zo goed bewaart."

Het is een Mills-granaat die hij had gevonden toen Jens-Petter en hij in een overwoekerde bunker ergens bij Kaspertomta hadden ingebroken, een zomeravond eeuwen geleden. Dat er nog fut zit in die kleine stalen ananassen uit de Tweede Wereldoorlog merkten ze toen ze er een paar uitprobeerden. Ze knalden bijna als bazooka-granaten, en de splinters gierden als een zwerm boze bijen door het kreupelhout.

Hij hoort Kykke de plaats op zwenken, legt de handgranaat terug in de kist en schikt de lappen eromheen. Hij vraagt zich af wat Kykke eigenlijk met een scherpe granaat in zijn gereedschapskist moet. Maar, zoals hij eerder zei: de wereld is hard.

"Klotetent", zegt Kykke vanaf de Ninja. "Ze hadden dat nieuwe Manchester-United-ijs niet bij de Joker. Rijd jij effe snel naar die kiosk aan de kruising bij Skjellfoss om er een paar te kopen?"

"Zeker weten", antwoordt Beach Boy. "Maar ik heb weinig poen."

"Je krijgt wat startkapitaal uit de kas, sunnyboy", zegt Kykke, en hij vist een biljet uit zijn portefeuille. "Meer dan dit zit er niet in, maar dat moet genoeg zijn voor een paar ijsjes, een volle tank en nog wat extra's."

Hij geeft de jongen het zilverkleurige briefje van vijfhonderd kronen.

"Ik weet niet wat ik zeggen moet", stottert Beach Boy.

"Je hoeft niks te zeggen", antwoordt Kykke. "We vonden dat we ons maar een beetje om jou moesten bekommeren als je er weer uit kwam."

Hij krabt driftig in zijn baard, begint gedetailleerd te beschrijven dat er nog grote plekken sneeuw op de skipiste van de Middagskoll liggen, en dat je daaraan kunt zien hoe idioot snel de zomer is gekomen.

"Maar nu wil ik ervandoor", zegt Beach Boy.

"Ik moet alleen binnen de remmen nog even een beetje bijstellen", zegt Kykke. "Ze waren nog gevoeliger afgesteld dan ik dacht."

"Het is zo donker als de nacht in die werkplaats."

"Vertrouw me. Remmen krijg ik blindelings in orde. Al zou ik aan béíde ogen blind worden", zegt Kykke, en hij wijst naar het oog dat niet door een zwart lapje is bedekt. "Je vraagt je vast af waarom het er binnen zo kaal uitziet. We hebben wat dingen moeten verkopen om de stroom en alles wat de gemeente ons in rekening brengt te betalen. Wat dat betreft zouden we dat miljoen van jou best kunnen gebruiken."

Hij lacht, en verzekert Beach Boy dat de club algauw weer operatief zal zijn. Beach Boy lacht ook, maar moet een vinger naar zijn ooghoek brengen om iets weg te vegen.

"Dat met de gemeente, daar hoef je geen traan om te laten", zegt Kykke.

"Maar het is allemaal zo verdomd onrechtvaardig. Waarom krijg je nooit een echte kans in dit leven?"

"Komt nog, komt nog."

"Er zijn overal alleen maar grenzen en beperkingen."

"Doorbreek die dan", zegt Kykke. "Breek ze dan goddomme open. Je hebt een hersenspoeling gehad van die maatschappelijk werkmoeder in de bak, en je hebt mooie praatjes geleerd die eigenlijk alleen maar een domper op je stemming en op je gevoel van vrijheid zetten."

"Ik ben heus niet geïndoctrineerd, als je dat soms denkt", antwoordt Beach Boy. "We hadden wat je noemt constructieve gesprekken."

"Dat zal best. Daar krijgt die baktante ook voor betaald, om dat tegen jou te zeggen. Maar als puntje bij paaltje komt, heeft zen meer te bieden dan al dat gelul wat de mensen zoal rondstrooien. Met zen en de Griekse godenleer kom je van hier tot in de eeuwigheid, en nog een aardig stukje verder."

"Ik zou best wat meer van die dingen af willen weten."

"Eerste les", zegt Kykke. "Het paradijs is daar waar je je nu bevindt. Op hetzelfde moment dat je met je vingers knipt of een weg op de Lofoten af vliegt, bevind jij je in het enige wat je de hemel kunt noemen."

"Heb je je oog op de Lofoten verloren?"

"Nee", antwoordt Kykke. "Dat was tijdens een tournee in Tsjechië. Wisten wij veel dat de Hell's Angels de baas waren in dat wegcafé waar we naar binnen gingen. Ik kreeg een gebroken glas midden in mijn gezicht. Op zo'n moment ervaar je de eeuwigheid. Je denkt dat je doodgaat, het doet beestachtig pijn. Maar je komt erdoorheen – in iets nieuws, en beters."

"Die klote-Hell's Angels ook", zegt Beach Boy.

Kykke duwt de motor door de poort naar binnen en zet hem bij de werkbank neer.

"Je weet dat ik er niet van hou dat er iemand over mijn schouders loert als ik bezig ben", zegt hij, en hij haalt een beslagen Carlsberg uit de koelbox van Brontes. "Ga in de zon zitten en neem een slok, maar niet meer dan de helft."

Beach Boy hoort Kykke vloeken en rommelen in het halfdonker. De jongen vindt nog net genoeg stuff in een plastic zakje om een dunne joint te draaien. Hij steekt hem aan en drinkt het bier met snelle teugen.

Vanuit het zuiden komt met een aardig vaartje een auto aangereden; hij remt en draait de plaats voor de bunker op, zodat de stofwolken opwaaien. Het is een type dat Beach Boy alleen maar op reclamefoto's heeft gezien: de nieuwste sportwagen van Opel, een glanzende, aluminiumkleurige Speedster met de kap omlaag vanwege het mooie weer, twee mensen erin – voor meer is geen plaats – en Duitse nummerborden, gemakkelijk herkenbaar aan de vier letters en het EU-teken. De vrouw naast de bestuurder heeft een hoofddoek om, zoals dat hoort in een cabriolet. Ze doet haar mond open, maar praat Noors in plaats van Duits.

Ze vraagt de weg naar een landgoed dat Bærøe heet.

Beach Boy zegt dat ze gewoon rechtdoor moeten naar het noorden, door Vålersvingen, dan het stuk rechte weg volgen en dan bij de kruising bij Skjellfoss rechtsaf. Vanaf daar, langs de landwegen, staat het aangegeven.

"Maar je mag niet helemaal tot het huis met de auto", zegt hij. "Als je bij het Bærøe-meer komt, staan er borden met AUTORIJDEN VOOR ONBEVOEGDEN VERBODEN. Aan dat verbod wordt heel strikt de hand gehouden."

"We zijn uitgenodigd op Bærøe", zegt de vrouw liefjes.

"Dat dacht ik wel", zegt Beach Boy. "Doe de groeten aan de eigenaar, de rijkste man van de provincie Østfold."

De Speedster rijdt weg. Beach Boy vindt de middelvinger te weinig en heft zijn volle vuist op. Hij verstopt het lege bierblikje onder de bank.

Kykke komt naar buiten; hij duwt de Ninja met zijn gereedschapskist op het zadel. Hij bindt de kist achter op Brontes.

Hij moet de auto hebben gehoord, moet zien dat het blikje bier weg is en ruikt waarschijnlijk de geur van de Libanon. Maar hij zegt niets.

Beach Boy zegt dat de rijken nu de mooiste huizen in de bossen van Våler en Hobøl overnemen. Op Bærøe woont de rijkste man van Østfold. Hij heeft het landgoed piekfijn laten opknappen. Alle woonhuizen zijn opnieuw geel geschilderd, en de schuur rood.

Kykke antwoordt, op een nogal vermoeide toon, dat dat normaal is voor gele huizen en rode schuren, en dat mensen met veel geld het zich kunnen veroorloven ze te laten schilderen.

"Je snapt niet wat ik bedoel", zegt Beach Boy. "Ik bedoel dat er iets mis is met de maatschappij. Wij kregen alleen maar heibel met de gemeente toen we The Middle of Nowhere wilden opknappen. Terwijl een rijke stinkerd meteen toestemming krijgt om een grote hoeve over te nemen. Ook al houdt hij zich misschien helemaal niet aan de verplichting om het huis permanent te bewonen en de boerderij niet stil te leggen. Zij krijgen alles op een presenteerblaadje aangereikt, terwijl wij behandeld worden als parasieten, als bedelaars in India."

Kykke poetst iets onzichtbaars van de tank.

"Nu straalt hij als de kroonjuwelen van de keizer van Japan", zegt Kykke. "Zin?"

"Nou en of."

"Ik heb instructies van Lips. Je weet wat een Pietje Precies Lips met alles is, en hoe hard hij rijdt. Hij zal niet mals zijn als hij terugkomt uit de States en ontdekt dat zijn superbike is afgereden. Heb je wel eens wat anders gereden dan crossmotor?"

"Jezus, natuurlijk", antwoordt Beach Boy lachend.

"Geen praatjes. Je bent een crosser, dat weten we. Je kwam hier crossend door de modder om te smeken of je een prospect kon worden. Het grootste waarmee je hebt gereden is waarschijnlijk een Honda 350. Die van die mafkees van een vriend van je, Jens-Petter. Daar heb je vorige zomer en herfst af en toe op gereden."

"Oké, je hebt gelijk."

"Denk eraan dat deze Ninja drie keer zoveel power heeft als dat Honda-wrak, en dat hij veel zwaarder is. Voordat ik je deze zomer zo'n monster toevertrouw, wil ik dat je een behoorlijke bocht kunt maken. Als je terugkomt van die kiosk, sta ik hier om te kijken hoe je in een acceptabele hoek als een kogel uit die bocht komt. Niks geen roadracing, maar een scherpe hoek."

"Als een kogel, ja", zegt Beach Boy.

"O, o", zegt Kykke, en hij strijkt over zijn baard. "Niet wegdromen. Ik zie aan je dat je wel eens te hard van stapel zou kunnen lopen. Luister naar het advies van iemand die van hier naar Mars is gereden, waarbij het stuk van hier tot de maan vol bochten zat: *take it easy* als je gas geeft bij het wegrijden. De eerste flauwe bocht naar links komt eerder dan je denkt. Neem gas terug. Niet remmen. Alleen halvegaren remmen als ze de bocht in gaan. Ik neem die bocht naar Våler vanuit het zuiden nooit harder dan tachtig. Lips vindt dat idioot, hij vindt dat ik rijd als een ouwe opa. Lips neemt hem altijd met honderd. Maar ik rijd liever safe, en dat moet jij ook doen. Vooral nu je een joint hebt afgefakkeld en een biertje op hebt. Als je in die eerste flauwe bocht bent en een beetje overhelt, kun je remmen – *easy, easy*."

"Jij had leraar moeten worden", zegt Beach Boy. "Of rij-instructeur."

"In mijn volgende leven ben ik van plan schedeldokter te worden."

Beach Boy gaat op de Ninja zitten. Zijn glimlach is verdwenen. Hij vraagt of de papieren in orde zijn, en Kykke antwoordt dat ze daarnaar kunnen kijken als hij terugkomt.

"*It's all yours, Beach Boy, baby*", zegt Kykke, en hij geeft de jongen een klopje op de rug.

Beach Boy kijkt naar de helm die op het zadel van de Kawasaki ligt.

"Jij reed zonder helm," zegt hij, "bij dat proefritje."

"Jazeker", antwoordt Kykke.

Er ontstaat een stilte. Die wordt slechts doorbroken door het gezang van een merel in de bomen aan de andere kant van de weg.

"En?" zegt Kykke.

"'k Wee nie. De fut is er een beetje uit, lijkt het wel."

Kykke slaat zijn laarzen tegen elkaar en gaat in de 'geef acht'-houding staan.

"Is soldaat Viirilä bereid de overste te vertellen wat hij bedoelde met zijn uitspraak over het anarchisme?" vraagt Kykke zogenaamd nors.

Beach Boy lacht en antwoordt: "Hè, hè, hè ... Leve de anarchie en de bloedige lompen. Wek een storm zodat de voetbekleding wegwaait en aan de poolster te drogen blijft hangen ... hè, hè, hè."

"Goed, soldaat Viirilä! De volgende keer dat er een nieuwe versie van *De onbekende soldaat* wordt gedraaid, zou u bij de film moeten solliciteren."

"Bedoelt overste Karjula dat het mogelijk is een betere versie te maken dan die die bij een bepaalde Noorse MC-club een cultfilm is geworden?"

"Alles is mogelijk, Viirilä. Het geluk is met de dommen. Als mensen uit Fredrikstad regisseur in Hollywood kunnen worden, zou er toch hoop moeten zijn voor andere oenen uit Østfold. Daar komt de tank trouwens. Daar komen de Russen aangerold. Finse kloteschaapskudde! In de houding! Geen stap verder! Wie één stap terugzet is er geweest!"

Beach Boy hangt lachend over het stuur: "Shit, perfect, overste Karjula."

"Hoorde ik daar iets over ontlasting?"

"Hou op, voor ik het in mijn broek doe."

"Bedoelt u urineren in uw pantalon?"

"Hou op!"

"U hebt geen enkel recht mij te commanderen, soldaat Viirilä. Uw overste daarentegen vraagt: 'Halt! Waar gaat u heen?'"

"Naar Lapland om wolven te neuken", hikt Beach Boy.

Kykke houdt een kunstmatige pauze, slaat gelaten zijn armen uit en roept: "Kijk eens aan, zo zit dat dus, verwende Finse soldaten. De wolven hier in het bos van Våler zijn zeker niet goed genoeg voor ze? Ze moeten dus helemaal naar Lapland, om een teef te vinden die hen behaagt?"

Beach Boy schatert met zijn mond, maar zijn blik is plotseling volkomen leeg.

"Niet het bos, mongool, maar de weg", zegt hij zachtjes, en dan, luider, als een bezwering: "*Just do it*!" Hij geeft gas en schuift met de Ninja door het grind, de weg op, droog asfalt. Hij draait het gas vol open, zodat het naar verbrand rubber stinkt. Zijn wijde broek wappert. Hij trekt op als een raket – ja, als een Nike vanaf het lanceerplatform. De motor brult als een getergd dier. De jongen moet al boven de honderd zitten als hij de bocht in gaat.

Het gebrul van de motor verstomt ergens, buiten het zicht van Kykke, in de flauwe bocht naar links. Het wordt weer stil. Kykke had het idee dat hij het geluid van metaal op asfalt hoorde, van brekende takken.

Hij merkt dat zijn handen licht beven terwijl hij het jack van de jongen en de extra helm pakt en beide losjes op de Kawasaki vastbindt. De diskman en de dictafoon stopt hij in zijn zijtas. Hij start en laat een auto van de post passeren voordat hij rijksweg 120 op zwenkt, richting noorden.

"*Adios, amigo*", fluistert hij. "Adios, The Middle of Nowhere."

Hij rijdt langzaam de bocht in, werpt een blik naar rechts, stopt, ziet geknakte takken die wit oplichten als beenderen, en diep in het struikgewas een wiel dat langzaam ronddraait; het schittert in de spaken. Nog verder weg: een figuurtje dat op een pop lijkt, met rechtopstaand geel haar op een bloedig hoofd. Het lichaam ligt als tegen een boom gekleefd. Armen en benen steken in alle mogelijke en onmogelijke richtingen.

Kykke slikt iets kikkerigs in zijn keel weg, zegt bij zichzelf dat het geen zin heeft om te gaan kijken. Rijdt door, *piano*. Rolt vredig verder langs de boerderijen van Hobøl.

Bij de kruising bij Elvestad ziet hij een politieauto met zwaailicht vanuit de richting van Askim komen en de bocht omgaan, de rijksweg op richting Våler en Moss. Bij het benzinestation staat de bestelwagen met het aanplantingsbordje geparkeerd.

Kykke slaat rechtsaf, de E18 op. Rijdt door Elvestad, *fucking* Riverton. De jongen moest elke plek altijd een Engelse naam geven. Een gat als Kroer werd Pubs en Skotbu Shothouse.

Hij geeft wat meer gas, maar houdt zich min of meer aan de snelheidslimiet. Niet zo slim om nu in een verkeerscontrole terecht te komen.

Die jongen was stapelgek. Vrede zij met hem.

Midden op de brug bij Fossum blijft Kykke staan, maakt het bundeltje kleren los en laat het jack van de jongen over de reling glijden. Hij ziet hoe het het lentebruine water van de rivier de Glomma raakt.

"*Vaya con dios.*"

Het water ziet er goor uit. Rioolwater.

Bij de snackbar aan de oostkant van de brug zwenkt hij de weg af. Haalt zijn mobiele telefoon tevoorschijn en tikt het nummer van Borken in.

Borken antwoordt kort.

"Ik wilde alleen maar melden dat er een zangvogel is opgehouden met zingen", zegt Kykke. "Noodlanding en vleugellam."

Borken zegt: "Bedankt", en verbreekt de verbinding.

Kykke loopt een eindje achter de snackbar langs om over te geven.

Hij koopt een flesje mineraalwater om zijn mond te spoelen. Gaat naar de wc en wast de olie van zijn handen. Verwijdert het lapje voor zijn rechteroog en masseert zijn ooglid met een vochtig papiertje. Hij heeft een tocht van vijfhonderd kilometer voor de boeg en heeft beide kijkgaten nodig.

Weer buiten blijft hij even staan knipperen om zijn rechteroog aan het scherpe zonlicht te laten wennen.

Hij trekt de bagageriemen aan. Neemt plaats op Brontes, trekt het vizier van zijn helm naar beneden, zwenkt de weg naar Zweden op, richting Stockholm. Daar wacht Borken op de kade met tickets voor de boot naar Tallinn. Een prima stad volgens Lips, die sinds de sneeuw is gesmolten door de Baltische staten heeft rondgetoerd en in de hoofdstad van Estland een aandeel in een stripteasetent heeft gekocht op naam van de leiderstrojka van Seven Samurais.

Maar Kykke weet niet of hij ooit in Tallinn zal aankomen. Misschien gaat hij in plaats daarvan wel naar Lapland. Niet om wolven te neuken, maar om in dekking te gaan en goud te delven.

6

Ulrikke Enholm Johnsen is in haar eigen, lichtgedeukte Citroën Xsara via rijksweg 120 op weg van Ringvoll naar het ziekenhuis in Moss. Ze heeft het zijraampje opengedraaid. De jongste slaapt in het kinderzitje. In haar fantasie doet de jonge automobiliste met het hennakleurige haar alsof het kind naar de auto is vernoemd en Xantippe Sara heet.

Mevrouw Enholm, zoals ze zichzelf soms noemt, is niet bepaald in een stralend humeur. Ze is opgeroepen voor een extra dienst in de chirurgische polikliniek, waar ze bij de receptie werkt. Op zo'n mooie dag, deze eerste zomerdag, had ze liever haar bikini gepast en de kleine in het nieuwe opblaasbare badje gezet in plaats van naar haar werk te gaan.

Ze verdenkt een aantal van haar collega's er sterk van dat hun pollenallergie minder erg is dan ze doen voorkomen. Waarom is die altijd veel erger als de zon schijnt dan als het regent, bijvoorbeeld?

Dat denkt mevrouw Enholm, terwijl ze zich aan haar pasgepiercete linkeroor krabt, waarin een punkige, maar discrete oorsteker is aangebracht – volkomen onchristelijk, zoals haar vriend zei toen ze thuiskwam uit de salon – en het bord op de grens tussen de gemeenten Hobøl en Våler passeert, dat de limiet van 70 km/u opheft. Ze bereikt de eerste bochten van Våler en doet kalmpjes aan om te kijken of er viooltjes langs de bosrand staan. Dit is een goede plek voor viooltjes. Op weg naar huis kan ze een boeketje plukken voor haar vriend.

Ze ziet iets glinsteren in het struikgewas; het lijken wel spaken van een wiel. Ze ziet geknakte takken die wit oplichten, en ze zwenkt zo ver ze kan de berm aan de rechterkant in. Zet de alarmlichten aan. Kijkt of het kind niet wakker is geworden toen ze stopte. Nauwelijks. Wat slapen betreft is Xantippe een wonderkind.

Enholm vindt het vreemd dat er geen remsporen op het droge asfalt te zien zijn. Misschien een mountainbiker die van de weg af is gereden?

Ze steekt over en ziet diverse afgebroken takken. Gaat op haar tenen staan en ziet een wiel dat te groot is voor een gewone fiets. Dertig tot veertig meter verderop, midden in het sparrenbos, heeft iemand zich tegen een boom geslingerd, alsof hij die baardige sparrenstam wilde omhelzen.

Enholm slikt en baant zich een weg door het struikgewas, struikelt over wortels van varens, valt bijna over de speelgoedrode motor. Ze schramt zich aan de takken, terwijl ze de laatste meters doorworstelt tot waar de man, of de jongen – want het is nog een jongen – tegen de boom is geknald.

"Mijn god, je hebt vast geen heel bot meer in je lijf", roept ze, zonder te merken dat er geluid over haar lippen komt.

Hij moet ook aan zijn hoofd gewond zijn. Dat zit vol bloed, maar zijn huid ziet zo wit als sneeuw, alsof alles door zijn neus en zijn oren naar buiten is gestroomd.

Ze slikt, heeft een droge mond.

No panic! Je bent dan wel geen chirurg, je doet bureauwerk, maar je werkt in het ziekenhuis. En met die zwaargewonden die worden binnengebracht na een frontale botsing op de E6 heb je wel ergere dingen gezien dan dit. Voel aan de halsslagader.

Ze voelt aan de hals. Het jongenshoofd beweegt alsof het los op het lichaam zit en ze deinst achteruit. Ze voelt nog eens aan de hals, ook al lijkt het zinloos.

Geen pols. Starre blik richting eeuwigheid. Geen greintje leven meer. Als het dan toch mis moest gaan, heeft de jongen nog geluk gehad en het in no time afgehandeld.

Hij heeft alleen een T-shirt aan. Met een of andere domme filmster erop. Geen motorpak. En geen helm. Idioot. Dat gele piekhaar had hij zich kunnen besparen.

Wat een stommeling, wat een ongelooflijke stommeling.

Maar geen helm ter wereld had hem kunnen redden.

Ze gelooft dat ze weet wie de jongen is, maar dat rare haar heeft haar in de war gebracht. Nu weet ze het echter zeker. Het moet de zoon van Strand zijn, die luchtmachtsergeant, die dronkemanssergeant.

Enholm rent terug door het struikgewas, weg van die plotselinge dood, naar haar mobiel. Bij de motor, die er behalve dat de koplamp kapot is onbeschadigd uitziet, ruikt ze de doordringende geur van benzine. Heeft ze iets aan van het soort stof dat statische elektriciteit ontwikkelt en door een vonk de benzinedamp kan doen ontsteken? Nee, haar broek en trui zijn van katoen en haar schoenen van leer. Op haar lichte broek zitten olievlekken, en bloed, van haarzelf of van de dode.

Ze denkt eraan naar links en naar rechts te kijken voordat ze de weg over holt. Juist in een situatie als deze kun je zo in de war zijn dat je stomme dingen doet, de weg op rent en door een of andere snelheidsmaniak wordt geschept.

Haar mobieltje is daar waar het hoort te zijn: in de houder aan het dashboard. Xantippe slaapt als een roos.

Enholm toetst 113 in voor de ambulance. Krijgt direct contact. Vertelt dat ze een ongeluk met dodelijke afloop wil melden, een motorrijder die van de weg is geraakt, niets meer van hem heel, echt een vreselijk ongeluk. Op de vraag of ze zeker weet dat de man dodelijk verongelukt is, antwoordt ze ja; ze zegt dat ze geprobeerd heeft zijn pols te voelen, maar dat het resultaat negatief was. Ze voegt eraan toe dat ze in het ziekenhuis in Moss werkt. Zegt hoe ze heet en waar ze is, welk merk auto ze heeft en dat die bij de plaats van het ongeluk staat. Ze vertelt dat ze zich vanuit het noorden in de eerste bochten richting Våler bevindt, in het bos, niet zo ver van de afslag naar Kaspertomta, en dicht bij die motorclub ...

"Een Engelse naam. Ik kom er niet op, maar in het Noors betekent het zoiets als 'Midden in nergens'. Ja, ik wacht hier tot jullie komen. Nee, ik heb de politie nog niet gebeld. Doen jullie dat? Beter dat ik het hier ter plaatse doe? Oké."

Ze belt 112 en krijgt een vrouw aan de lijn die zich wachtcommandant noemt, waarschijnlijk van het bureau in Moss. De wachtcommandant noteert de inlichtingen die Enholm zo kort en zo nauwkeurig mogelijk probeert door te geven, vraagt haar te wachten en zegt dat er iemand van het bureau uit Våler aankomt.

Ze haalt haar gevarendriehoek uit de kofferbak, loopt honderd passen langs de weg en zet hem daar neer. Zet er flink de pas in weer terug naar de auto, met kloppend hart en razende polsslag. Haalt het pakje shag van haar vriend uit het handschoenenvak en draait een sigaar waarop Fidel Castro jaloers zou zijn geweest. Ze snuift of ze benzine ruikt, maar ontdekt niets; dan steekt ze het shagje aan. Meteen vallen er vonkjes op haar lichte trui, die er gaatjes in branden.

"Verdomme", zegt Ulrikke Enholm Johnsen, en ze vindt dat ze het zich onder deze omstandigheden wel kan veroorloven dat te zeggen, ook al zit ze voor de Kristelig Folkeparti in de gemeenteraad van Hobøl.

Terwijl ze de oppas belt om te zeggen dat ze later komt, stopt er een politieauto achter de hare. Er stapt een agent uit in een lichtblauw overhemd met korte mouwen. Zijn collega blijft in de auto zitten, met een paar handboeien zwaaiend.

"Ik dacht dat jullie uit Våler zouden komen", zegt Enholm.

"We hebben het bericht van het ongeluk op de radio opgevangen", antwoordt de agent. "We zijn op weg van Askim naar een rechtszitting in Moss, met die oen daar."

Hij wijst naar een arme zondaar achter in de politieauto, die nu de handboeien om krijgt.

De agent wenkt een langzaam rijdende nieuwsgierige automobilist door te rijden.

"Bent u degene die het ongeluk gemeld heeft?" vraagt hij Enholm. Ze knikt. Hij vraagt haar of ze bij de auto wil blijven wachten. Hij baant zich een weg door de bosjes.

Er stopt een onopvallende auto, waar een man in uniform uit stapt. Hij stelt zich voor als Harald Herføll, politieagent uit Våler. Voordat ook hij in de bosjes verdwijnt, zegt Enholm: "Ik weet wie die jongen is die is omgekomen. Ik kan hem identificeren."

"Wie is het dan?"

"Øystein Strand. Een jaar of twintig. Hij komt eigenlijk uit Ringvoll, maar woont bij zijn moeder in Halden."

Herføll zegt dat hij die jongen ook kent. Hij bedankt Enholm voor haar goede en precieze beschrijving van de plaats van het ongeluk.

"Wij moderne vrouwen zijn nog steeds goed voor een verrassing, nietwaar?" antwoordt ze. Snel plukt ze een handvol viooltjes en rijdt naar Moss, waar ze die altijd wel kunnen gebruiken. Bij de gedachte dat ze viooltjes meebrengt naar Moss wordt ze ongelooflijk vrolijk, alsof ze champagne gedronken heeft.

Enholm weet dat die vrolijkheid zal verdwijnen, zoals dat altijd gaat met vrolijkheid, en dat het beeld van een jongen die in de dood een sparrenboom omhelst haar de rest van haar leven zal bijblijven. En ze hield toch al nooit zo van sparren. Als het nu nog een den was geweest, rank en mooi, met schors die oplicht in Gods zonnestralen. De spar absorbeert alle licht, terwijl de den het reflecteert, zodat het nog goudkleuriger, nog hemelser wordt.

Bij de plaats van het ongeluk stopt een Ford Transit met een gestolen bordje van wegwerkers boven de voorruit gemonteerd. De bestuurder gluurt alsof hij ervoor betaald krijgt en wordt bars weggejaagd, nadat politieagent nummer twee uit Askim aan zijn adem heeft geroken.

De ambulance komt aanrijden met loeiende sirenes.

De rest zou eigenlijk een eenvoudige procedure moeten zijn, zoals die gevolgd wordt door politie en ambulancepersoneel, die in de periode vanaf dat de sneeuw verdwijnt tot hij weer blijft liggen met verongelukte motorrijders te maken hebben.

Als tenminste niet zowel Herføll als zijn collega uit Askim van mening was geweest dat diverse omstandigheden die op de plaats van het ongeluk werden aangetroffen niet helemaal in het beeld pasten. In de eerste plaats het feit dat Øystein Strand zonder helm en motorpak op zo'n zware motor als een 1000-cc Kawasaki Ninja was gestapt. In de tweede plaats dat er geen enkel teken van remsporen te zien is. En op de derde plaats dat de motor een waanzinnige vaart moet hebben gehad, gezien de weg die hij zich door het struikgewas heeft geploegd. Natuurlijk komen de meeste motorrijders om door hun snelheid, maar zo'n rotgang als de Ninja klaarblijkelijk had, heeft zelfs met de rabiatere motorsport niets meer te maken.

Herføll knijpt onderzoekend in de remmen en krijgt nul respons.

Hij belt de wachtcommandant in Moss om te zeggen dat de verongelukte motorfiets naar de technische verkeersdienst moet worden gebracht, dat wil zeggen naar het wegenwachtstation in Moss, voor nader technisch onderzoek.

Er komt een gedachte bij hem op, een waanzinnig idee. De jongen heeft zich doodgereden op dezelfde dag dat de kranten een tekening hebben gepubliceerd van de vrouw die in Oslo in de tuin van Thygesen werd vermoord. De jongen was bij de Seven Samurais, als een soort leerjongen, de leerling van tovenaar Terje Kykkelsrud. Thygesen was een tijdje de juridisch adviseur van de samoerai. Stel dat het een met het ander verband hield?

Hoe een dergelijk verband eruit zou moeten zien is Herføll absoluut niet duidelijk, maar het waanzinnige idee laat hem niet meer los.

De takelwagen van het bergingsbedrijf komt eraan. Nadat ze de Ninja uit het bos hebben weten te slepen en op de laadbak hebben getakeld, vraagt Herføll de bestuurder eens een blik op de motor te werpen om te zien of hem iets ongebruikelijks opvalt.

Het duurt slechts een paar minuten.

De conclusie is duidelijk: "Dat ding heeft goddomme niet eens remmen. De een of andere klootzak heeft aan de remmen geknoeid."

Op weg terug naar het bureau in Våler ziet Herføll Øystein Strand in zijn herinnering voor zich toen hij als vijftienjarige voor het eerst werd binnengebracht op verdenking van inbraak in een wapenmagazijn van de Nike-basis. Zowel hij als zijn kameraad, Jens-Petter Sundin, ontkende met stalen gezicht. Aangezien er geen vingerafdrukken op de plaats delict werden gevonden en geen van de handgranaten die waren gestolen weer opdook, had de politie in beginsel slechte kaarten. Dat werd er niet beter op toen de enige getuige die ze hadden zijn verklaring introk. Die getuige, een monteur en een collega van Øysteins vader, had eerst beweerd dat hij, toen hij in het bos bij Kaspertomta vossebessen aan het zoeken was, had gehoord en had gezien hoe de jongens granaten lieten ontploffen, maar later draaide hij om als een blad aan een boom en verklaarde nooit ook maar iets gehoord of gezien te hebben.

Øystein was een pientere vijftienjarige, ook al had hij iets achterbaks. Hij zat vol sterke verhalen en uitgebreide plannen – nogal een praatjesmaker. Maar zodra het om die zaak ging, om die inbraak, was het onmogelijk om hem uit zijn tent te lokken; dan stak hij een koppige kleine wipneus in de lucht.

Stond het in de sterren geschreven dat Øystein Strand op het hellende vlak zou raken en systematisch met inbraken in platenwinkels en computershops zou beginnen? Misschien wel. Genen en milieu. Maar die combinatie had hem ook talenten geschonken die hem, als ze gestimuleerd waren, waar dan ook hadden kunnen brengen, zelfs op Mars misschien, dat toentertijd zijn doel was. Hij wilde een van de eerste astronauten worden die op de rode planeet landden.

In plaats daarvan werd het een bloedrode hogesnelheidslanding in het sparrenbos. Het is om te janken. Maar Herføll jankt niet. Hij heeft te veel gezien, te veel doden na dronkemansgevechten, te veel ellende, te veel verdronkenen in het Vansjømeer, om vanwege één sterfgeval nog tranen te vergieten. Maar toch: als jonge mensen sterven door een ongeluk, sterft er ook iets in de volwassenen die hen vinden.

7

Terug op het bureau in Våler zet Harald Herføll zijn pc aan om een rapport over het ongeluk te schrijven. Via zijn mobiele telefoon heeft hij de belangrijkste gegevens over het geval aan het politiedistrict Moss doorgegeven en hij heeft gevraagd of ze informatie hebben over een gestolen Ninja. Overeenkomstig de taakverdeling in het politiedistrict heeft het bureau in Våler de verdere verantwoordelijkheid voor het onderzoek, zo nodig met steun van technici uit Moss of van de landelijke recherche.

Herføll begint het dossier door te bladeren dat hij over Øystein Strand heeft. Een treurig verhaal voor een wetsdienaar.

Strands verblijf in de gevangenis van Trøgstad was het gevolg van zijn eerste veroordeling. Na twee voorwaardelijke straffen voor diefstal en autodiefstal kreeg hij een onvoorwaardelijke die niet mals was. Herføll belt Trøgstad en vraagt wanneer Strand is vrijgekomen. Hij krijgt ten antwoord dat dat op donderdag 10 mei was. Op zijn vraag hoe de jongen zich in de gevangenis had gedragen, is het antwoord 'goed'; hij was geen harde werker, maar coöperatief en naar de urinetests te oordelen clean.

Herføll komt op het idee te vragen of Strand vijanden had gemaakt in de gevangenis. Voorzover de bewaker met wie hij spreekt weet, was dat niet het geval. Maar dergelijke dingen proberen de geïnterneerden verborgen te houden, tot de bom barst en de messen tevoorschijn komen.

Van zijn vrijheid heeft hij maar één etmaal kunnen genieten voor hij van de weg af raakte en tegen een boom te pletter reed. Arme idioot. Regelrecht naar de bliksem.

Op een monster van een motor. Met remmen waaraan was geknoeid?

Herføll noteert op zijn notitieblok: 'Als er werkelijk aan de remmen van die Ninja is geknoeid en Strand zich daardoor heeft doodgereden, dan hebben we te maken met moord met voorbedachten rade.'

Hij krijgt een telefoontje van de politie in Moss. Die vertellen dat de nummerborden van de verongelukte motor als gestolen waren opgegeven, van een motorfiets die in de nacht van donderdag 10 op vrijdag 11 mei bij het gemeentehuis in Ørje geparkeerd stond. In het district Moss is geen diefstal van een Ninja aangegeven, maar de agent uit Moss zegt dat hij dat verder zal checken, zowel in de overige districten als over de grens.

Herføll noteert: 'Nummerborden gestolen in Ørje. Motor gestolen in Zweden? Niet vergeten die lui van de technische verkeersdienst te vragen om het slot van de motor te controleren. Als dat op professionele wijze is opengebroken, is Ø.S. waarschijnlijk niet de dief. Ø.S. is niet goed met sloten en heeft nooit in zijn eentje een auto gestolen.'

Hij leunt achterover en kijkt naar Finn, die zoals altijd glimlacht. Kan die man nou nooit eens serieus zijn? De ingelijste foto van Finn Christian Jagge op het erepodium, genomen nadat hij tijdens de Olympische Spelen in Albertville goud in slalom had behaald, vóór Alberto Tomba, is het enige opvallende in Herfølls agentenkantoor, dat verder nogal sober is ingericht, geheel in overeenstemming met de voorschriften. Hij is heel wat gepest vanwege die foto. Boze tongen beweren dat hij Finn heeft opgehangen omdat een aangeschoten vrouw van het parket in Moss, na het kerstdiner van de politie in 1993, tegen hem had gezegd dat hij op Jagge leek. Dergelijk geroddel laat Herføll koud. Hij weet dat Finn daar hangt omdat zijn gouden medaille volgens alle ware alpinefans een van de grootste is in de geschiedenis van de Noorse wintersport. En Herføll is een fan. Het komt niet vaak voor dat hij tot de Heer bidt. Maar als dat gebeurt, dan – met alle respect – om Hem eraan te herinneren dat Østfold geen zachte winters meer kan gebruiken; anders zal de bedreigde alpinesport in de provincie volledig uitsterven. Afgelopen winter werd zijn gebed verhoord en mocht hij de vreugde smaken het sneeuwkanon op de Middagskoll in werking te zetten en te beleven dat de sneeuw week na heerlijke week bleef liggen.

Harald Herføll haalt een rondschrijven van het ministerie van Justitie tevoorschijn, dat aan alle politiedistricten van het land is gericht en waarin wordt verzocht om de waakzaamheid jegens de criminaliteit in het MC-milieu te verhogen. Hij belt nog eens naar de wachtcommandant in Moss. Ze worden het erover eens dat het politiebureau in Våler het best onmiddellijk contact kan opnemen met de landelijke recherche.

Het gebeurt niet vaak dat een politieagent uit de provincie iets te melden heeft wat de aandacht daar in Oslo trekt. Herføll is bang om niet serieus genomen te worden en om zich belachelijk te maken. Hij moet zich geestelijk voorbereiden voor hij de recherche belt.

Die lui in Oslo moeten niet het gevoel krijgen dat hij zich in een bepaalde hypothese heeft vastgebeten. Daar zijn ze allergisch voor. Mocht hij het al wagen om een mogelijk verband met Thygesen te suggereren, dan moet hij voorbereiden wat hij zal zeggen en zijn verhaal systematisch opbouwen.

Hoe was Thygesen in beeld verschenen? Waarom was hij plotseling als een vreemde eend in de gemeentelijke bijt in Våler opgedoken? Een magere man met grijs haar dat in een paardenstaart bijeen was gebonden, met trillende handen en rode ogen, maar juridisch gesproken aardig op de hoogte.

Toen de Seven Samurais zich in die oude garage uit de oorlog vestigden, rekende de club erop dat het gebruiksrecht dat de gemeente Våler The Middle of Nowhere Chopper Freaks had toegekend op hen zou overgaan. Als lid van de toenmalige gemeentelijke bouwcommissie was Herføll er zelf een voorstander van geweest om die afspraak te handhaven. Toen kreeg burgemeester Wenche Rosefjorden van de rechtervleugel het in haar hoofd dat het MC-milieu criminele bacillen met zich meebrengt, en dat de bunker een macho-militair gedenkteken was dat met de grond gelijkgemaakt diende te worden. Dit durfde Rosefjorden niet hardop te zeggen. In plaats daarvan kwam ze op het idee het bosgebied ten noorden van rijksweg 120 in de toekomst tot beschermd natuurgebied te bestemmen, waarvan het gebruik dus aan banden moest worden gelegd. De burgemeester kreeg met dit plan de gemeentesecretaris op haar hand, en later de meerderheid van het gemeentebestuur.

Natuurlijk kwam daar heibel van. De samoerai protesteerden fel. Met hun aanvoerder, de zakenman Borkenhagen, hadden ze een capabele zegsman, én ze hadden de eenogige Kykkelsrud achter de hand. Ondanks zijn lelijke uiterlijk bezat Kykkelsrud de charme en de authenticiteit van de arbeidersklasse, en dat maakte een zekere indruk op de Arbeiderparti en Sosialistisk Venstre. De sluwe Lipinski, die elk document kon wenden en keren, en ongetwijfeld ook kon vervalsen, droeg op de achtergrond het zijne bij.

Maar de eigenlijke reden dat het gebeuren zoveel problemen voor burgemeester Rosefjorden veroorzaakte dat het in de volksmond 'de brand in het Rosefjorden-kamp' werd genoemd, was dat ze onverhoeds de fout had gemaakt op de gevoelige tenen van de boseigenaars te trappen. Een burgemeester van de rechtervleugel in een bosrijke gemeente die het kamp der boseigenaars tegen zich in het harnas jaagt, moet er rekening mee houden dat ze volgens alle regels der bosbouwkunst van haar takken wordt ontdaan en wordt ontschorst.

De motorzagen en de motorfietsen vonden elkaar in een wonderlijke alliantie. En te midden van dit alles dook de hoogst twijfelachtige jurist Vilhelm Thygesen uit de hoofdstad op als advocaat voor de Seven Samurais. Zijn aanpak van de zaak op zich, namelijk om het gebruiksrecht van het hoofdkwartier voor de MC-club te verzekeren, was onberispelijk. Thygesens probleem lag op het alcoholische vlak. In zijn roes zag hij een termijn om bij het kantongerecht in beroep te gaan over het hoofd. Toen waren Rosefjorden en de gemeentesecretaris er als de kippen bij, en had Kykkelsrud met zijn plan om een vergunning te krijgen en een werkplaats te beginnen de slag verloren.

Vlak daarna werd Kykkelsrud met zijn zware Kawasaki als een deken over zich heen in een greppel gevonden, dicht bij het Vansjø-meer, waar hij onderuit was gegaan. De bloedproef toonde 2,3 promille aan. Herføll ondervroeg hem toen hij weer bij zijn positieven kwam. Zijn haatgevoelens ten opzichte van Thygesen waren tastbaar. Hij zei dat hij Jens-Petter Sundin, degene die het contact tussen de club en Thygesen had gelegd, alle vingers zou breken. Een of ander familielid van Sundin was in zijn tijd min of meer met Thygesen bevriend geweest.

Het zou de Seven Samurais echter toch wel zijn opgevallen dat Thygesen beschikbaar was en zijn juridische bijstand in het MC-milieu aanbood, aangezien de meeste advocaten dat met geen tang wilden aanpakken. Toen hij de Hell's Angels had bijgestaan in hun rechtszaak om vrijheid van meningsuiting, had dat nogal de aandacht getrokken.

Maar uit Våler moest Thygesen met zijn paardenstaart tussen zijn benen vertrekken, onverrichter zake en met negatieve pr in de lokale kranten.

De boseigenaars legden zich erbij neer toen de politici het gebied weer degradeerden tot beschermd bosgebied, waar de eigenaars het recht zouden behouden hun werkzaamheden ten volle uit te voeren. De brand in het Rosenfjorden-kamp was geblust.

Op het politiebureau vroeg men zich af of de maatregelen van de burgemeester ter bestrijding van mogelijke criminaliteit in en om de motorclubs niet juist het tegendeel zouden bewerkstelligen van wat haar bedoeling was. Door hun het recht te ontzeggen om een clubgebouw in The Middle of Nowhere te hebben en er een motorwerkplaats op te zetten, zou ze de samoerai juist dwingen tot activiteiten die het licht niet konden verdragen. Het zou kunnen gaan smeulen in een duistere gloed.

Want het was niet zo eenvoudig om hen van The Middle of Nowhere te verdrijven. Ze hielden die oude Duitse garage gewoon bezet en de jongeren kwamen erop af als vliegen op de stront. Kykkelsrud versterkte zijn banden met de sociaal-democraten en de socialisten, wond de leider van het gemeentelijke cultuurcomité om zijn vinger en wist zich in naïeve kringen als jongerenwerker pur sang te verkopen. Borkenhagen ruziede en manipuleerde net zo lang tot er afspraken waren met de gemeente en het elektriciteitsbedrijf over stromend water en stroomvoorziening. En er deden geruchten de ronde dat Lipinski een verhouding was begonnen met een boseigenares die Elisabeth Spetalen heette, en op die manier het verbond tussen de MC-club en een van de sterkste economische machtsfactoren in de gemeente in stand hield.

Herføll schrijft: 'Kan het zijn dat Strand zelfmoord heeft gepleegd? Dat hij gebroken door zijn verblijf in de gevangenis willens en wetens van de weg is gereden? Maar waarom zou hij dan eerst de remmen buiten werking hebben gesteld? Om zichzelf de kans te ontnemen om op het laatste moment van gedachte te veranderen en te remmen?'

Vanuit de diepte van zijn pc klikt hij een lijst tevoorschijn met de namen en de bijnamen van het leidende trio van de Seven Samurais.

Hij haalt een kop koffie uit de thermoskan, reinigt zijn hals met een kamfersnoepje en belt de centrale van de recherche.

Vanuit de centrale wordt Herføll doorverbonden met de wachtcommandant van de informatiedienst. Hij schrikt als hij de scherpe vrouwenstem en de naam Vaage hoort. In politiekringen wordt van Vanja Vaage verteld dat ze in een zwavelgroeve aan de kust van Helgeland is opgegroeid.

Maar misschien is Vaages reputatie als grove, bijtend ironische en genadeloze vrouw wat overdreven?

Want ze luistert geïnteresseerd naar wat de agent uit de bushbush van Våler te vertellen heeft, over een jongen die van de weg is geraakt, over remmen, over een MC-club. Tot zover houdt Herføll Thygesen achter de hand en hij laat Vaage de volgende vraag stellen.

"Is er een verband tussen de Seven Samurais en de Hell's Angels?" vraagt Vaage.

"Integendeel bijna. Ze rijden op Japanse motoren, Kawasaki's, en beschouwen de Hell's Angels als hun vijand."

"Zijn die twee groeperingen met elkaar in oorlog geweest?"

"Nee, maar de club hier uit het dorp heeft een paar schermutselingen gehad met een concurrerende club uit Østfold, die zich Kamikaze noemt."

"Gewelddadig?" vraagt Vaage.

"Ze zijn een keer met elkaar op de vuist gegaan voor café By the Way aan de E6 bij Rygge. En nog niet zo lang geleden hebben die Kamikazes onze samoerai aangeklaagd voor een poging tot een aanslag op hun clublokaal in Moss. Dat bleek pure onzin. Een paar jongeren die een bierflesje vol benzine gegooid hadden. Een molotovcocktail die nooit is ontploft."

Vaage vraagt met een zekere vrolijkheid in haar stem of ze daar in Østfold ook een MC-club hebben die Harakiri heet. Herføll antwoordt dat de meeste gevallen van gemotoriseerde harakiri in de provincie met de auto op de E6 of de E18 plaatsvinden.

"Zijn de Seven Samurais in criminaliteit verwikkeld?" vraagt Vaage.

"In zeer geringe mate, voorzover wij weten", antwoordt Herføll, en hij bladert in zijn papieren. "Eén lid, Terje Kykkelsrud, is een paar keer veroordeeld voor rijden onder invloed en hij heeft een keer voorwaardelijk gekregen voor heling, het doorverkopen van een gestolen machine – een draaibank meen ik. Verder is hij aangeklaagd voor het in bezit hebben en doorverkopen van gestolen motoronderdelen, maar bij gebrek aan bewijs is de aanklacht geseponeerd."

"Alleen wat kleine dingen dus?"

"We hebben ze van iets groters verdacht. We hadden een informant in de club, een hangaround, die rapporteerde dat de Seven Samurais van plan waren drugs te importeren. Geen heroïne, maar amfetamine."

"Die informant was niet toevallig die jongen die zich dood heeft gereden?"

"Nee", antwoordt Herføll. "Maar die twee waren jeugdvrienden."

"Hoe heet die informant?"

"Jens-Petter Sundin. Eenentwintig jaar. Woont in Kroer."

"Kroer?"

"Ja, zo heet dat."

"Ga door. Wat is er met die informant gebeurd?"

"Uitgestoten. De leiders van de club beschouwden hem als een onbetrouwbaar sujet. Dat stemt overeen met mijn eigen opvatting. Hij staat heel slecht bekend."

"Kan het zijn dat de leiders van de Seven Samurais Øystein Strand ervan verdachten een politie-informant te zijn?" vraagt Vaage.

"Mogelijk", antwoordt Herføll. "Maar ik heb geen betrouwbare aanwijzingen in die richting. Sinds de winter hebben de samoerai zich nauwelijks vertoond, en we hebben niemand meer in dat milieu die ons iets toespeelt. Strand werd algemeen beschouwd als een praatjesmaker, een fantast en plannensmeder. Hij had heel goede cijfers op de middelbare school in Moss, maar ongelooflijke heibel thuis."

"Het gebruikelijke werk? Drugs, alcohol en geweld?"

"Geen drugs en geen geweld. Dronkenschap en pillenverslaving bij de ouders. Zoals je weet staat onze provincie wat pillenverbruik betreft op de eerste plaats."

"Ik weet hoe dat komt", zegt Vaage. "Jullie hebben verdorie geen bergen."

"Als de berg niet tot Mohammed komt, dan zal Mohammed tot de berg gaan."

"Wat?"

"Een spreekwoord waaraan we ons hier in de skiclub houden als er 's winters geen sneeuw ligt. Maar Strand als klikspaan? Dat weet ik niet. Ik kan me gewoon niet voorstellen wat hij gedaan kan hebben waardoor de club hem zou willen ombrengen. Hij was heel loyaal als het om de Seven Samurais ging, hij zou bijna alles voor hen doen."

"De leiding van de club, wie zijn dat?"

"Kykke heb ik al genoemd."

"Kykke?"

"Terje Kykkelsrud. Die wordt Kykke genoemd. Dat past wel bij een kerel die eruitziet als een cycloop uit de Griekse mythologie."

Vaage zegt dat ze er geen idee van had dat de doorsnee-inwoner van Østfold op de hoogte was van de Griekse mythologie.

Politieagent Herføll zet zijn uiteenzetting onverstoorbaar voort.

"Kykkelsrud is het ware motorfenomeen onder de samoerai. Negenenveertig jaar oud. Gescheiden. Geen kinderen. Officieel woonachtig in Krapfoss in Moss, maar hij schijnt een huisje in Finnskogen te hebben, waar hij vaker is dan thuis. Monteur van beroep. Heeft lange tijd in de offshorebranche op de Noordzee gezeten. Tijdens een verhoor na rijden onder invloed zei hij dat hij een van de eerste *roughnecks* op de olieplatformen was, dat hij na een staking op de zwarte lijst kwam en dat dat de reden was dat hij aan land ging om te proberen een motorwerkplaats op te zetten. Als iemand van de Seven Samurais aan de remmen heeft geknoeid van de motor waarmee Strand zich heeft doodgereden, dan moet dat volgens mij monteur Kykkelsrud zijn geweest."

Herføll hoort hoe Vaage de informatie die ze krijgt op haar pc intikt. Hij voelt dat hij gehoor vindt.

"Dat heb ik genoteerd", zegt Vaage. "En verder?"

"Vanaf de Noordzee bracht Kykkelsrud iemand mee die Lips wordt genoemd. Dat is Richard Lipinski, oorspronkelijk een Poolse Amerikaan uit Chigaco, nu Noors staatsburger. Hij werkte in de catering op de platformen. In Engeland twee keer veroordeeld en een straf uitgezeten voor fraude met cheques. In de tijd dat er nog cheques waren.

In Noorwegen niets strafbaars geregistreerd. Zevenenveertig jaar. Woonachtig in Skredderåsen in Kambo, gemeente Moss. Woont samen en heeft twee kinderen. Fungeert als het financiële kopstuk van de club, en er wordt van hem verteld dat hij zo'n kei is op de motor dat hij had kunnen meedoen aan de wereldkampioenschappen roadracing als hij jonger was geweest."

"De club heeft zeker ook een leider?"

"Ja, Borken. Leif André Borkenhagen. Achtendertig. Ongetrouwd. Woonachtig in Rakkestad, waar de rest van de familie een boerderij heeft. Meer een automens dan een motorfreak, maar hij is net als de anderen in het bezit van een zware Kawasaki. Nog nooit veroordeeld, maar ging bijna failliet nadat een poging om in zaken te gaan mislukt was."

"Wat voor soort zaken?"

"Een autospuiterij in Skiptvedt. En een zaak die lak importeerde. Een videotheek. En nog een heleboel meer."

"Nog meer figuren in die club?"

"Eigenlijk niet. Het zijn nooit zeven samoerai geworden – alleen een kerntrojka met jonge satellieten, die eromheen zwermden. De enige van die jongeren die het volgens mij waard is om vermeld te worden, is die Sundin waar ik het al over had. Hij was degene die de club met Thygesen in contact bracht", zegt Herføll, zo terloops als hij maar kan.

"Thygesen? Je bedoelt Vilhelm Thygesen?"

"Ja."

"O, verdomd. Ga door."

Herføll vertelt over Thygesens rol als juridisch raadsman voor een motorclub in The Middle of Nowhere, ergens in Våler. Tot zijn tevredenheid lijkt het alsof wat hij vertelt rechtstreeks doel treft, want Herføll hoort in Oslo een toetsenbord ratelen.

"Ik zie geen duidelijke lijn", zegt Vaage als Herføll klaar is met zijn verhaal over Thygesen. "Vooral de rol van de dode is me niet duidelijk."

"Misschien is er in de gevangenis iets met Strand gebeurd", zegt Herføll.

"Zei je 'gevangenis'? Zei je soms 'Trøgstad'?"

"Nee, ik heb geen 'Trøgstad' gezegd. Maar daar zat Strand tot gisteren wel zijn straf uit."

"Christene ziele", roept Vaage uit. "Nu geloof ik dat dit op een zaak begint te lijken. Ik moet nog het een en ander checken. Het zou goed zijn als je bereikbaar blijft, zodat we je zo snel mogelijk kunnen bereiken als we je nog eens nodig hebben."

8

“Het mooie van jou, Borken, is dat je nooit iemand vertrouwt”, zegt Lipinski, en hij neemt een slok koffie. Hij trekt een vies gezicht om aan te geven dat de koffie koud is. Zijn bijnaam Lips heeft hij waarschijnlijk aan zijn achternaam te danken, niet aan het feit dat hij zulke dikke lippen heeft. Het meest markante aan zijn gezicht zijn de borstelige donkere wenkbrauwen, die extra opvallen omdat hij de rest van zijn hoofd volkomen kaal heeft geschoren.

“Ik vertrouw mezelf niet eens”, antwoordt Borkenhagen. “Niets is zeker, en je kunt in dat wat we een mensenleven noemen nergens op bouwen. Kykke is een sluwe vos, maar daarom kan hij verdomme nog wel fatale kinderlijke fouten maken.”

Ze zitten in een kamer in het Sjöfartshotell aan de Katarinaväg in Stockholm. Op tafel ligt een Walther-pistool van het type PP Super, plus een bijbehorend magazijn. Het magazijn is geladen met 9-mm patronen van het soort dat ‘Police’ wordt genoemd. Verder staan en liggen er nog wat meer dagelijkse dingen op tafel: een dienblad met een stalen koffiekan en kopjes met het logo van Scandic Hotels, een halfvolle asbak, een sixpack met blauwe blikjes Pripps-bier, nog ongeopend, drie mobiele telefoons en een paar acculaders. Op het onopgemaakte tweepersoonsbed ligt een opengevouwen wegenkaart van Zuid-Zweden. Tegen de muur staan een paar leren motortassen met een helm en handschoenen erop.

“In het ergste geval ...” zegt Borken. Hij grijpt met zijn linkerhand de geribbelde metalen kolf van het pistool beet, tilt het wapen op, richt op het raam waar het scherpe zonlicht door een kier in de gordijnen binnenvalt, en haalt over. Het klikkende geluid van de hamer die slechts lucht in de lege kamer treft, is verrassend luid. Hij draait zijn bovenlichaam en zijn arm naar achteren en richt op een ingelijste kleurenfoto van een lijnschip aan de muur. Het schip heeft een schoorsteen met een gele ster erop waarin een blauwe J is geschilderd. Hij richt op de ster en klikschiet nog eens.

Borkenhagen legt het pistool op de leuning van de stoel waarin hij zit.

Hij pakt een servet van het blad en veegt olie van de kolf, wrijft zijn handen schoon. Die zijn smal en bruin, alsof hij in het zuiden is geweest, of op een zonnebank heeft gelegen. Zijn gezicht is al net zo gebruind, maar daar heeft de kleur zich in sproeten verdeeld, zoals roodharige mensen die vaak hebben. Rond zijn oren en in zijn nek is zijn golvende haar kortgeknipt en op zijn kruin probeert hij het met gel enigszins plat te houden. In tegenstelling tot de meeste roodharigen in het noorden heeft hij geen blauwe ogen, maar bruine. Het glas van zijn bril is lichtbruin getint, misschien met de bedoeling het bij de kleur van zijn ogen te laten passen.

Beide mannen haar luchtig gekleed: ook hier in Stockholm heeft de zomerwarmte haar intrede gedaan. Lipinski is in T-shirt en spijkerbroek, Borkenhagen draagt een lichtblauw overhemd en een beige Dockers-broek. Lipinski heeft een golvende draak op zijn linkerbovenarm getatoeëerd. Op zijn rechter heeft hij dezelfde tatoeage als Kykkelsrud, een voorwerp dat eruitziet als een diamant en dat de Chinees uit dat tattoowinkeltje in Aberdeen speciaal voor mensen uit de olie had getekend: een boordiamant.

Borkenhagen heeft geen zichtbare tatoeages. Om zijn hals en aan zijn linkerhand heeft hij zich met gouden kettinkjes getooid en om zijn rechterpols draagt hij een glinsterend goudkleurig horloge.

"Ik begrijp niet waarom het zo lang duurt voor onze kleine vriend een telefooncel vindt die niet is gemolesteerd", zegt hij. "Die verdomde Kykke, dat hij met zo'n onveilig mobieltje belt."

Lipinski smoort een geeuw, staat op en gaat naar de badkamer, draait de kraan open en komt terug met een plastic bekertje water. Hij gaat op de grond zitten, vouwt zijn benen in lotushouding, blaast luchtbellen in het water en bestudeert ze.

"We kunnen hem aan boord van de veerboot volgieten en hem een duwtje over de reling geven", zegt hij.

"En dan komen wij in Tallinn de loopplank af, Lips, jij en ik, zonder de derde man die op de passagierslijst staat. Op het autodek vinden ze een enorme wat oudere Kawasaki met de naam Brontes erop. Naar wie dacht je dat de hele wereld dan zou vragen?"

"We zouden valse papieren voor Kykke kunnen regelen. De douane in Tallinn omkopen. In Estland is alles mogelijk, als je maar Duitse marken hebt."

"Veel te risky", zegt Borkenhagen. "En wie van ons zou die afzichtelijke kerel een zet moeten geven? Wij zijn niet van die kolossen als hij. En als ons vermoeden juist is en hij zich van die verklikker Strand heeft ontdaan door hem op een bike zonder remmen te zetten, dan moeten we deze hier gebruiken." Hij streelt het Walther-pistool. "Dat is goddomme sympathieker dan een oude kameraad in de Oostzee te laten verzuipen."

"Arme duvel, hij haat zout water", zegt Lipinski. "Nee, dat zou een klotemanier zijn om te sterven. Al die bellen die je uitblaast tot je geen lucht meer hebt." Hij doet zijn ogen dicht.

"Hoe kijkt een oude vriend als hij zich realiseert dat je hem gaat doodschieten?" vraagt Lipinski met lage, zalvende stem.

"Hou op met dat gelul, Lips."

Een van de mobiele telefoons gaat. Borkenhagen pakt hem op. Lipinski blijft met gesloten ogen zitten.

"Dat heeft even geduurd, Bård", zegt Borkenhagen. "Waar bel je vandaan? Cel in Sarpsborg. Dat is prima."

Borkenhagen luistert aandachtig. Hij zet zijn bril af en masseert de stijve spiertjes in zijn ooghoeken.

"Als eindexamenkandidaat, met een bestelwagen met een bordje van wegwerkers? Oké. Idiote vermomming als je het mij vraagt. Maar als het heeft geholpen en niemand je heeft gezien die je zou kunnen herkennen, is dat in orde, lijkt me."

Hij klemt het mobieltje tussen zijn schouder en zijn kin, pakt een van de blikjes bier en maakt het open. Blaast het schuim eraf. Luistert, slaat zijn ogen ten hemel.

"Godver", roept hij. "Wat een stomme ezel!"

Lipinski doet zijn ogen open. Ook hij pakt een blikje bier.

"Ga als volgt te werk, Bård", zegt Borkenhagen. "Zorg dat je die auto kwijtraakt. Leen of jat een andere. Zorg dat je een jerrycan met benzine op de kop tikt. Rijd naar Aspedammen en steek dat krot van je oom in de fik. Doe het vannacht, en doe het grondig. Dan volg je het reisplan. Haal die tienduizend moppen, je weet wel waar, smeer 'm naar Ibiza en blijf daar zo lang als je kunt. Wij sturen meer poen uit Riga als onze zaken daar lopen.

Geen vermommingen meer. Goed gedaan, Bård, en goede reis."

Borkenhagen beëindigt het gesprek.

"Hoezo Riga?" zegt Lipinski.

"Hij hoeft niet precies te weten waar we zitten. Die lul van een Kykke heeft een Ninja gestolen, de remmen losgekoppeld en Strand zover gekregen dat hij met dat ding het bos in duikt en als een lappenpop de pijp uit gaat. Vijfhonderd meter van The Middle of Nowhere vandaan! Dat is zo stom dat zelfs die achterlijke idioten van de politie door moeten hebben wat er is gebeurd. Board-Bård heeft prima spionagewerk voor ons geleverd – in een uitgedeukte bestelwagen – maar wat hij te vertellen had was echt triest. Voor Kykke. Laat hij die verdomde erecode van hem maar in zijn reuzenreet steken. Van de winter lukte het hem niet eens om één enkel transport op een nette manier af te handelen. En nu dat geknoei met die losgekoppelde remmen! Die smerissen hebben ongeveer zó lang nodig om te snappen hoe de zaak in elkaar zit, vermoed ik." Hij houdt de duim en de wijsvinger van zijn linkerhand zo ver uit elkaar als de afstand tussen de elektroden van een bougie bedraagt.

"We hebben geen keus, Lips. Na dat bericht van Bård hebben we gewoonweg geen keus meer."

"De politie heeft geen bewijzen."

Borkenhagen vraagt of de politie tegenwoordig soms nog een stapel bewijzen nodig heeft als er voldoende indicaties zijn. Hij vraagt of Lipinski zin heeft om tot ver na zijn vijfenzestigste te zitten.

"Had Kykke maar het benul gehad om die fiets aan te steken nadat die jongen zich naar de verdommenis had gereden", zegt hij met een diepe zucht. "Ik wed dat Kykkes vingerafdrukken overal op die Ninja te vinden zijn. Hij zal worden gezocht. Dat zal vandaag wel niet meer gebeuren, want die smerissen doen niets serieus meer voordat die lui van de recherche een technisch onderzoek hebben uitgevoerd. Maar morgen toch zeker."

Borkenhagen gooit Lipinski een mobiele telefoon toe, vraagt of hij zich een beetje nuttig kan maken en een benzinestation wil opbellen om een huurauto met aanhanger te huren, zo een waarop een zware motorfiets vervoerd kan worden.

9

Terje Kykkelsrud is in Karlstad van de E18 afgebogen en zuidwaarts door de stad naar het eiland Hammarö gereden. Hij heeft zijn motor geparkeerd op het uiterste puntje van het eiland bij een bordje dat aangeeft dat daar een natuurreservaat is. Daar zit hij tegen een dennenboom geleund, terwijl de zon brandt en het Vänern-meer doet schitteren, helemaal tot aan de nevelige horizon ver in het zuiden.

De dennenboom is er een van een groepje dat hem aan het bosje in de tuin van Vilhelm Thygesen doet denken. Daar zaten ze ooit, in betere tijden: Thygesen, Borken en hijzelf, aan een tuintafel met wijnglazen erop. Drie verliezers die aan een ouwewijvendrankje zaten te nippen dat Thygesen bessenwijn noemde.

Thygesen was uit de officiële advocatuur geknikkerd, Borkens zaak was over de kop en hij balanceerde op het randje van een faillissement, en zelf was hij als opruier van een booreiland in de Noordzee de wal op gestuurd.

Thygesen klaagde erover hoe oud hij was geworden en dat hij zo'n zwaar leven had gehad.

Daarop zei Borken: "Je bent net zo oud als Jack Nicholson, en jij hebt verdomme zeker niet meer wijven gehad en meer jajem naar binnen gegoten dan hij."

Het drietal besprak niets crimineels. Het gesprek rond de wijntafel draaide erom hoe je met eerlijke middelen kon overleven in een harde wereld. Thygesen moest zien weer op gang te komen, weg uit die vrijloop die werd veroorzaakt door doelloos zuipen en nietsdoen. Borkens doel was weer een poot aan de grond te krijgen met de handel in motoren en onderdelen. Zijn voorspelling dat de markt voor motoren zich in de loop van de jaren negentig weer zou herstellen, kwam uit. Het probleem was dat hij zelf nooit een aandeel in die *boom* had gekregen.

Kykkelsrud wilde een officieel erkende motorwerkplaats opbouwen. De kleine onenigheid die de Seven Samurais met de gemeente hadden, beschouwde hij als een tijdelijke hindernis die ze uit de weg zouden ruimen. Hij vond die burgertrut van een burgemeester net een opgeblazen kikker die gemakkelijk lek te prikken was.

Hij had vertrouwen in Thygesen gekregen toen hij hem eens vanaf de Noordzee had opgebeld, tijdens de staking op de North Sea Star, om te vragen wat je ertegen kon doen als je werkgever hutten en vergaderruimtes afluisterde. De stakers hadden afluisterapparatuur gevonden en waren in het bezit van technische bewijzen. Toen het stakingscomité de zaak in Stavanger voor de rechter bracht, was Thygesen erbij als man achter de schermen. Een advocaat met meer aanzien, ene Hydle, verleende tijdens het proces rechtsbijstand. Maar in de beginfase deed Thygesen het werk van die man. Dat ze zowel het proces over het afluisteren als de staking zelf verloren, was een andere zaak – een slok uit de bittere beker van het kapitalisme.

Toen de strijd om The Middle of Nowhere begon, liet hij Jens-Petter Sundin contact opnemen met Thygesen, omdat een familielid van Sundin, iemand die was vermoord, een vriend van Thygesen was geweest. Hij wilde testen of die slampamper van een Sundin tot meer in staat was dan praatjes te verkopen.

En dat was hij. Voor korte tijd. Toen de dingen voor de club mis begonnen te lopen, vertoonde Sundin een ander gezicht. Hij bleek een kleine rat van een verklikker. Jammer dat het niet nodig was geweest om hém uit de weg te ruimen, in plaats van die dromer van een Strand.

Er vaart een eenzame zeilboot over de enorme oppervlakte van het Vänern-meer, traag op het beetje wind dat het meer lichtjes doet rimpelen.

Als híj in die boot had gezeten, had de wereld zich anders aan hem voorgedaan.

We zitten allemaal in hetzelfde schuitje, luidt het gezegde, maar dat is puur gelul.

We zitten allemaal in ons eigen schuitje. Alleen in onze dromen zeilen we samen met iemand over het Vänern, in een zeilboot met een wit zeil, in de zon en de zomerwind.

Kykke haalt de dictafoon tevoorschijn, spoelt het bandje terug tot aan het begin, zet het geluid harder en hoort zichzelf zeggen: "Wat voor liga, Beach Boy?"

Zijn stem klinkt helderder dan hij dacht, en duidelijker, niet zo brommerig als hij hem zelf hoort wanneer hij praat.

De jongen die hij heeft vermoord, antwoordt: "De liga voor de rechtvaardige verdeling van goederen."

Terwijl de dode vanaf de dictafoon tot hem spreekt, kijkt Kykke uit over het grootste binnenmeer van Scandinavië.

Hij antwoordt de jongen met een spervuur van vragen: "Maar waar heb je dat in vredesnaam vandaan? Van die maatschappelijk werkster in Trøgstad? Het lijkt de voorzitster van socialistisch links wel. Wat antwoordde directeur Ryland op dat gebazel van die bajestante, hè? Dat hij meteen een miljoen zou ophoesten, in de naam van het rechtvaardige socialisme?"

"Hij antwoordde helemaal niet", zei de jongen gekrenkt. "Ik dacht dat Ryland zich ontzettend bedreigd zou voelen door mijn brief. Wie die dode vrouw ook was – een drugskoerier, een hoer, of een gewone secretaresse – het zou voor een directeur die miljarden oliekronen beheert niet bevorderlijk zijn om met haar in verband te worden gebracht, vermoord en alles."

"Allright, daar zit wat in. Wat met de politie?"

"Daar kom ik zo op terug, Kykke. Toen die klootzak van een Ryland niet antwoordde op brief nummer een, schreef ik brief nummer twee, op een scherpere toon. Ik zei dat als hij geen contact opnam, zodat we konden afspreken hoe er aan onze eis kon worden voldaan, ik de politie zover zou weten te krijgen om een foto van die dode vrouw naar de kranten te sturen. Als hij zich dan nog niet meldde, zou ik *VG* of *Dagbladet* of *Se og Hør* vertellen wat ik wist. En wel dat schandaalblad dat het meest voor die story zou betalen. Ook al was hij dan geen gewone miljardair – zo een waarover in die bladen geschreven wordt, met een paleis op Holmenkollen en een Ferrari, die bals bezoekt samen met andere suikerlords, al die dingen die die rijken graag doen – hij zou toch op de voorpagina komen, als een directeur die een vermoorde vrouw kende."

"Er zit een zekere zieke logica in je plannetje."

Tussen het Engelse gras rond de den komt een hommel aangezoemd. Het is een echte kanjer.

Kykkelsrud volgt zijn vlucht. Hij stelt zich voor dat híj die hommel is. Dat is een prettige gedachte.

Die arme sodemieter van een hommel, als díé zich moest voorstellen dat hij hém was, een verwarde killerhommel die het niet eens waagt zijn kameraden te vertrouwen ...

"Hoe komt zo'n kleine smiecht als jij op het idee dat die smerissen echt een foto van die vermoorde vrouw zouden laten afdrukken?"

"Het begon ermee dat we grapjes maakten in de gevangenis. Heel Trøgstad volgde natuurlijk die Orderud-zaak, toen die met Pasen voor de rechter kwam. Dat is immers zo'n zaak waarbij een gewone kleine ploert zich een pure, onschuldige heilige voelt. Een oude kerel, die deze keer alleen maar voor wat kleins zat, maar die vroeger voor brandkastkraken in het Botsfengsel had gezeten, moest zo lachen om dat gedoe met die sok dat hij bijna zijn arm eraf zaagde met de kapzaag. Hij zei: 'Dat had die goeie ouwe moordbrigade moeten weten.' Zo heette vroeger de recherche. Die ouwe dacht dat de moordbrigade het nooit gepikt zou hebben om voor de zoveelste keer het bevel te krijgen om naar die Orderud-sok te zoeken."

"Proost op de wijze brandkastkraker", hoorde Kykkelsrud zijn eigen stem zeggen.

Hij neemt een slok water uit een flesje. Het smaakt naar chloor. Het komt uit de kraan van een benzinestation. Toen hij zijn rekening controleerde bij een geldautomaat van een bank in Karlstad stond hij rood. Het geld dat Borken heeft beloofd te storten laat op zich wachten.

De jongen ratelt maar door, zoals dat met speedy lui het geval is: "Die ouwe begon over de dode vrouw die bij Thygesen was gevonden. Hij zei dat hij er heilig van overtuigd was dat Thygesen een vinger in de pap had gehad. Hij haatte Thygesen als de pest, omdat die in zijn tijd als smeris in Notodden die ouwe had gearresteerd na een inbraak bij Hydro. 'De moordbrigade zou het nooit hebben opgegeven voor ze Thygesen die moord in zijn schoenen hadden weten te schuiven', zei hij. 'Maar tegenwoordig laten die duffe lui van de recherche zich door de pers van de wijs brengen en sturen. Ze denken alleen nog maar aan Orderud en zijn de moordenaar van die vrouw bij Thygesen volkomen vergeten. Het is een schandaal.' Wat hij zei bracht me op een idee, dus belde ik de recherche."

"Jij hebt de recherche gebeld vanuit de regionale gevangenis in Trøgstad?"

"Yep. Dat is niet zo moeilijk. Je schraapt een paar munten bij elkaar, gaat in de rij staan voor de cel bij het gebouw van welzijnszorg en als je aan de beurt bent draai je het nummer. Jij denkt dat de recherche weet wie er belt? Hoe zouden ze erachter moeten komen dat ík dat was? Er zit daar tachtig man opgesloten. Je moet heel wat filteren en sorteren om er eentje uit te pikken die gebeld heeft. Ik heb Engels gepraat om ze in de war te brengen, zodat ze zouden denken dat het een van die negerjongens was. Ik had een acht voor mijn mondeling Engels op de middelbare school. *No problem.* Ik kreeg ze aan de lijn en zei dat ik een tip had over die vrouw bij Thygesen, vroeg naar Stribolt, die rechercheur van wie de naam in de krant stond. Maar ik kreeg zo'n chagrijnig wijf, dat Vaage heette. Ze zei dat zij degene was die die zaak behandelde, en dat ik met haar moest praten. Dus dat heb ik gedaan."

"Jij bent verdomme niet goed wijs, Beach Boy. Wat voor leugens heb je hun verteld?"

Een kleine, blauw geschilderde tanker stevent zuidwaarts over het meer. Ook al vaart hij op zoet water, toch drijft die kleine schuit als een kurk. Waarschijnlijk wordt hij in Kristinehamn beladen. Vanaf de grote banken in de Noordzee wordt helemaal tot hier, in hartje Zweden, olie per schip vervoerd.

"Ik heb geen leugens verteld", zegt de jongensstem op de band. "Krijg ik nog een slokje van dat bier van je voordat ik crepeer?"

"Als je het metaal maar niet aanraakt met je bek. Ik ben er niet zeker van of we dezelfde ziekte hebben."

De jongen drinkt, boert demonstratief, en vertelt verder, opgemonterd door zijn eigen redenaarstalent: "Eerst vertelde ik die Vaage uitgebreid alles wat die brandkastkraker had gezegd over de moordbrigade, *The Murder Brigade.* Toen zei ik dat er weer beweging zou kunnen komen in die vergeten zaak met die vermoorde vrouw – ik zei dat die zich zou openvouwen als een lotusbloem, zoals je zegt als je zat bent – als er een foto van haar in de krant zou worden geplaatst. En ik zei dat ik concrete informatie had waardoor de moord met een van de machtigste mannen van Noorwegen in verband kon worden gebracht, én met een motorclub in Østfold."

"Dát heb je gezegd? Met een motorclub in Østfold?"

"Yes, I said so. A motorbike club in Eastfold."

"Jezus christus."

Ruisende stilte op de band.

Dan klinkt de stem van de jongen weer, buiten adem: "Kijk niet zo naar me, hé. Ik wilde twee vliegen in één klap slaan. Daar ging het om. Die rijke stinkerd de stuipen op het lijf jagen en tegelijk paniek zaaien in die Kamikaze-bende. Dat was min of meer mijn grote plan. De club een miljoen bezorgen door Ryland klem te zetten, en tegelijk die Kamikazes een kopje kleiner maken, zodat ze hun apentronies nooit meer zouden laten zien."

Op de band klinkt het geluid van bier dat opspuit als er een blikje in elkaar wordt gedrukt.

"Je hebt je blikje Carlsberg geplet, Kykke", zegt de jongensstem.

"O ja? Ja, verdomd. Heb je er ook aan gedacht hoe jouw woorden klinken als ik je vertel dat het niet die Kamikazes waren die vanuit dat krot in Aspedammen opereerden, maar wíj?"

"Maar Bård zei toch dat het die Kamikazes waren ..."

"Bård is een gluiperd, en jij hebt je gedragen als een derderangs idioot. Ik zweet me kapot. Ik moet even afkoelen in de beek."

Er klinkt een klik als de dictafoon wordt uitgezet.

Kykkelsrud hoort zijn eigen voetstappen op het grind en een stem uit de verte die de zijne is en die roept: "Geen geknoei met dat ding. Als je hem aan hebt gezet, zet hem dan weer uit."

Stilte. Plotseling klinkt de stem van Beach Boy, hoog en schel. Hij zingt – dat moet een refrein van Aretha Franklin zijn: *"Let's kick the ballistics. Let's kick the ballistics. Let's kick the ballistics."* Dan klinkt er wat gehik, onduidelijke woorden, en dan luid en duidelijk: "Borken, hallo Borken! Als je dit hoort en er misschien iets kloterigs met mij is gebeurd, dan moet je weten ... Er was een liedje waar mijn vader gek van was, maar dat mocht van de dominee niet op de begrafenis worden gespeeld. *Writing Love Letters in the Sand.* Van Pat Boone. Hoor je? *Love Letters in the Sand.* Ik heb ook een brief in het zand geschreven, zou je kunnen zeggen. Maar het is geen liefdesbrief. Begrijp je wat ik bedoel?

Waarheidsbrief in het zand. Nu moet ik dat ding uitzetten en net doen alsof ik spaanders hak. Kykke komt frisgewassen uit het bos terug. Hij ziet eruit als een watertrol.”

10

"Ken je die stem?" vraagt wachtcommandant van de recherche Vanja Vaage.

Politieagent Harald Herføll zit in zijn kantoor en hoort door de telefoon dat Vaage een geluidsband aanzet. Hij meent de stem van iemand te horen die naar de centrale van de recherche in Oslo belt en automatisch is opgenomen.

Hij is er redelijk zeker van wie hij hoort. Maar hij wil niet al te zelfverzekerd overkomen. Ze hebben het in de hoofdstad niet zo op van die zelfverzekerde kleine sheriffs uit de bush-bush.

Dus neemt hij alle tijd en antwoordt dan ontkennend.

"Heb je die stem al eens eerder gehoord?" vraagt Vaage.

"Hij praat Engels."

"*Yes sir*, hij praat Engels."

"Laat me eens wat meer horen."

"Oké."

"*... that the woman was killed because of a drug operation that went wrong*", zegt de jongensstem op de band van de recherche. "*And that if you publish her picture, things will explode and some motorbikers in Eastfold will be very sorry, and a bigshot, the name of which I have, will come out in the open ... And, sorry, no more coins for the telephone machine. My name is Banzai Boy, and I call you from a wood factory in the forest, and will call you again. Do you at The Crime Police Center accept collect calls, what they in this country call* een collect-gesprek?"

Voorzover Herføll kan beoordelen spreekt iemand die aan Øystein Strand doet denken daar redelijk goed school-Engels.

Maar zeker?

"Banzai Boy was een naam die Øystein Strand gebruikte", zegt Herføll. "In het Japans betekent *banzai* zoiets als 'ten aanval'."

"Aha", zegt Vaage. "Kun je de stem identificeren?"

Herføll steekt een van zijn uiterst zeldzame sigaretten op, een kant-en-klare Petterøes uit een pakje in zijn la. Hij krijgt meteen de smaak van dood in zijn mond. Maar ook van leven. Het leven waarvan hij droomde toen hij politieagent werd, een leven vol actie waarin hij in spannender bars rondhing dan de Limpinn en het Lysthus in Moss, en gangsters oppakte.

"Ik ben er niet honderd procent zeker van", zegt hij, terwijl een sluwe, kleine adder in zijn hersenen berekent hoeveel kilometervergoeding hij krijgt als hij met zijn eigen auto naar Oslo moet om de opname van de recherche te beluisteren. Voor verscheidene opnames als hij praatjesmaker Strand kent.

"Hoor ik een provinciale kilometerteller tikken?" vraagt Vaage.

Kan die heks gedachten lezen?

"Ik ben er negenennegentig procent zeker van dat de stem die je laat horen die van de omgekomen Øystein Strand is", zegt Herføll.

"Negenennegentig procent is goed genoeg voor ons. Ter informatie: dit is een van de opnames die we hebben van een tot nu toe onbekende persoon. Voorzover we konden nagaan, belde hij van een van de munttoestellen waarvan de gedetineerden in de regionale gevangenis van Trøgstad gebruik kunnen maken. We hadden niet genoeg mensen tot onze beschikking om na te gaan wie het was. Je hebt ons zeer geholpen, Herføll", zegt Vaage.

"Graag gedaan."

"Je hebt ons op een spoor gezet. Als je ons nu ook nog zou kunnen vertellen waar de heren Kykkelsrud, Borkenhagen en Lipinski zich momenteel bevinden ..."

Herføll voelt er niets voor nu al te moeten passen. Hij zou het best willen zeggen, maar het probleem is dat hij het niet weet. Sinds begin februari zijn de activiteiten van de Seven Samurais in The Middle of Nowhere om zo te zeggen nihil geweest. Kykkelsrud was ter plaatse en ruimde gereedschap en materiaal op, dat hij via een vroegere voorzitter van de club uit Moss als tussenpersoon verkocht. Een handeltje gedreven door twee verlopen helden van de arbeidersklasse, op klaarlichte dag, zonder dat die kleine schaduwopdracht die ze in Moss uitvoerden ook maar de schijn van heling aan het licht bracht.

Borkenhagen was op Kreta geweest, *single in the sun*. Dat weet Herføll, omdat een nicht van hem dezelfde reis had geboekt en het hem verteld had toen ze terugkwam. Lipinski had zich thuis in Skredderåsen opgehouden en was volgens de getuigenlijst van het Openbaar Ministerie getuige geweest in een rechtszaak over een paar nare gevallen van dierenmishandeling in dat voorstadje van Moss, waarbij diverse katten om zeep waren geholpen.

Onderhandse verkoop van gereedschap, een reis naar het zuiden, getuigen in een geval van dierenmishandeling – zijn dergelijke kleinsteedse affaires het waard om aan de recherche te melden?

"Je houdt informatie voor me achter", zegt de gedachtelezeres uit de zwavelgroeve in Helgeland, die een supersmeris in Oslo is geworden.

"Nee, hoor", antwoordt Herføll. "Ik heb alleen zo weinig steekhoudends. Ik weet nauwelijks iets over het doen en laten van die drie samoerai sinds februari."

"Je bent tenminste eerlijk. Vertel maar wat je weet."

Herføll vertelt het weinige dat hij weet.

"Enig idee wie die Mister Bigshot kan zijn?" vraagt Vaage.

"Als het om een lokale grootheid gaat, is Ari Behn, die vriend van de prinses, de enige bigshot die we op het ogenblik hier in de regio Moss hebben", zegt Herføll.

"Ik geloof dat we hem maar aan het hof moeten overlaten", zegt Vaage. "We hebben informatie van de politie in Follo: een pusher uit Drøbak heeft verteld dat iemand die Lips werd genoemd amfetamine leverde. Klopt dat met wat jullie in Våler weten?"

"Dat klopt in zoverre met geruchten die we van onze informant Sundin hebben, namelijk dat Borkenhagen van plan was een drugsbende van de samoerai te maken", antwoordt Herføll.

"Die pusher uit Drøbak zei tijdens het verhoor dat de stuff die hij van die Lips zou hebben gekregen volgens hem uit de Baltische staten kwam, uit Tallinn om precies te zijn. Begint er iets bij je te dagen?"

Herføll antwoordt ontkennend. Vaage vraagt hem niet te aarzelen om contact met haar op te nemen als hem nog iets te binnen schiet, of als hij iets ontdekt. Ze vertelt dat er een technicus op weg is naar Moss om de motor te onderzoeken waarmee Øystein Strand zich heeft doodgereden. Herføll noteert de naam van de man, Gunvald Larsson.

Terje Kykkelsrud pulkt de kleine cassette uit de dictafoon, legt hem op een wortel van de dennenboom en slaat hem met een steen kapot. Dan steekt hij de band in de fik. Hij wordt misselijk van de rook van het plastic. Hij moet een paar stappen achteruit doen. De dennennaalden aan de voet van de boom vatten vlam. Vloekend trapt hij het vuurtje uit.

Was het nodig om dat bandje te vernietigen? Natuurlijk. Er stond bewijsmateriaal op dat hem voor de rest van zijn leven achter de tralies zou kunnen brengen. Die mogelijkheid bestaat nog steeds. Borken moet zich maar zonder band redden.

Kykkelsrud ziet voor zich hoe hij bij een politiecontrole wordt aangehouden en hoe de politie de cassette met Strands stem vindt.

Hij moet de situatie onder ogen zien.

Want ook al begreep Strand dat er aan de remmen was geknoeid en koos hij ervoor in volle vaart het bos in te rijden, het blijft moord.

Hij kan het zich veroorloven spijt te hebben dat hij niet lang geleden, toen duidelijk werd dat hij in The Middle of Nowhere nooit een werkplaats zou kunnen beginnen, bij de Seven Samurais is weggegaan. Maar hij kan het zich niet veroorloven sentimenteel te worden. Het vooruitzicht om bordeelhouder in Tallinn te worden trekt hem weliswaar niet, maar het grote geld dat ze daar volgens Borken en Lips kunnen verdienen, trekt hem wel. Wat ze aan een paar succesvolle amfetamineoperaties hebben verdiend, is in feite een schijntje. Volgens Lips kunnen ze in Tallinn het honderdvoudige verdienen. Sinds de maffia in Estland uitwijkt naar Finland en Zweden en de overvloedige graslanden daar, is er in hun eigen land een vacuüm ontstaan. Finse bandieten trekken de Finse Golf over en vestigen zich in Estland. Daar zouden ook mogelijkheden moeten zijn voor een paar Noren met een beetje beginkapitaal en een effectieve organisatie.

De blauwe tanker op het Vänern-meer verdwijnt in de nevel aan de horizon.

Kykkelsrud gaat op zijn motor zitten.

Het enige waar hij tevreden over is, is dat hij Beach Boy een preek over de eeuwigheid heeft meegegeven voordat de jongen erheen ging.

Hij pakt de discman van Beach Boys met de muziek van de hem onbekende Laurie Anderson. Er staat een nummer op dat *Love Among the Sailors* heet. Hij doet de oordopjes in, zet zijn helm op en kijkt over het meer uit, terwijl dat mens zingt. Het is geen melodie om over naar huis te schrijven, en ook de stem is niet echt bijzonder. Ze zingt:

There is a hot wind blowing
It moves across the oceans and into every port.
A plague. A black plague.
There's danger everywhere.
And you've been sailing.
And you're alone on an island now tuning in.

Vilhelm Thygesen hoort een schreeuw, gooit de hak neer en kijkt omhoog naar de meihemel die zich boven Oslo welft, blauw als het verschoten jeansoverhemd dat hij aanheeft. Twee grote vogels – gewoon kraaien waarschijnlijk – vliegen langzaam over de boomtoppen van Bestum, waar hij het grootste gedeelte van zijn leven heeft gewoond en waar hij een stuk grond bezit dat zijn wereld is geworden. Waar hij nooit afstand van zal doen en waar hij tot aan het einde van zijn dagen van plan is te blijven, ongeacht wat voor aantrekkelijk bod de makelaars Bruun & Spydevold ook doen.

Ook al doet de vlucht van de twee vogels aan die van kraaien denken, toch gelooft hij niet helemaal dat dit kraaien zijn – hun vleugelwijdte lijkt toch veel groter? Het moeten reigers zijn, blauwe reigers, en weer schreeuwt er een, een hees en krachtig *kreeiiik-kreei*. Snel, in een reflex, pakt Thygesen de verrekijker, die hij op de tuinbank heeft gelegd, krijgt de vogels in het vizier en constateert dat hij gelijk heeft: het is een stel reigers, die karakteristieke zwarte buitenste vleugelveren, de gele snavels en gele poten. Ze vliegen op die voor reigers typerende manier: zwaar, met de hals naar achteren gebogen, zodat alleen hun kop voor de vleugels uitsteekt.

Het lukt de vogels om van de opwaartse druk te profiteren en een stukje op de wind te zeilen, richting vijver, waar ze waarschijnlijk een nest hebben. Zo tegen de lucht zien ze eruit als twee vliegtuigen. Er klinkt weer een schreeuw. Die raakt een gevoelige snaar bij Thygesen.

Vanaf het moment dat hij de tekening van de vermoorde vrouw in de ochtendeditie van *Aftenposten* heeft gezien, is hij enigszins uit zijn doen. Die dode, stijfbevroren Picea heeft in zijn gedachten en dromen rondgespookt. Door die tekening in de krant moet hij steeds weer aan haar denken.

Thygesen pakt de schop van de kruiwagen en schept de bovenlaag weg van het stukje grond dat hij in de hoek van zijn tuin heeft losgehakt, daar waar hij begin februari Picea heeft gevonden. Hij begrijpt niet waarom de recherche nu pas, bijna half mei, een portret van haar publiceert. Maar hij voelt ook geen behoefte om het te begrijpen.

Sinds begin april de sneeuw is gaan smelten, is hij van plan geweest een lage struik te planten bij de spar waar Picea lag.

In de hagendoorn die naar het westen de afscheiding van zijn tuin vormt, ontdekte hij verleden herfst een indringer. Daar was een doornloze struik opgekomen. Eerst dacht hij dat het een vlier was, een rode vlier. Door de gelige schors van de dunne stam begon hij echter te twijfelen, en toen hij een tak afsneed en geen bruin, poreus merg ontdekte, begreep hij dat het onmogelijk een vlier kon zijn. Het moest een sneeuwbal zijn, een exemplaar van *Vibernum opulus*, die in Noorwegen in het wild groeit en zich in tuinen en heggen verspreidt. Hij heeft er een prachtexemplaar van in de gemengde heg die zijn tuin aan de zuidkant van die van Lütken scheidt. De hoofdtakken groeien in een hoek van vijfenveertig graden aan de stam, waardoor de struik aan een kruis doet denken.

In het Vestre Krematorium heeft Alf Rolfsen een boom geschilderd die eruitziet als een kruis.

Die boom doet Thygesen aan de sneeuwbal denken.

Het gat is intussen diep genoeg. Hij tilt de kluit met de kleine struik op en zet hem behoedzaam op zijn plaats, stampt de aarde eromheen aan en giet er rijkelijk water overheen. Dan pakt hij een half opgerookt shagje uit zijn jack, dat hij aan de spar heeft gehangen, en steekt het aan; hij bestudeert zijn tuinierswerk en neemt een paar slokken water uit een fles. Het is nog steeds warm. Het is op het heetst van de dag vast wel vijfentwintig graden geweest, deze eerste zomerdag in het oosten van het land.

Zijn overhemd is doorweekt van het zweet. Een klus die hij al lang van plan was, is geklaard. Het geeft een goed gevoel dat de onbekende vrouw een botanisch gedenkteken heeft gekregen op de plek waar hij haar heeft gevonden.

Thygesen trekt zijn jack aan en slentert naar de brievenbus bij het hek om te zien of de avondeditie van *Aftenposten* er al is. In de bus ligt geen krant. Wat hij wel vindt is een grote, ongefrankeerde envelop met zijn naam erop geschreven. Hij maakt de envelop open en haalt er een blad papier uit. Op het papier zijn foto's gelijmd. Een ervan is de tekening van Picea uit de krant, met een naakt lichaam eronder getekend. Een andere is een oude zwartwitfoto van hemzelf, ook uit de krant, uit een van zijn baardloze periodes. Daar is ook een lichaam onder getekend, en aan dat lichaam zit een arm met een hand die een mes vasthoudt. Het mes dat hij vasthoudt is in Picea's buik gestoken. Daar puilt iets uit wat ingewanden zouden kunnen zijn, maar wat meer op broodjes lijkt, op pistolets. De derde foto, onderaan op het blad, is een onscherpe kleurenfoto van Picea.

Thygesen voelt hoe de rillingen langs zijn bezwete rug lopen.

Hij klapt de brievenbus dicht. Langzaam wandelt hij door de tuin. Het grind knarst onder zijn sportschoenen. In de hal vergeet hij die uit te schoppen en hij laat een spoor van aarde op de vloer achter.

Binnen is het koel. Hij schenkt een beker teerachtige koffie uit de filterpot in, gaat in de kamer aan zijn werktafel zitten, draait een shagje en zet zijn leesbril op. Bestudeert het vel met de foto's. Steekt het shagje aan, dat zonder dat hij het merkt meteen weer uitgaat.

De kleurenfoto van Picea is genomen toen ze nog leefde. Ze zit tussen andere mensen. Die mensen zijn onscherp op de foto. Hij moet aan boord van een vliegtuig zijn genomen, of in een trein, of misschien in een bus. Picea zit voorovergebogen op een donkergroene stoel. Ze draagt dezelfde lichte blouse die ze aanhad toen hij haar vond. Haar gezicht is tamelijk scherp, in tegenstelling tot haar armen, die onscherp zijn, waarschijnlijk omdat ze die beweegt op het moment dat de foto wordt genomen. Haar ogen zijn wijdopen. De pupillen zijn roodgekleurd door het flitslicht. Ook haar mond staat open, alsof ze iets zegt of roept, hoogstwaarschijnlijk tegen de fotograaf.

Ze kijkt boos. Zo kan de uitdrukking op haar gezicht in elk geval worden opgevat: alsof ze razend is. Op de rij stoelen achter haar zijn vaag mensen te zien, als schaduwen.

Achter het donkere haar van Picea is iets wits. Het is zo'n soort beschermingsdoekje dat over de bovenkant van trein- en vliegtuigstoelen wordt gehangen. Vroeger werden dergelijke kleedjes antimakassar genoemd, omdat ze meubels moesten beschermen tegen haarolie, die gemaakt werd van vette, aromatische oliën uit Makassar in het Oost-Indische eilandenrijk. Op de witte stof zijn letters zichtbaar, maar ze zijn onleesbaar.

Thygesen haalt een vergrootglas uit de la van zijn bureau. Hij bestudeert de letters. Er staat: WWW.NSB.NO.

Picea in een trein, een Noorse trein.

Thygesen pakt zijn mobiele telefoon uit de acculader. Er mag geen twijfel bestaan over wat hij nu moet doen: Stribolt bellen.

Hij heeft een vel papier in zijn handen dat bewijsmateriaal is in de zaak die Stribolt niet heeft kunnen oplossen. Uit gesprekken met Stribolt heeft Thygesen begrepen dat het onderzoek min of meer vastzit.

Nu heeft hij iets wat Stribolt, de man uit Finnmarken met de glimlach als van een dolfijn, kan helpen. Het probleem is dat hij er geen idee van heeft waar die foto vandaan komt, wie die anonieme brief in zijn brievenbus heeft gestopt. Hoewel, anoniem?

Snel draait Thygesen het blad om. Aan de achterkant staan twee poten met klauwen. Tussen die poten is iets getekend wat eruitziet als een rugbybal. Onder de figuren is met dunne viltstift geschreven:

> *Geef ons 'Speed and Service', meneer de advocaat! P.P. Productions biedt je een rol aan in een documentaire, Vilhelm Thygesen. We zullen contact met je opnemen. Maar als je een ster wilt worden, moet je het 'sterrenstof' delen dat je in die dode vrouw vond toen je haar opensneed. Die goede oude slogan van de rederij Jf. Wilhelmsen 'For Speed and Service'. Je hebt vast niet alle stuff zelf gebruikt, want we hebben je in*

de gaten gehouden en je ziet er tamelijk nuchter uit sinds je bent thuisgekomen uit het buitenland. Als je het hebt verkocht, ben je slimmer dan we dachten. Want op Ullern s.g. geeft niemand toe dat ze iets hebben kunnen kopen. Volgens onze berekening heb je amfetamine in je bezit (we denken dat het amfetamine is en hopen niet dat het heroïne is) ter waarde van 5 miljoen kronen.
Hoogachtend dokter Papaja en kapitein Paw-Paw.
PS. Wij zijn multikunstenaars bewapend met scherp en met onze wanhoop. DS.

Kinderstreken dus. Gewoon kinderstreken. Kinderachtig gekras en kinderachtig gekrabbel. Een idee van een paar eindexamenkandidaten! Die zitten nu toch midden in de examens? Hij heeft nog niet veel van hun traditionele streken gemerkt en heeft het ook niet gemist.

Ullern s.g., dat moet het Ullern-gymnasium zijn, of de scholengemeenschap, zoals dat tegenwoordig in bureaucratische taal heet, ten behoeve van de gelijkstelling. Als eindexamenkandidaten van Ullern die brief in de bus hebben gedaan, dan zullen ze binnenkort wel langskomen in hun auto's, postpuberale paringsliederen zingend – 'Fuck, fuck, fuck, Ullern aan de ruk.'

Godverdomme. Waar is zijn geweer?

Als zij scherp hebben, dan heeft hij nog scherper.

Dokter Papaja en kapitein Paw-Paw! En die oude Wilhelmsenleus. Want die klopt echt. 'For Speed en Service' was in de trotse tijd van de lijnschepen de reclameleus van Wilh. Wilhelmsen Lines.

Waar hebben ze die leus vandaan? En hoe zijn die verdomde clowns in jezusnaam op het waanzinnige idee gekomen dat hij voor vijf miljoen aan drugs uit de buik van Picea heeft gesneden? Ze noemen zich multikunstenaars, maar naar zijn bescheiden mening is dat niet zo'n kunstzinnig idee. Het kwalificeert hen eerder voor gedwongen noodopname in de jeugdpsychiatrische inrichting van Vinderen.

Het huis van Thygesen zit vol stemmen, oud geluid, zoals dat met alle honderd jaar oude houten huizen noodgedwongen het geval is. Al die jaren sinds het uiteenvallen van de unie met Zweden, gedurende twee wereldoorlogen en de lange naoorlogse periode, is hier gepraat, gezongen, gelachen en gehuild. Als de wetenschap ooit een methode ontwikkelt om het geluid uit de planken van de houten wanden af te spelen, zal zijn huis heel wat te vertellen hebben. Dat een dergelijke methode er komt, is niet onwaarschijnlijk.

Op het moment dat de geluidsgolven de moleculen in het hout raakten, moeten ze microscopische veranderingen hebben veroorzaakt die opgenomen moeten kunnen worden en die de moderne computertechniek in begrijpelijke geluidssporen zou moeten kunnen decoderen.

Toen hij weer in het huis trok, had hij besloten om zich doof te houden voor de stemmen. Hij wilde het verleden niet tot zich horen spreken. Hij wilde zijn blik naar voren richten. In plaats daarvan richtte hij hem naar beneden, naar zijn eigen navel en de punten van zijn schoenen. Maar dat is een ander verhaal. Het is hem grotendeels gelukt om zich niets aan te trekken van de geschiedenis van het huis.

Nu spreekt er een stem tot hem, een luide en onbehaaglijk scherpe, afgemeten stem. Het is die van zijn moeder. "Dat is grappig, Steffa", zegt ze. Ze heeft het dus tegen haar zus, tante Steffa. De theekopjes rinkelen op het zilveren blad. "Dat de Engelsen in Kenia zulke snobs zijn dat ze geen 'papaja' kunnen zeggen, maar de vrucht 'paw-paw' noemen."

Tante Steffa had als gouvernante in Kenia gewerkt, maar ze was naar huis gevlucht vanwege een opstand in die Oost-Afrikaanse Britse kolonie. Voor 'kleine Ville' – dat was in 1952 en hij werd vijftien – bracht ze een tropenhelm en een staart van een zebra als cadeautje mee. Die helm had hij tijdens een gekostumeerd bal op school gedragen. Hij had zich afgevraagd of je die zebrastaart kon gebruiken bij sadomasochistische spelletjes, waarover hij had gelezen in een blad dat hij volgens zijn zus Vigdis niet had horen te lezen.

"Die Engelsen kunnen 'papaja' niet uitspreken", zegt zijn moeder, en ze laat haar woorden volgen door een lach, die eindelijk eens vrij en ongedwongen klinkt.

Meteen is zijn vader, de rechter, ter plekke en bijt haar een bitse repliek toe: "Sta je aan de kant van de Mau-Mau dat je de Engelsen zo veracht?"

Tante Steffa slaakt een zucht over de gruwelijkheden van de Mau-Mau-opstandelingen.

Zijn moeder zegt niets.

De stemmen verstommen.

Voorzover hij zich kan herinneren werden er zo'n tachtig à negentig witte farmers door de opstandelingen vermoord, terwijl de Britten meer dan tienduizend opstandelingen liquideerden.

Door de herinnering aan dat gesprek kan Thygesen de rebus oplossen, hoewel de briefschrijvers, of de briefschrijver, waarschijnlijk niet verwacht hadden dat dat hem zou lukken. Die twee poten met de klauwen zijn een *paw* en een *paw*, samen 'paw-paw'. Wat eruitziet als een rugbybal is geen bal, maar een papajavrucht.

En wat dan nog?

Zijn het Picea's moordenaars die zich per anonieme brief tot hem gewend hebben? Of een stel dat van een lijk beroofd is waarvan ze dachten dat het vol dope zat?

De samenstellers van de brief zijn in het bezit van een kleurenfoto van Picea, van de levende Picea. Hoe komen ze aan die foto? Wat heeft het te betekenen dat die bestaat en bij hem in een ongefrankeerde envelop is afgeleverd?

Wat moet hij nu doen? Wat voor reactie hoort een dergelijke brief bij hem teweeg te brengen?

Zou het een provocatie van de politie kunnen zijn?

Na de vondst van Picea is zijn contact met de recherche beperkt gebleven. Stribolt heeft hem een paar keer gebeld toen hij in Sarajevo was om Vera Alam op te zoeken, en ook Vaage heeft zich een keer op zijn mobiele telefoon in Sarajevo gemeld. Stribolt heeft nog een keer gebeld toen hij op de terugweg zijn reis in Parijs had onderbroken om postzegels te kopen.

Stribolt had naar Sarajevo gebeld, zogenaamd om te vragen hoe het met Vera's gezondheid was gesteld. Die was niet echt kritisch. Er was kanker geconstateerd, maar er waren nog geen uitzaaiingen. Ze ging ervan uit dat ze haar werk in Bosnië zou kunnen voortzetten en wilde niet naar huis. Vaage had gebeld om allerlei vergezochte vragen te stellen, bijvoorbeeld of Vera met de vermoorde vrouw in contact kon zijn geweest. Ze vroeg zelfs of er een mogelijkheid bestond dat Bernhard Levin met Picea contact had gehad.

Pas toen Thygesen vroeg of Levin en hij ervan verdacht werden een bordeelketen te hebben gedreven, hield Vaage haar grote mond.

Zelf had hij de recherche eind maart een keer gebeld, vlak nadat hij was thuisgekomen, om te vragen of de smerissen hem in de gaten hielden, en zo ja waarom. Er wandelde verdacht vaak een gozer in een leren jas over de Skogvei, die zijn tuin in gluurde.

Zou die figuur in die leren jas dokter zus of kapitein zo kunnen zijn geweest? Hebben de briefschrijvers hem bespioneerd?

De waarschijnlijkheid dat de brief een provocatie van de politie is en dat de politie spionnen in het struikgewas van Bestum geposteerd heeft, is bijna nihil. Bij de oude moordbrigade zaten mensen die er alles voor over hadden gehad om de scalp van Vilhelm Thygesen aan hun riem te kunnen hangen, maar die zijn nu allang dood of met pensioen. Die oude snuiters koesterden een extra grote wrok tegen hem omdat hij een afvallige politieman was. Nu liggen ze allemaal onder de grond, als ze niet in een urn zitten. De huidige recherche wordt geleid door nieuwe, jonge knapen. En die koesteren geen verbeten haat tegen Thygesen, beschouwen hem niet als vijand.

Als Vaage en Stribolt hem werkelijk van moord of medeplichtigheid aan moord verdacht hadden, zouden ze hem strenger hebben verhoord; dan zouden ze hebben geprobeerd hem murw te maken, hem hebben blootgesteld aan een zekere mate van mentale marteling. Toen hij belde vanwege die kerel in die leren jas, was dat voornamelijk om te checken hoe het ervoor stond en om te horen of ze nieuwe aanwijzingen hadden.

Hij kijkt naar de tekening van Picea's lichaam. Wat uit haar buik puilt zijn natuurlijk geen pistolets – dat moeten pakjes drugs in plastic voorstellen, die zij in haar rol als drugskoerier had ingeslikt.

Hij is er steeds meer van overtuigd dat Picea niet in die rol past. Die keren dat hij haar zich voor de geest had gehaald, had hij geen drugskoerier gezien. Ook geen moeder Teresa, maar iets tussen een crimineel en een heilige in. Of tussen een hoer en madonna? Nee, geen hoer, en ook geen madonna.

Daar zit hij nu, met een collage in handen die hem als messentrekker bestempelt. Zou die enige indruk op die lui van de recherche maken? Wat heeft hij te verliezen als hij hun eerlijk vertelt wat hij heeft ontvangen? Politielogica is een speciaal soort logica, die ervan uitgaat dat mensen die iets weten direct verdachte personen zijn. Je meldt naïef en goedgelovig een vondst waarvan je aanneemt dat die belangrijk kan zijn, en voor je het weet, spartel je als een vlieg in een spinnenweb.

Maar ondanks al die bezwaren is er maar één rationele oplossing voor zijn dilemma.

Thygesen haalt zijn mobieltje uit de acculader, toetst nummer 22-07-70-00 in, drukt op het blauwe knopje en krijgt de centrale van de recherche. Hij vraagt om te worden doorverbonden met rechercheur Arve Stribolt.

Het duurt een paar seconden. Dan vertelt dezelfde stem hem dat Stribolt net weg is en pas maandag 14 mei weer op het bureau zal zijn.

Hij zou naar Vanja Vaage moeten vragen. Maar bij de gedachte aan die draak verliest hij de moed en beëindigt hij de verbinding. Hij kiest het nummer van Stribolts mobiele telefoon en krijgt zijn voicemail.

Thygesen verbreekt de verbinding zonder een berichtje in te spreken.

De melding van de centrale dat Stribolt de stad uit was, was een leugentje om bestwil. Hij was op weg naar Halden om een getuigenverklaring af te nemen, maar is niet verder gekomen dan de Informatiedienst, waar hij met Vaage in gesprek is. Ze bestudeert de uitdraai van een e-mail die Stribolt heeft gekregen van een studente in Halden, ene Hege Dorothy Rønningen.

Rønningen schrijft: "Meld me hierbij als getuige in een moordzaak. Ik herken de vrouw van wie vandaag, 11-05-01, een tekening in de krant stond. Ben ervan overtuigd dat ik deze vrouw zondag 28 januari in de trein van Göteborg naar Oslo heb gezien. Als jullie geïnteresseerd zijn kunnen jullie contact met me opnemen via e-mail of via mijn mobiele telefoon: 916-202-77."

"Te gek e-mailadres heeft die vrouw", zegt Vaage. Het is een Hotmail-adres dat gespeld is als *d.ronningen*, oftewel 'de koningin' in het Noors. "Had ze toen je belde nog meer te vertellen?"

"Veel meer", antwoordt Stribolt. "Ze maakt een prima indruk. Ik ben ervan overtuigd dat het de moeite waard is erheen te gaan. Ze heeft een belangrijk detail opgemerkt, dat niet uit de tekening blijkt: Picea's gedeformeerde oor."

"Prima. Zo te zien heeft ze een eigen homepage. Je hebt natuurlijk even gekeken?"

"Ja", zegt Stribolt blozend.

Het internetadres van Rønningen is *www.dotti-de-la-motti.no.*

"Je bent een geile snuifkreeft", zegt Vanja Vaage vrolijk. Ze heeft eerder die lente een paar weekends in een huisje op Koster doorgebracht, samen met een vurige brandweerman uit Strømstad, en daar heeft ze een paar kernachtige Zweedse uitdrukkingen opgepikt.

"En jij bent een op seks gefixeerde knorhen", antwoordt Arve Stribolt.

"Laat mij die Miss Dotti de la Motti van je maar eens oproepen", zegt Vaage. "Dan zul je zien hoe snel ik over internet surf. Ik ben een webwizard."

"Rønningen is geen pornomodel, als je dat soms denkt", zegt Stribolt.

"Ik denk niets. Ik check alleen de bewijzen in een zaak waarbij jij als een *gekookte* snuifkreeft staat te blozen."

Vaage klikt. Op het scherm verschijnt een tekst: *INLINES ONLINE. Welcome to the homepage of Dotti de la Motti. SITE FOR GOOD BUYS ONLINE OF ULTRA CHEAP LATVIAN INLINES.*

Onder de tekst verschijnen een heleboel blonde krullen en langzaam maar zeker een blank voorhoofd en een paar zwarte wenkbrauwen.

"Ze verkoopt rolschaatsen", zegt Stribolt. "Uit Letland."

"Dat zullen we eens bekijken. Als dit een verkoopsite is waarom heet hij dan niet *com, dot-com?*"

"Hoe kan ik nou weten waarom Dotti geen dot-com heeft?"

"Het is de vraag of Dotti een zichtbare dot heeft", zegt Vaage. "Ze gebruikt wel veel kajal."

"Kajal?"

"Eyeliner."

Plotseling verschijnt het complete beeld op het scherm. Het is een jonge vrouw in vol ornaat, het type dat ze heel vroeger een struise dame zouden hebben genoemd.

"Ze is spiernaakt!" roept Vaage triomfantelijk uit.

"Wat een onzin", antwoordt Stribolt. "Ze draagt een huidkleurige bikini, rolschaatsen en elleboog- en kniebeschermers. Dat kun je toch correct gekleed noemen voor iemand die reclame maakt voor een jeugdig, modern sportproduct? En dan heeft ze ook nog een ronde bril op, zoals je ziet. Een John Lennonbril."

"Haar borsten zijn wat bescheiden, maar ze heeft een overdadige heupomvang."

"Daar kan ik toch niets aan doen?" zegt Stribolt.

"Heb je de referenties van deze mogelijke kroongetuige gecheckt?" zegt Vaage.

"Ik heb een leraar aan de hogeschool in Østfold gebeld, waar Rønningen studeert. Hij bevestigt dat ze oplettend en betrouwbaar is."

"Ga je met de auto naar Halden?"

"Te warm om auto te rijden. Ik neem de trein. Als jij me niet langer ophoudt, haal ik die van vier uur nog."

"Goede reis", zegt Vaage, en ze geeft haar collega een klapje op de plek die het hoogst opsteekt als hij bessen plukt in de moerassen van Skaidi.

Vilhelm Thygesen heeft twee borrelglaasjes ijskoude calvados gedronken uit de fles, die sinds hij terug is uit Parijs in de koelkast staat en waar hij voorzichtig mee zou zijn, zoals hij zichzelf beloofd had.

Met de smaak van gebrande appelen op zijn tong belt hij het nummer van de recherche nog een keer. Hij vraagt naar Vaage, en hij krijgt Vaage.

Ze lijkt in een buitengewoon goed humeur.

Thygesen vertelt van de anonieme brief die hij heeft ontvangen, en dat er op het blad papier een foto van Picea is gelijmd, die is genomen toen ze nog leefde.

Hij hoort Vaage op het toetsenbord tikken, terwijl ze korte, precieze vragen stelt, die hij bondig en duidelijk probeert te beantwoorden.

"Kan ik bij u langskomen als mijn dienst er om vier uur op zit?" vraagt Vaage.

Thygesen aarzelt en zoekt een excuus om bezoek van de recherche te vermijden. Hij vindt geen redelijke uitvlucht. Nu hij A heeft gezegd, moet hij ook maar B zeggen.

"In orde", zegt hij.

"Waar bent u?"

"Thuis – waar anders?"

"U hebt met een mobiele telefoon gebeld. Die kan overal in de westerse wereld zijn."

"Op dit moment is mijn mobiele telefoon in Bestum."

11

Zonder dat de chef het heeft gemerkt, is het personeel van het SNOIF op deze snikhete vrijdagmiddag het kantoor op de bovenste etage in de Tordenskjoldsgate uit geslopen om het weekend zo vroeg mogelijk te kunnen beginnen.

Als het tegen vieren is en de werkdag dus ten einde loopt, is alleen het secretariaat van algemeen directeur Gerhard Ryland van het Statens Nasjonale Oljeinvesteringsfond nog bemand. Daar zit secretaris John Olsen te zweten; hij krabt aan zijn Chinese snor en bedenkt somber dat Ryland zich daar binnen in zijn kantoor achter die gesloten deur misschien wel heeft opgehangen.

De chef heeft de hele dag al een nog meer verstrooide en afwezige indruk gemaakt dan anders. Na de lunch zei hij een vergadering met twee vertegenwoordigers van Norpaper uit Helsinki af, verschanste zich achter de deur en verzocht geen telefoontjes door te verbinden.

Olsen heeft geconstateerd dat Ryland zelf een paar keer met zijn mobiele telefoon heeft gebeld nadat hij in dekking is gegaan. De elektromagnetische golven van de gsm veroorzaken een lichte flikkering op het scherm van de computer op het secretariaat. Verder is het stil gebleven. Hij heeft slechts één enkel telefoontje doorverbonden, van een onbekende man die zijn naam niet wilde noemen, maar zei dat het om leven en dood ging. De overige gesprekken voor de chef heeft hij op een notitieblok genoteerd.

Het is intussen tien voor vier. Olsen heeft andere plannen voor deze vrijdag dan stand-by zitten en op een signaal van die sociaaldemocratische sfinx wachten. Het is de hoogste tijd voor een pilsje op een terras aan de fjord op Aker Brygge. Hij draait 01 op de huistelefoon. Die blijft overgaan. Eindelijk neemt Ryland op.

"Ik vroeg me af of ik weg kon", zegt Olsen.

"Nog niet helemaal", antwoordt Ryland. "Kom even binnen voor je gaat. Ik verwacht je over vijf minuten."

Olsen hoort dat de deur naar het kantoor van de chef van het slot wordt gedaan. Hij leunt uit het raam en wacht. Vanaf het asfalt van de straat, zeven verdiepingen onder hem, stijgt de hitte tot hier op. Hij kijkt recht in het decolleté van twee winterbleke meisjes van het ziekenfonds, die op het trottoir staan te roken. Het is in de loop van één enkele dag zomer geworden. Een zoetige lucht vermengt zich met de opstijgende damp van uitlaatgassen. Kan dat de geur van de lindebomen zijn? Of van de kersenbomen, die door de hele, van de warmte zinderende stad volop in bloei staan?

De klok aan de wand geeft vijf voor vier aan. Olsen knoopt het bovenste knoopje van zijn overhemd dicht, klopt aan en gaat Rylands kamer binnen. Het stinkt naar rook in de halfdonkere ruimte. Er staat niet één raam open. De gordijnen bij Rylands bureau zijn dichtgetrokken. De chef zelf is niet te zien.

Aangezien de ramen dicht zijn, is hij in elk geval niet naar beneden gesprongen, denkt Olsen.

Hij is vast even naar de wc.

Toen het SNOIF zijn kantoren inrichtte, nadat de regering-Bondevik het fonds had gesticht, was de enige luxe die Ryland zich gunde, een eigen privé-toilet met directe toegang vanuit zijn verder Spartaans ingerichte kamer. Bovendien wist Ryland een overeenkomst met de arbeidsinspectie te regelen, die erop neerkwam dat het wettelijk rookverbod in de kamer van de directeur niet van kracht was.

Nadat hij bij Ryland in dienst is getreden, is John Olsen gaan twijfelen aan het waarheidsgehalte van het oude gezegde dat de som van de slechte gewoontes constant is. Voorzover hij dat in ervaring heeft kunnen brengen, heeft de chef maar één slechte gewoonte, en dat is dat verdomde pijproken.

Stalin ligt in de asbak en walmt van de verbrande nonnen, alsof er in Rylands kamer een waar heksenproces gaande is.

Olsen weet niet of Ryland ervan op de hoogte is dat zijn werknemers zijn lievelingspijp Stalin noemen, en of hij er enig idee van heeft hoezeer ze een hekel hebben aan het aroma van de pijptabak Three Nuns. Terwijl de overige kantoren rijkelijk zijn uitgerust met lithografieën uit het staatsarsenaal van beeldende kunst, heeft Ryland slechts een ingelijste tekening aan de muur hangen. Het is een rebus, waarmee hij alle nieuwe personeelsleden test. Olsen kreeg vooraf een hint van de chef van de boekhouding en loste het raadsel dan ook voor de vuist weg op: het sigarettenpijpje stelt de Amerikaanse president Franklin D. Roosevelt voor, de sigaar de Engelse oorlogsleider Winston Churchill, en de kromme pijp Josef Stalin.

Er staan isgelijktekens tussen deze rooksymbolen en de rebus wordt afgesloten met een V, die voor 'Victory' staat, voor de overwinning van de Tweede Wereldoorlog.

Ryland is bijna ziekelijk geïnteresseerd in de geschiedenis van de oorlog, en wel met name in de inzet van de Sovjet-Unie aan het oostfront. Maar dat hij in zijn jeugd een spion voor de Russen zou zijn geweest, is waarschijnlijk een van die boosaardige geruchten die over iedere chef van een zeker formaat de ronde doen.

En formaat heeft Ryland, ondanks zijn eigenaardigheden en zijn uiterst teruggetrokken aard, en ondanks al zijn fatsoenlijkheid en voorbeeldigheid. Op kloeke wijze heeft hij het SNOIF door het vervuilde vaarwater van de Noorse geldwereld geloodst; als dat nodig was, stond hij op en vocht hij tegen de geldmagnaten, en als dat verstandig was, hield hij zich gedeisd. De winst van het fonds is zeker zo hoog als die bij de beste particuliere aandelenfondsen. De integriteit van de chef is onbetwistbaar. Hij heeft zich niet bij zijn kromme neus, bij die haviksnavel van hem, laten nemen.

Er gaat een beklede deur open, die één geheel vormt met de rest van de donkerblauwe muur. De lange, broodmagere Gerhard Henry Ryland komt met druipnat haar binnen. Hij heeft een lichtgrijs pak aan en zijn colbert en zijn bonte stropdas, een geschenk van de Vereniging van Gemeenten, zitten vol donkere vlekken van het water.

"Als je haar maar goed zit", zegt Ryland, terwijl hij zijn kleurloze gezicht met een papieren servet afdroogt. Hij heeft zijn donkere bos naar achteren gekamd en er een scheiding in getrokken. De vraag of hij zijn haar verft of niet, is een voortdurend punt van discussie onder de werknemers. Olsen gelooft dat de kleur echt is. "Het is lekker om je haar nat te kammen nu de zomerwarmte zich heeft aangediend. Wil je koffie, John?"

Olsen kijkt naar de stalen kan, die op een bijzettafeltje bij de zitgroep staat. Het is dezelfde als die hij voor de lunch heeft binnengebracht. Hij bedankt.

"Je hebt een telefoontje doorverbonden", zegt Ryland, en terwijl hij in de stoel achter zijn bureau gaat zitten, nodigt hij Olsen uit in de stoel ervoor plaats te nemen.

"Neem me niet kwalijk, maar de man die belde stond erop."

"Het was een dreigtelefoontje", zegt Ryland.

"Van die verdomde Finnen?"

"Nee, het ging om iets heel anders."

Probeert de chef een soort glimlach te produceren? Als dat zo is, is het ongelooflijk verdacht.

"We registreren altijd alle telefoontjes in een digitaal logboek, nietwaar?" vraagt Ryland.

"Dat heb jij voorgeschreven toen je je door Kingo bedreigd voelde, en ik heb niet gehoord dat daaraan iets veranderd is."

"Die registratie wordt gedaan met een computer die aan de centrale is gekoppeld, zowel op harde schijf als op diskette?"

Olsen knikt. Het is hem een raadsel waarom de chef altijd naar dingen vraagt die hij al weet, terwijl hij nooit vraagt naar dingen waarop hij het antwoord niét weet.

"Ik wil dat jij de diskette van vandaag voor me haalt."

"Nu?"

"Nu meteen", zegt Ryland. "Spoorslags, zoals dat heet."

Olsen haalt de diskette uit de pc van de telefooncentrale. Hij legt hem op de tafel van de chef zonder dat die opkijkt. Ryland bestudeert een paar brieven die hij voor zich heeft neergelegd. Ze zijn bruin langs de kanten, bruingebrand, alsof iemand geprobeerd heeft ze aan te steken.

"Zijn dat kaarten van de schat op het Zeeroverseiland, die je daar hebt?" vraagt Olsen om de stilte te verbreken.

"Nee, hoor", antwoordt Ryland, en hij kijkt op. Zijn blik is buitenaards afwezig. De druppels op zijn voorhoofd zijn zweet, geen water. "Wij ... dat wil zeggen, ik, ik persoonlijk ... ben in een zeer uitzonderlijke situatie geraakt. Daarom zou ik graag willen dat je nog wat voor me doet. In de eerste plaats wil ik dat je me vanavond naar een vergadering in Østfold brengt, naar een landgoed dat Bærøe heet. Ik ben niet in staat om zelf te rijden."

"Dat komt me eigenlijk heel slecht uit, Gerhard."

"Je krijgt dubbele overuren."

"Driedubbele", zegt Olsen; hij is niet voor niets de voorzitter van de Handels- en Kantoorclub van het SNOIF.

"Goed, dan houden we het op driedubbel. Voordat we weggaan, moet je Natasja halen, thuis in Røa. Mij zet je er in Bærøe uit. Ik zie zelf wel hoe ik daar na het eten en de vergadering weer weg kom. Jij rijdt direct door naar mijn zomerhuisje bij de Skjebergkile en blijft daar tot maandag, samen met Natasja. Ze is tamelijk evenwichtig op het moment, dus zolang je het medicijnkastje en de bar maar als een Cerberus bewaakt, zullen er geen problemen ontstaan."

"Dat kost me mijn hele weekend", zegt Olsen. "Ik had eigenlijk andere plannen."

"Dat verbaast me niet", antwoordt Ryland droog. "Je zult naar behoren worden beloond."

"Driedubbele overuren?"

"Ietsje meer."

Ryland trekt een la van zijn bureau open, pakt een bundel aandelen en legt ze in een waaier voor zijn secretaris neer. Op de aandelen is een olifant afgebeeld. De poten van de olifant zijn zo getekend dat ze de naam van de plaats Moss vormen.

"Dit zijn tien aandelen in de Peterson-groep", zegt Ryland. "De groep die Cellulosen in Moss bezit, en nog veel meer. Ze zijn voor jou als je voor me doet waar ik je om heb gevraagd."

"Je probeert me te chanteren", zegt Olsen stomverbaasd. "Dit begint op corruptie te lijken."

"In elke goede firma moet een beetje corruptie zijn", antwoordt Ryland vermoeid.

Nadat clubleider John Olsen enigszins van de schrik is bekomen en de Peterson-aandelen in zijn sportieve rugzak heeft gestopt, krijgt hij de opdracht om naar Aker Brygge te gaan en zich te ontspannen. Bovendien wordt hem opgedragen om niets anders te drinken dan maltbier.

Ryland blijft in de bedompte lucht van zijn kamer zitten en bestudeert de twee brieven die langs de randen zijn verkoold. Hij gelooft dat hij de bedoeling van de afzender met die verkoolde randen wel begrijpt: daardoor moeten ze eruitzien als documenten uit de fantasieliteratuur, iets uit dat boek over de Hobbit of iets dergelijks.

De eerste brief die hij ontving, heeft als opschrift 'Het bos' en de tekst luidt:

> *"Geachte meneer Gerhard Ryland, Olje-investeringsfond. Ik, een krijger, eis hierbij een miljoen kronen voor een clublokaal voor een MC-club. Dat zal worden ingericht in die oude camoupainted, of met camouflagekleuren beschilderde, zoals snobs als u zouden zeggen, magazijnen aan de Bærøeweg in Hobøl, die vroeger door de lanceerbatterij in Våler werden gebruikt. Voor de nauwkeurige ligging kunt u zich wenden tot de directie Gebouwen, Werken en Terreinen van het leger. Types als u hebben ervoor gezorgd dat die basis werd opgeheven, en zijn er de oorzaak van dat grote plannen met betrekking tot een andere plek in het bos zijn mislukt. De hoge omes van de Arbeiderparti! De verraders van het volk! Ik weet dat er bij de Våler-batterij opslagplaatsen in de bergen zijn aangelegd om Amerikaanse atoombommen te kunnen herbergen, die met de Nike-raketten afgeschoten zouden worden. Geen grote bommen, maar tactische. Als wij dat magazijn krijgen, kan de club later uitbreiden en meer van die gebouwen overnemen om in Våler een atoomraketmuseum te stichten. Ik ga ervan uit dat u dan een van de belangrijkste sponsors wordt. In eerste instantie wil ik niet meer dan een miljoen hebben van al het geld dat u beheert. Wat de overdracht van het geld betreft, daar stuur ik u nog bericht over als u op deze brief hebt geantwoord. Het antwoord kunt u sturen naar Reidar Isachsen, Aspedammen 112, 1766 Halden. Dan krijg ik het wel. U moet niet proberen contact met Reidar Isachsen op te nemen. Dat is trouwens onmogelijk. Hij is een zombie. Als u niet antwoordt, gebeurt het volgende: uw connectie met die onbekende vrouw die van de winter dood bij advocaat Vilhelm Thygesen in Oslo werd gevonden, zal aan de hele wereld bekend worden gemaakt. Ik weet dat een stuk papier met uw naam en uw privé-adres, Anton Tschudis vei 30, 1344 Haslum, in de bagage van de vrouw is gevonden. Hoe wilt u dat verklaren als journalisten van* VG, Dagbladet *of* Se og

Hør *u bellen, Ryland? U hebt een probleem. Dat kan worden opgelost door een geringe contante betaling aan mij, ten bate van de club. Het probleem zal groter worden als u zich niet verwaardigt te antwoorden, of als u contact opneemt met de politie. Ik sta namelijk zelf voortdurend in contact met de politie. Indien u niet antwoordt, zal ik ervoor zorgen dat de politie een foto van de vermoorde vrouw in de kranten laat publiceren. Dat zal een heleboel dramatisch geschreeuw en grote paniek veroorzaken. Hartelijke groeten, Banzai Boy.*"

Toen hij deze onhandige chantagebrief begin april ontving, nam Ryland het niet zo serieus. Hij stopte hem in zijn archiefla voor bedelbrieven en buitengewone verzoeken aan de directeur van Statens Nasjonale Oljeinvesteringsfond. Die la was en is vol. Voor de goede orde vroeg hij bij het bevolkingsregister na of er een Reidar Isachsen bestond met als postadres Aspedammen. Hij vroeg zich af waar die Banzai Boy zijn privé-adres vandaan had en kwam tot de conclusie dat die jongen – naar het handschrift te oordelen moest het een jonge jongen zijn – waarschijnlijk ook bij het bevolkingsregister te rade was gegaan.

Wat hem enigszins ongerust maakte, was het feit dat er werkelijk een briefje of een kaart met zijn naam en adres bij die vermoorde vrouw kon zijn aangetroffen, door degene die haar had omgebracht of haar na haar dood had gevonden. In heel Europa wemelt het van de potentiële vrouwelijke moordslachtoffers die Natasja in een onbewaakt ogenblik zijn naam zou kunnen geven, met de verzekering dat als die arme of vervolgde vrouw in Noorwegen aankwam, het Noorse hemelrijk zijn poorten voor haar zou openen als ze contact met hem opnam.

Natasja's hart is groter dan haar verstand.

Ryland werpt een blik op de foto van zijn vrouw, die hij onder de onderlegger van doorzichtig plastic op zijn schrijftafel heeft gestoken. De foto is slechts een paar jaar oud. Ze heeft hem zelf genomen met de zelfontspanner, op een rots bij hun zomerhuisje. Ze heeft haar armen vol lentebloemen en ze toont de wereld een brede glimlach. Maar de ogen met die koolzwarte, mijlenlange wimpers houdt ze gesloten, want een wereld die haar te slecht is, wil ze niet zien.

Hij heeft van Natasja gehouden vanaf het moment dat hij haar in 1966 ontmoette in Leningrad, zoals de stad toen heette, tijdens een studiereis die was georganiseerd door het Vriendschapscomité Noorwegen-Sovjet-Unie. Hij was toen vijfentwintig. Zij was drieëntwintig. Een wees uit een belegerde stad waar miljoenen mensen, inclusief haar ouders en twee oudere broers of zussen, tijdens de oorlog waren verhongerd. Een kind – ja, een eeuwig kind dat niet de wens had ooit volwassen te worden.

"Ik hou nog steeds van je", zegt Ryland, en hij probeert vuur te krijgen in zijn pijp, een Deense Stanwell die door zijn staf 'Stalin' is gedoopt. Ze hadden eens moeten weten dat het model 'Rhodesian' heet. Die naam heeft hij omzichtig weggevijld, aangezien hij het voor een man in zijn positie niet passend vond om een pijp te hebben waarin een duidelijke verwijzing naar een vroegere koloniale staat was gegraveerd.

Snel kijkt hij de andere brief door, die 'Het strand' is genoemd. Het is nog meer gekrabbel dan de eerste:

> *Directeur* RYLAND*! U hebt niet geantwoord op mijn verzoek om een miljoen. U bent of te laf of te dom om de ernst te begrijpen. Ik wil een goede jeugd voor kinderen en jongeren. Een rechtvaardige verdeling van goederen! Strijd tegen de krachten van het kapitaal. Laten de rijken het gelag betalen! Laat het geld uit de olie het volk ten goede komen en niet de rijken nog rijker maken. Ik ben boos. Ik wil mijn eis NU ingewilligd zien. U weet wat u te doen staat. Anders wordt u 'ingemaakt', zoals dat in de taal van de onderwereld heet, en ik ben, zoals u vast al begrepen had, een crimineel die als het moet tot diverse gevaarlijke dingen in staat is. Voor u is het gevaarlijk dat uw naam bij die vermoorde vrouw is gevonden. Daar kunt u niet omheen. Als de kranten het te weten komen zullen ze denken dat ze uw hoertje was, toch? Ze zouden zelfs op het idee kunnen komen dat ú degene bent die haar koelbloedig heeft gekild. Dat zou niet zo mooi zijn, noch voor u, noch voor uw fonds. Een miljoen uit zo'n goudkraan is slechts een kruimel van de tafel van de rijken. Ik denk dat u zult betalen als u de foto van haar in de krant ziet. De politie is geïnteresseerd. Ref. Chief Inspector Stribolt van het Crime*

Center, met wie ik zojuist heb gesproken. Ik heb mijn gevoelens onder de loep genomen en zo positief mogelijk gedacht en ben tot de conclusie gekomen dat niets zo oké zou zijn als wanneer de club van u een miljoen kronen uit het fonds krijgt. Op het moment kan ik helaas geen miljoen winnen in een quiz of in Big Brother, *ook al zou ik een duidelijk getalenteerde kandidaat zijn. Maar in mijn situatie is dat helaas onmogelijk.* No way! Fucking impossible, *Mr. Cheap Ryland!!! En als alles voor de club is geregeld, dan zal ik als Beach Boy rond de aardbol vliegen naar al die mooie* beaches *waarom niet waarom zou ik mezelf moeten afpeigeren als een slaaf in de kou in het bos als in de tropen de zon schijnt? Denk daar maar eens over na. Schenk Beach Boy een reisje naar Bali Barbados Bahama's Brazilië Copacabana Ipanema en u hebt* no more problems. *Dan zwijg ik als een koraal*reefer, *ha ha snap je, koraalREEFER? Suizen in de Stille Oceaan stil als een schelp. Dicht als een kokosnoot. De belangstelling van de recherche groeit. De nacht snoert zich om mij samen maar ik heb een pilletje genomen dus dat komt wel goed het net snoert zich om u samen. Antwoord NU en ik zal een plek afspreken waar u uw geldzak met EEN MILJOEN KRONEN in ongenummerde bankbiljetten van honderd, tweehonderd en vijfhonderd kunt droppen.*
Ongeduldige groeten best regards *Beach Boy alias Banzai Boy.*
TEL NEER! JUST DO IT!
Nike Boy is using his FORCE.'

Toen hij die twee infantiele brieven ontving, dacht Ryland dat hij ze veilig in zijn idiotenarchief kon opbergen, samen met bedelbrieven en verzoeken om staatsmiddelen voor de bouw van luchtkastelen. Maar toen begonnen de gebeurtenissen in een stroomversnelling te raken op deze eerste echte zomerdag. Hij staat al onder enorme druk vanwege de fusie van Norpaper, en nu komt deze persoonlijke stress er ook nog eens bij.

Het is de jongen die zo'n amateuristische poging tot chantage heeft gedaan ongelooflijk genoeg op de een of andere manier werkelijk gelukt de politie ertoe te brengen een tekening van de vermoorde vrouw te publiceren. Hij staat in *Aftenposten* en in de minder serieuze kranten, die Ryland gewoonlijk niet leest. Alleen als *VG* weer eens tegen hem tekeergaat in de voortdurende vendetta tegen hem en het fonds, neemt hij de moeite dat blad in te kijken.

Herkent hij de vrouw van de tekening? Hij twijfelt. Hij is echt niet helemaal zeker van zijn zaak. En als hij íéts haat, dan zijn dat wel onzekerheid en twijfel.

Zodra de gelegenheid zich voordoet, neemt hij Natasja mee op reis door Europa, op korte of langere vakantiereizen. Reizen heeft een kalmerende uitwerking op haar rusteloosheid; het functioneert als remedie tegen haar neuroses. Ze is het gelukkigst wanneer ze in een grote stad op een terras kan zitten om mensen te kijken, en kan constateren dat de meesten goed gevoed zijn, dat de wereld wordt bevolkt door levende wezens die eruitzien alsof ze genoeg te eten krijgen, en niet alleen door kinderen uit Biafra en Ethiopië, of door die uit de sloppenwijken van Manilla, Bucureti en Novosibirsk, die ze op tv ziet.

Natasja is zo enthousiast als ze zich tussen die levende, verzadigde miljoenen mensen bevindt dat ze buitengewoon open, beminnelijk en mededeelzaam wordt. Ze kan zich in de belangrijkste Europese talen uitdrukken en maakt gemakkelijk contact met vreemde vrouwen. En er zijn altijd wel een of meer vrouwen met wie ze bijzonder veel medelijden heeft, en van wie ze vindt dat ze een beter en veiliger leven in Noorwegen verdienen.

Het portret dat de politie heeft laten tekenen, kan van een dergelijke vrouw zijn. Donker en mager als ze is – of wás, ze is immers dood – doet ze denken aan de Natasja die hij destijds in Leningrad ontmoette. Natasja voordat ze zich inbeeldde dat ze aan fibromyalgie leed en zich in zichzelf terugtrok en begon aan te komen.

Het probleem is dat die vrouw zo'n type is waarvan er in de grote steden van Europa dertien in een dozijn gaan, als hij het zo boud mag formuleren – en dat mag hij, diep in zijn hart. Ze kan een serveerster in Rome geweest zijn met een twijfelachtige werkvergunning voor Italië, een asielzoekster in Marseille, een straatmeisje dat 's middags bloemen verkoopt en later op de avond zichzelf, een bedelende zigeunervrouw in Praag.

Als een dergelijke vrouw Natasja vertelt dat ze vervolgd wordt, zegt Natasja dat de vrouw naar de veilige haven Noorwegen moet komen en geeft ze op behendige wijze, onder tafel, zijn naam en adres door, zodat de vrouw in het paradijs een contactpersoon heeft. Veel van dergelijke vrouwen valt het niet moeilijk om geloofwaardig te zijn als ze vertellen dat ze vervolgd worden, of lastiggevallen, om de eenvoudige reden dat het zo ís. Ze hebben problemen met opdringerige werkgevers, met pooiers, met de vluchtelingenmaffia of de immigratiebureaucratie.

Deze vrouw hier, tamelijk slecht en gestileerd getekend, doet hem vaag denken aan een kapster in het Holywell Hotel in Athene. Er was daar sprake van een klein drama, omdat Natasja niet tevreden was met het kapsel dat ze had gekregen en vond dat haar haar te kort en onprofessioneel was geknipt. Bovendien had ze om *mia permanand* gevraagd met *vag*, golven dus, en ze had *bokles*, krulletjes, gekregen. Daarop had de kapster haar eigen haar opgetild om Natasja te troosten en te laten zien dat haar klant kort haar goed kon hebben, omdat zij geen mismaakt oor had dat ze moest verbergen.

Het tafereel eindigde in een verzoening met veel tranen. Hij vond het zo pijnlijk dat hij zich terugtrok in de bar en een van zijn sporadische whisky's nam. Toen hij terugkwam, maakte een van de andere vrouwen in die sfeerloze kapsalon net foto's van Natasja en haar nieuwe vriendin, de kapster. Naar hij begreep was de dame een Griekse en niet een van die vervolgde vluchtelingen uit Verweggistan, of een prostituee uit Moldavië. Maar in zulke dingen vergis je je gauw. Zijn Grieks is net zo slecht als dat van Natasja – een paar woorden uit een taalgidsje. Een vrouw die illegaal in een land woont, zal proberen nog normaler en inheemser over te komen dan de legitieme inwoners. Als ze bijvoorbeeld overdag kapster is en na sluitingstijd van de salon tot prostitutie wordt gedwongen, zal ze dat laatste proberen te verbergen met alle mogelijke middelen waarover vrouwen wat dit soort dingen betreft nu eenmaal beschikken.

Nadenken brengt hem niet verder. Hij moet de kans zien te krijgen om Natasja's chaotische verzameling vakantiekiekjes te bekijken.

In een van zijn dreigbrieven had de afzender het over een lanceerbatterij voor kernwapens in Våler. Dat leek pure onzin, geheel in strijd met de officiële Noorse militaire politiek. Maar het ziet er verdorie naar uit dat die bewering steek houdt. In *Aftenposten* stond net een recensie van een nieuw historisch werk dat bewijst dat dergelijke opslagplaatsen voor kernfysische explosieven in Våler en bij andere lanceerbatterijen werkelijk zijn gebouwd. Hoe kon die jongen zoiets weten?

Wie was de man die belde, werd doorverbonden en zei dat de jongen die Beach Boy werd genoemd vermoord was, en die met de dreiging dat er nog een moord kon worden gepleegd Gerhard Rylands absolute stilzwijgen verlangde?

Degene die Gerhard Ryland had gebeld en had gedreigd hem te vermoorden, was geen jongen die een onzinnige jacht op een miljoen maakte. Het was een volwassen man, en hij drukte zijn boodschap kort en duidelijk uit: als Ryland zijn bek niet hield over de chantagepoging van Beach Boy, zou hij net zo aan zijn einde komen als die jongen. De mannenstem verlangde geen geld, alleen stilzwijgen. Voor hij de verbinding verbrak, raadde hij Ryland dringend af om contact met de politie op te nemen.

Ryland lurkt aan Stalin zonder dat er vuur in de pijp zit, en hij bijt zo hard op het mondstuk dat er een stukje afbreekt.

Wie was de man die hem had opgebeld? Hij sprak Noors, een dialect uit het oosten van het land, mogelijk Østfold. De manier waarop hij zich uitdrukte deed Ryland denken aan die afpersingsbendes.

Kan het Kingo's man zijn geweest?

De parvenu Kingo, de tegelvorst, de achterkleinzoon van de bekende Noorse psalmdichter, spookt achter de schermen van de Noorse houtbewerkingsindustrie rond. Wat betreft de fusie van Norpaper zijn Kingo en het Oljeinvesteringsfond elkaars opponenten. Zijn zakenmethoden heeft Kingo in het nieuw-kapitalistische Rusland geleerd. Dat hij ook iets met een moordzaak in Noorwegen te maken zou hebben, lijkt als puntje bij paaltje komt absoluut onwaarschijnlijk.

Maar je mag geen enkele mogelijkheid uitsluiten.

De waarschuwing van die anonieme man om niet naar de politie te stappen is een appèl waaraan een verstandig, rationeel mens natuurlijk geen gehoor mag geven.

Kon je er maar op vertrouwen dat de politie niets liet uitlekken, was het maar zo eenvoudig dat je de recherche kon opbellen en de zaak kon uitleggen.

Het probleem is dat de politie niet te vertrouwen is. In die opgeblazen Orderud-zaak lekte het als een zeef naar de pers in de Akersgate. Een agent die een paar gemakkelijk verdiende kronen wel ziet zitten, kan al snel op het idee komen die nieuwsgeile bandieten van *VG* erover te informeren dat de aartsvijand van die krant, de directeur van het oliefonds, in een onopgehelderde moordzaak is verwikkeld. *VG* zal gegarandeerd alle voorzorgsmaatregelen negeren en alleen aan seks en verkoopcijfers denken. In de bezittingen van een vermoorde vrouw wordt de naam gevonden van een man aan wie *VG* een hekel heeft, omdat hij een eigengereide doordouwer is, die het als zijn taak beschouwt om de slachting van de Noorse industrie te verhinderen. Volgens de logica van de journalistiek heeft die man, de vijand, dus iets pikants gehad met die vrouw en haar toen vermoord, of iemand anders zover gekregen dat te doen om zijn schunnige sporen te verdoezelen.

Dergelijke onzin zou geen blijvende schade kunnen aanrichten, aangezien er geen greintje waarheid in zit. Maar de schade van het moment zou onherstelbaar zijn. In een situatie waarin er veel op het spel staat, zou Kingo het bericht van een dergelijk schandaal goed kunnen gebruiken om zijn tegenstander in diskrediet te brengen.

"Je trapt hoe dan ook in de stront", zegt Ryland, en hij spuugt het stukje van zijn pijp uit. Hij merkt dat hij het niet in de prullenbak spuugt, maar gewoon op de grond.

Als hij naar de politie stapt en er iets uitlekt, kunnen er vitale nationale belangen op het spel staan. Als hij niet naar de politie stapt, gedraagt hij zich niet zoals het hoort en doet hij niet zijn burgerplicht. Het is het beste om naar de politie te stappen, maar het beste is soms de vijand van het goede.

Dat is zijn dilemma. Hij heeft nog nooit voor een dilemma gestaan waarvoor hij geen logische oplossing heeft gevonden. Vaak bestond die oplossing eruit om een tussenweg te kiezen, een punt van evenwicht in het midden te vinden. De grootste bedreiging waar hij nu persoonlijk mee wordt geconfronteerd, is de bedreiging om vermoord te worden. Nou ja. Daar kan hij vooralsnog mee leven. Die betreft alleen hemzelf. In het grote geheel, waar het om veel grotere belangen gaat dan om zijn eigen leventje, is een sensatiebericht in de pers dat tegen hem is gericht, en daarmee tegen het fonds, het ergste wat er nu kan gebeuren. Het is zijn opdracht, nog los van wat de politici ook mogen denken, om de middelen van het fonds zo te gebruiken dat het Kingo niet lukt om Borregaard, Peterson en de Saugbrugsforening te laten fuseren.

Kingo geeft te verstaan dat een dergelijke fusie van de drie zwaargewichten in de houtbewerkingsindustrie in Østfold voor Noorwegen van voordeel zou zijn en dat hij in het belang van het land de eigendomsverhoudingen op de lange termijn geregeld wil zien. Als argument gebruikt hij dat het gevaarlijk weinig scheelde of Peterson had zich verkocht aan het nieuwe Finse conglomeraat Nordic Paper Mills, afgekort tot Norpaper, en dat Borregaard als het op zichzelf blijft staan, nadat hij dat bedrijf in Sarpsborg door zijn macht als aandeelhouder van het Orkla concern had weten te scheiden, een gemakkelijke prooi is voor buitenlandse overvallen. Hetzelfde geldt voor de Saugbrugsforening in Halden. Dit verhaal hebben de Noorse overheid en de media geslikt. Wat ze niet weten, is dat Kingo een valse psalm voor ze zingt. Hij wil door een fusie de gezamenlijke waarde van de bedrijven verhogen om daarna het hele zootje aan Canada te verkopen. Maar aangezien hij die Canadese troef niet open op tafel legt, kan dat geheime plan niet met bewijzen worden gestaafd.

Het SNO, zoals Ryland de instelling die hij leidt verkiest te noemen, omdat de Bondevik-afkorting SNOIF klinkt als de naam van een derderangs voetbalclub uit de regio waar de vroegere minister-president vandaan komt, moet proberen de plannen voor een dergelijke fusie te torpederen door middel van kleine aankopen in Borregaard en Peterson. Aangezien dat niet voldoende zal zijn, moeten de Finnen met een beperkt bezit aan aandelen meedoen. Het probleem is dat degene die Finland, getrokken door de Nokia-locomotief, een vinger geeft, gemakkelijk het risico loopt zijn hele hand kwijt te raken. De houding van Peterson is onduidelijk en dubbelzinnig. Je merkt indirect dat ze ertoe neigen om een meerderheidspakket aan Norpaper te verkopen. En daarmee vallen de nationale argumenten tegen de fusie in duigen.

Kingo heeft zich opgewerkt door goedkoop zaagsel uit Rusland te importeren, vanuit Archangelsk. Later werd dat hout, op grote schaal. Hij heeft al zijn invloed in het openbare leven en al zijn zonderlinge charme aangewend om te proberen de investeringen van het SNO in Østfold te verhinderen. Achter de schermen heeft hij de vulgairste dreigementen geuit. Tot nu toe heeft hij geen succes gehad. Een schandaal zou hem goed van pas komen, vooral een schandaal dat hij niet zelf heeft geïnitieerd, maar dat hem als een rijpe appel in zijn met diamanten versierde miljardairsschoot zou vallen.

Hier moet een tussenweg worden gevonden. Hier moet een soort rugdekking worden verschaft.

Ryland kiest op zijn eigen mobiele telefoon het nummer van de enige man bij de Noorse pers die hij kan vertrouwen, Ernst Filtvedt van *Dagens Næringsliv*.

Filtvedt kent het spel al sinds de tijd dat *DN* nog *Sjøfartstidende* heette. Hij is een van de weinige oldtimers die het gejacht en gejaag, veroorzaakt door de dolle bloedhonden van de pers, nog uithouden. En ook al staat hij nooit droog, hij lekt nooit.

Filtvedt antwoordt, roestig als een schip dat rijp is voor de schroot.

"Ik heb iets voor je", zegt Ryland. "Dit is absoluut *off the record*."

"Ik ben zelf absoluut off the record; ik zit in Fridtjof halverwege mijn derde grote pils. Als het niet de vierde is. Als je nog meer Kingo-noia hebt, moet het wel eerste kwaliteit zijn wil ik hier het anker ophalen."

"Noia?"

"Paranoia, verdomme. Turbotaal voor 'hersenspinsels'. Ik kan dat Kingo-gespin van jou niet meer horen. Geef me één enkel concreet bewijs dat de Canadezen de grote boze wolf zijn en ik luister."

"Het gaat om iets heel anders. Het is van persoonlijke aard en het is een ernstige zaak."

"Jemig, ik dacht niet dat zo'n voorbeeld van deugdzaamheid als jij er iets persoonlijks op na hield."

"Kunnen we elkaar ontmoeten bij de dames met de grootste ..."

"De grootste voorgevels van de stad. Ik ben er over vijf minuten."

"Waarom gebruikt u een motorzaag voor die struikjes?" vraagt Vanja Vaage. "Is dat om mij duidelijk te maken dat u ook met een kanon op muggen schiet?"

Vilhelm Thygesen zet de zaag uit, die hij in z'n vrij op een steen had neergezet. Hij recht zijn rug, trekt zijn witte veiligheidshandschoenen uit en slaat het vizier van zijn helm op.

"Die zaag heeft beweging nodig", zegt hij, "en ik ook. Met een motorzaag heb je geen sauna nodig. Je raakt van geen enkele klus zo bezweet als wanneer je in vol veiligheidsornaat met de motorzaag in de weer bent."

"U ziet er imposant uit. Volle Alaska-uitrusting, zo te zeggen."

"Als ik op tijd had gehoord dat je zou komen, had ik dat houthakkerskostuum uitgetrokken."

Thygesen schopt de zware leren laarzen uit en stroopt zonder omhaal zijn zwarte veiligheidsbroek naar beneden. Hij draagt er een korte broek onder, een spijkerbroek waarvan de pijpen zijn afgeknipt. Die past bij zijn doornatte jeanshemd. Hij grijpt een handdoek van een tak van een van de dennenboompjes die hij nog niet heeft omgemaaid en veegt het zweet van zijn gezicht en zijn armen.

"Jij ziet er ook redelijk indrukwekkend uit", zegt hij. "Is dat de volle Rivièra-uitrusting?"

"Het nieuwste van H&M."

Het nieuwste van H&M is, als je Vaage mag geloven, een luchtige kakishort die veel aan de fantasie overlaat, en een strak zittend turquoise hemdje waarvoor dat niet geldt.

Vaage vraagt of een paardenstaart niet gevaarlijk is als je met de motorzaag in de weer bent, of die niet in de ketting van de zaag kan blijven hangen, zodat je het gevaar loopt je nek door te zagen. Thygesen antwoordt ontkennend en beweert stellig dat alleen idioten de zaag achter hun rug zwaaien.

"U verminkt kleine, onschuldige bomen", zegt ze.

"Noem dat maar onschuldig. Het was me een raadsel dat deze

dennetjes in de loop van de winter crepeerden. Nu heb ik dat raadsel des doods opgelost, en ik heb zin om het op anderen uit te testen. Jij bent de eerste die opduikt. Ga je gang."

"Uitlaatgassen?"

"Onzin. Milieu-onzin."

"Het broeikaseffect is dan waarschijnlijk ook milieu-onzin?"

Thygesen knikt. Hij trekt zijn overhemd uit en veegt zijn magere, grijsbehaarde bovenlichaam droog. Het is duidelijk dat hij veel buiten is geweest, maar niet in ontblote toestand. Op een bruine, wigvormige plek vanaf zijn hals tot een stukje op zijn borst na, daar waar de lentezon is doorgedrongen, ziet zijn lichaam wit. Hij is niet gespierd en heeft ook geen wasbordbuik. Hij is een asceet, geen atleet. In dit tijdperk uit de geschiedenis der mensheid dat wordt gekenmerkt door een vlezige liederlijkheid, zodat de meeste mannen op jaren in de westerse wereld een hangbuik hebben, ontbreekt bij Thygesen iets dergelijks.

"Zwammen", zegt hij. "De regenachtige herfst heeft geleid tot een zwamaanval op alle kleine dennenbomen in het oosten van het land. Zijn al die bruine dennen hier je niet opgevallen?"

"Nee", antwoordt Vaage. "Maar ik heb heel wat bruin gekleurde dennen langs de wegen gezien. Ik dacht dat ze waren aangetast door het strooizout."

"We leven in het zogenaamde informatietijdperk. Maar noch de pers, noch de tv vindt het de moeite waard om ons erover te informeren waar miljoenen dennenbomen in Noorwegen in de loop van de winter aan kapotgegaan zijn, een regelrechte epidemie, en het besmettingsgevaar is nog steeds heel groot. Ik heb experts van de landbouwhogeschool in Ås moeten bellen om een zinnige oplossing voor het raadsel te krijgen. Het antwoord was dat klote dennenschot. Dat tast kleine bomen aan vanaf de grond tot ongeveer twee meter hoogte, zoals je ziet."

Thygesen pakt een den die even lang is als hijzelf bij de top vast en schudt eraan, zodat bruine naalden neerdwarrelen.

"Het ergste is dat die zwam de weg vrijmaakt voor andere zwammen en schimmels, die zowel grote als kleine bomen kunnen aantasten. De ziekte die ze veroorzaken, heet taksterven. Een rabiate moordenaar. Ik hak die kleine boompjes om, opdat die schimmels zich niet over die grote dennen uitbreiden."

Hij wijst naar een groepje dennenbomen bij het hek en vertelt op dramatische toon verder. Een aanval van schimmel op grote schaal kan, naar zijn ervaring, de prachtigste dennen de kop kosten. Ook al overleven ze de schimmel, dan nog kunnen ze zo zijn aangetast dat ze een broedplaats worden voor de gevreesde dennenscheerder, oftewel de schorskever.

"Dan is het afgelopen", zegt Thygesen. "Daarmee vergeleken stelt de iepziekte die in de jaren tachtig in Oslo heerste niets voor. Dan kunnen we de helft van de bossen rondom Oslo gedag zeggen. En geen ene kloot in Noorwegen bekommert zich erom."

"Interessant", zegt Vaage. "Maar eigenlijk ben ik hier vanwege een ander raadsel des doods."

"Ja, natuurlijk", zegt Thygesen, en hij wrijft energiek over zijn lijf. "Alleen nog één ernstig woord voor we terzake komen. Als je zo oud wordt als ik – en ik ben bijna twee keer zo oud als jij – heb jij het waarschijnlijk ook opgegeven om 'het raadsel jezelf' te begrijpen. Dat is voor de meesten van ons onoplosbaar. Als je zo pienter bent als je lijkt, heb je het vast ook opgegeven om het raadsel van de kosmos op te lossen. Je gaat je concentreren op de kleine en grote raadselen der natuur. Dat is gezond. Dat is balsem voor de ziel. Vooral voor eenzame lieden. Stam jij trouwens af van Italiaanse zeelieden, of van Spaanse zeerovers die ooit langs de kust van Nordland aan land zijn gespoeld?"

"Niet dat ik weet", antwoordt Vaage. "Mijn betovergrootvader was een Same uit Tysfjord. Dat is het meest exotische element in onze familie. Waarom vraagt u dat?"

"Omdat je zo'n donkere huid hebt. Je lijkt zo'n mediterraan type."

"Is dit een poging tot flirten?"

"Wie weet wat een kluizenaar in de zin kan hebben, nu de zomer is aangebroken en de vrouwen hun winterkleed afwerpen en de hormonen op hol brengen."

Vanja Vaage en Vilhelm Thygesen lopen naar het koele huis van laatstgenoemde, waar hij een fleecevest aantrekt en zij uit de tas die ze bij zich heeft een licht katoenen vest pakt, een zogenoemde cardigan. Dat trekt ze aan om haar naakte schouders te bedekken, en haar borsten.

Thygesen zet koffie.

12

Gerhard Ryland neemt de lift van de zesde verdieping naar beneden. Hij stopt op de vierde, en vier heren in pakken van Armani en Boss maken hun entree, zodat de lift meteen vol is. Ze weten best wie Ryland is, maar ze verwaardigen zich niet om een dergelijke geldschuiflakei van de staat te groeten. Want zij zijn particuliere geldschuivers; ze vertegenwoordigen de vrije stroom van het financieringskapitaal. Ze hebben de onderneming Ermine Funds opgezet, en toen Ryland erachter kwam dat het Engelse *ermine* 'hermelijn' betekent, doopte hij die troep op de vierde 'de Hermelijnen'.

Zelf is hij een kat tussen de hermelijnen, zoals het in een Zweeds revueliedje heet.

Dat komt hem goed uit: een grijze, sjofele straatkat, een echte grauwe loeres van een kat tussen al die opgedirkte schepsels, die geloven dat *geld* geld produceert en niet begrijpen dat *werk* kapitaal schept – productief werk.

De Hermelijnen hebben hem in het bijzijn van werknemers van het SNO 'een anachronistisch watje' genoemd, een man uit het verleden, iemand die niet begrijpt dat het industriekapitaal het wel moet verliezen van het financieringskapitaal, dat er nieuwe tijden zijn aangebroken en dat de sage van de Arbeiderparti als industriepartij op zijn retour is.

Ryland laat het viertal bij het uitstappen voorgaan. Ze verdwijnen in een wolk van peperdure aftershave. Hij gaat de straat op, die vernoemd is naar de zeeheld Tordenskiold en die nu in de middagschaduw van het raadhuis ligt. Het klokkenspel in de oostelijke toren van het raadhuis speelt een volkswijsje. Hij kan zich nooit herinneren welk het is; hij heeft voor zoiets geen gehoor. Maar het ijle geluid van de klokken hoog boven de stad doet hem denken aan het gedicht van Rudolf Nilsen 'Midden in de stad', ook al waren het niet de klokken van het raadhuis die Nilsens hart zo vreugdevol deden beven, maar die van het postkantoor:

Lang, veel te lang was mijn hart zonder zang.
Maar nu woon ik weer midden in de stad, zoals al eens eerder in mijn levensgang
en beeft mijn hart weer vol vreugde bij de postklokken met hun klank.

De stad, altijd weer de stad, tot ik uitdoof op een dag,
als een elektrische lamp die donker wordt in de nacht.
Kan ik de stad wat verlichten, hem wat opvrolijken met mijn lach?

Wat jij nodig hebt is een ijsje, denkt Ryland, terwijl hij zich, de eerste twee coupletten neuriënd, een weg baant tussen de bezwete mensenmassa op het trottoir door. Hij steekt de straat over, die naar een andere zeeheld is vernoemd, een die meer ijs heeft gezien dan de meeste Noren, de grote ontdekker Otto Sverdrup.

Ryland koopt zogenaamd *krone-is* in de kiosk op de hoek van het Rådhusplass. Zo'n ijsje kost natuurlijk geen kroon meer; het kost nu vijftien kronen. Maar dat het niet nog meer kost is een teken dat het Noorse economische duale model nog steeds functioneert, zodat de inflatie in bedwang wordt gehouden. Ondanks alle globalisering is er nog nationale controle mogelijk. In het spel om een dergelijke controle zeker te stellen, is hij een centrale pion. Hij kan niet toelaten dat geheimzinnige bedreigingen een dergelijke pion van het bord vegen.

Hij stapt in de brandende zon naar buiten op het fraaiste plein van Oslo, een plein dat werkelijk mooi is geworden. In de tijd dat hij in de gemeenteraad zat, heeft hij ervoor gevochten om het Rådhusplass van een snelweg direct langs de pronkkamer van de stad te veranderen in een levendige, verkeersvrije markt. Dat project is gelukt. Waar vroeger dagelijks tienduizend auto's reden, rijdt nu een enkele tram. Aangezien ondank 's werelds loon is, werd de Arbeiderparti uit de gemeenteraad gewipt, zodra het project met het raadhuisplein voltooid was.

De fonteinen op het plein bieden verkoeling. Langs de kade die Honnørbrygga wordt genoemd, glinstert de fjord als schitterende diamanten.

Zoals afgesproken zit Ernst Filtvedt op een bank in de schaduw van 'de dames met de grootste voorgevels van de stad': de kolossale bronzen vrouwen van de beeldhouwer Emil Lie. Als je niet wist dat Filtvedt een van de meest ervaren journalisten van het land was, zou je hem niet voor een *gentleman of the press* houden, maar eerder voor een dakloze zwerver. Een haveloze kerel, die Ryland doet denken aan de oude Noorse schlager 'Binnen in mijn hoofd zit niets, alleen eromheen', gekleed in een marineblauwe blazer die eruitziet alsof hij in zout water is gewassen, en een versleten terlenka broek. Ergens in de jaren zestig, toen Filtvedt de zee vaarwel zei en in het blad *Sjøfarten* over tewaterlatingen begon te schrijven, was hij goed gekleed, als een stuurman met verlof. Toen het blad *Sjøfarten* in *Næringslivet* veranderde en langzaam met bolsjewieken in corduroy broeken en leren stropdassen overstroomd werd, vond Filtvedt dat hij ondanks zijn liberale standpunten moest laten zien dat hij uit de echte arbeidersklasse kwam. Hij mat zich de stijl van een landloper aan en bracht daarmee heel wat geldmagnaten in de waan dat hij een warhoofd was.

Er wordt verteld dat toen *DN*-redacteur Kåre Valebrokk zijn beroemde spreuk te berde bracht dat journalisten na de lunch naar bier moesten ruiken, Filtvedt op een ochtend tijdens een vergadering van de redactie beweerde dat alle journalisten die voor het ontbijt niet naar bier roken watjes waren, een edel vak als de journalistiek onwaardig.

Volgens Ryland heeft hij de maskerade van Filtvedt doorzien. Hij weet dat die verwaarloosde bonenstaak maar een vermomming is en dat de man nooit een druppel drinkt voordat zijn werkdag erop zit, behalve een enkele keer een licht wit wijntje.

Hij gaat naast Filtvedt op de bank zitten en wordt direct omhuld door een zware bierlucht. Hij kauwt langzaam de koek van zijn ijsje weg. Het verrast hen allebei dat hij de sigaret accepteert die Filtvedt hem aanbiedt.

"Je moet wel diep in de shit zitten als je een Camel accepteert", zegt Filtvedt. "Het is ook niets voor jou om ijs te eten en in persoonlijke problemen te raken. Vertel, vertel."

"Ik word gechanteerd en met de dood bedreigd."

"Niet slecht. En nu denk je dat Kingo je echt op alle mogelijke manieren te grazen wil nemen?"

"Dat beetje feeling dat ik voor zulke dingen heb, zegt mij dat Kingo hier niet achter zit. Zelfs Kingo zou geen vrouw in het spel brengen om mij in diskrediet te brengen."

"Een vrouw? Jij hebt toch niets met vrouwen?"

"En bovendien is ze dood."

"Het wordt steeds gekker", zegt Filtvedt, terwijl hij zich in zijn nekharen krabt. "Ik wist helemaal niet dat jij necrofiel was, Gerry Ryland."

"Het gaat om die vermoorde vrouw die van de winter in Bestum is gevonden. In de tuin van Thygesen. Die nietsnut – je weet wel, die ooit advocaat is geweest."

"Nu begint het op een verhaal te lijken."

Filtvedt haalt een groezelig notitieboekje uit de zak van zijn jas en vindt na enige moeite ook een balpen die het doet.

Zijn moeite is echter voor niets.

"Geen aantekeningen alsjeblieft", zegt Ryland met een scherpe chefstem. "Alles wat hier wordt gezegd, blijft onder ons. Afgesproken?"

"Kloteafspraak. Als er iets naar buiten moet, wil ik dat het via mij loopt. Wie heeft je met die vermoorde vrouw opgezadeld?"

"Het weinige wat ik weet en ervan begrijp krijg je nog te horen. Eerst moet je dit eens bekijken."

Ryland doet zijn koffertje open en geeft Filtvedt kopieën van de twee chantagebrieven.

Er loopt er een negerin langs; zo heetten die in elk geval toen Ryland in Londen studeerde, waar hij donkere vrouwen uit alle hemelrichtingen van het imperium zag. Ze loopt met rechte rug. En ook al is ze in een gewaad gehuld, toch ziet zelfs hij, die zich anders nooit om zulke dingen bekommert, de vage deining van haar heupen.

"Aha, je bent écht begonnen naar de vrouwen te gluren", zegt Filtvedt zonder van de papieren op te zien.

Ryland antwoordt niet.

"Die vrouw komt uit Somalië. Ze zijn onbereikbaar, en net zo chagrijnig als Naomi Campbell. En ze worden op de voet gevolgd door hun bodyguard."

Een groepje buitengewoon luidruchtige Afrikanen loopt kwebbelend langs. Filtvedt zegt dat de Somaliërs volgens hem zo schreeuwerig en opdringerig praten omdat ze eraan gewend zijn door de woestijnwind te worden overstemd.

Ryland heeft geen commentaar op deze uitspraak.

Filtvedt geeft hem de kopieën van de brieven terug en zegt: "Deze afperser moet een kruising zijn tussen de voorzitter van de natuurbescherming en Karate Kid. Ik zou dat niet serieus nemen, Gerry."

Ryland geeft hem de *VG* van die dag en vraagt hem pagina 5 op te slaan. Filtvedt bestudeert de tekening van de vermoorde vrouw en de korte tekst. Hij stelt een paar vragen, waar Ryland ontkennend op antwoordt.

"Allright, Mister Clean", zegt Filtvedt. "Als je niet zeker weet wie ze is, maar heel zeker dat je niets met haar hebt gehad, hoe komt jouw naam dan tussen haar spullen terecht?"

Ryland lanceert zijn hypothese.

"Als jij het niet was", zegt Filtvedt, "zou ik zeggen dat het pure bullshit is. Maar aangezien jij het wél bent, de man die fatsoenlijker is dan welke bisschop ook, en ik Natasja's passie voor de vervolgden der aarde ken, zal ik proberen je te geloven. Hoe past Thygesen trouwens in dit verhaal? Aangezien ze bij hem gedumpt is, kan hij onmogelijk volkomen onschuldig zijn. Dat Thygesen er niet bij betrokken is, is net zo waarschijnlijk als dat de Deutsche Bank Morgan Grenfell voor twaalf daalders zou verkopen."

"Geen idee wat Thygesen betreft", zegt Ryland. "Ik heb geen ervaring wat hem aangaat."

"Geen ervaring wat hem aangaat – kom op, hé! Je kunt het je nu niet veroorloven om te praten als een stoffige pedant, Gerry. Voor den dag ermee!"

"Ik weet verdomd weinig. Ik ben vandaag gebeld door een man die bloedserieus klonk; hij vertelde dat de afperser vermoord was en dat ik de volgende zou zijn als ik bekend zou maken wat mij overkomen was."

"Vertelde die man wie die afperser was en waar en hoe hij vermoord was? En, niet op de laatste plaats: waarom?"

"Nee. Het was een erg kort gesprek, zo een waarbij je niet de neiging voelt om een confrontatie aan te gaan of vragen te stellen."

Ryland steekt de ongebruikelijke sigaret op en inhaleert veel te diep, terwijl Filtvedt vraagt hoe de enveloppen eruitzagen waarin de brieven zaten, en of hij ze bewaard heeft, zodat de politie ze op vingerafdrukken kan controleren en de postzegels kan onderzoeken op speeksel, dat de DNA-vingerafdruk van de afzender kan verraden. Hij noemt Reidar Isachsen het meest voor de hand liggende aanknopingspunt, hamert erop dat wanneer het miljoen naar diens adres moet worden gestuurd, er een verband moet zijn met de afperser of de afpersers.

Zijn conclusie is duidelijk: "Er staat je maar één ding te doen, Gerry, en dat is naar de politie stappen. Dat is dé oplossing voor iedereen die gechanteerd wordt."

"Ik ben bang dat het dan uitlekt."

"Daar zit iets in. Toch geloof ik dat het risico klein is in een zaak die zo weinig publiciteit heeft gekregen als deze. In grote criminele zaken lekken politie, officier van Justitie en verdediging als een vergiet. Politiemensen lekken als het om geld gaat, of om prestige. In deze zaak zie ik zulke redenen niet."

"Is het in eerste instantie niet voldoende dat ik met jou heb gepraat?"

"Nee", antwoordt Filtvedt. "Ik ben geen substituut voor de politie."

"Wil jij de kopieën van die brieven voor me bewaren?"

Filtvedt knikt.

"Ik heb ook een digitale registratie van de inkomende telefoongesprekken van vandaag", zegt Ryland, en hij houdt een diskette omhoog. "Bij ons worden alleen de nummers geregistreerd, niet de gesprekken zelf. Op deze diskette vind je het nummer van de man die mij heeft bedreigd. Het gesprek vond om ongeveer halfeen plaats."

Ryland reikt Filtvedt de diskette aan. Die weigert eerst om hem aan te nemen, met als reden dat hij niet graag origineel materiaal accepteert. Hij laat zich overhalen, in ruil voor de garantie dat hij de eerste is als Ryland het in de openbaarheid brengt.

"Wij zijn twee eervolle pasja's van de oude school", zegt Filtvedt, en hij werpt een verlangende blik op de bronzen boezems achter de bank waarop ze zitten. "We zijn dankbaar voor de kleine dingen. Dat we nog leven. Dat de jeugd de tepels van Lies vrouwen niet rood heeft geverfd, en dat die klotedaklozen zich verre van die beelden hebben gehouden.''

''Ik vind het jammer dat ik nu leef en niet in de jaren dertig'', zegt Ryland.

''Was je graag planeconoom onder Stalin geweest?''

''Ik had graag meegewerkt aan de New Deal onder hem daar.''

Ryland wijst in oostelijke richting naar het granieten beeld van Franklin Delano Roosevelt, dat op de helling ten noorden van de Akershus-vesting tussen een groepje bomen verborgen staat.

''De gemeente heeft dozen bij Roosevelts voeten neergezet voor gebruikte drugsnaalden'', zegt Filtvedt. ''Zover heeft die verdomde welvaartsstaat van jou het gebracht. Lukt het je trouwens om de grootste industriële fusie in de Noorse geschiedenis tegen te houden?''

''Ik heb vanavond een vergadering met Peterson en de Finnen, op Bærøe in Hobøl.''

''Geef me een belletje als die vergadering is afgelopen. En ga als de sodemieter naar de politie als je weer in de stad bent.''

''Ik stuur Natasja naar ons zomerhuisje en zal in het weekend eens in haar spullen snuffelen om te kijken of ik daar een aanwijzing kan vinden.''

''Je kent mijn advies. Je krijgt er spijt van als je niet direct naar de politie gaat.''

13

"Ik heb zo'n nauwkeurige en waarheidsgetrouwe verklaring gegeven als ik kan", zegt Vilhelm Thygesen. "Toch heb ik het vage gevoel dat je míj ervan verdenkt deze foto te hebben genomen."

Hij wijst op de foto van de levende Picea, die op het blauwe zeildoek met de molentjes ligt dat zijn keukentafel bedekt.

Vaage drinkt het laatste, lauwe slokje koffie op en bestudeert haar aantekeningen.

"Ik ben die verdenkingen van je meer dan zat", gaat Thygesen verder. "Elk logisch argument ontbreekt. Als ik Picea gefotografeerd had toen ze nog leefde, zou ik toch de grootste stommeling ter wereld zijn als ik met die foto naar de politie zou gaan en zou proberen jullie te laten geloven dat iemand anders hem heeft genomen en hem bij mij in de bus heeft gedaan? Waarom zou ik zoiets verdomme bedenken?"

"Oké", antwoordt Vaage, "u hebt gelijk."

Thygesen veegt met een stuk keukenrol het zweet van zijn voorhoofd. Hij blijft zitten, terwijl hij de ritssluiting van zijn fleecevest op en neer trekt, staat op, gaat de gang in en trekt in plaats van het vest een rood-zwart geruit flanellen overhemd aan.

"Posteren jullie hier iemand die dokter Papaja en kapitein Paw-Paw kan grijpen voor het geval het fantoom, of de fantomen, zich manifesteren?" vraagt hij.

"Ik zal het voorstellen", zegt Vaage. "Ik zal zien wat ik kan doen."

"Goed, ik heb jullie fotografisch bewijsmateriaal gegeven dat van nut zou moeten zijn. Zijn we dan nu klaar?"

"Nog niet helemaal. Weet u iets over het recente doen en laten van een zekere Terje Kykkelsrud?"

"Het doen en laten van wíé?"

"Terje Kykkelsrud. Een van de leiders van een MC-club in Østfold."

"O, je bedoelt Kykke. Die eenogige reus die op een Kawasaki

rijdt, die is vernoemd naar een van de cyclopen uit het oude Griekenland? Brontosaurus? Nee, dat is een dinosaurus. Brontes heet die machine van hem. Het is eeuwen geleden dat ik iets met die bende te maken heb gehad."

"Nu ja, eeuwen", zegt Vaage. "We hebben het nu over ergens in het begin van de jaren negentig."

"Ik heb die lui verdrongen. Ik heb een enorme blunder begaan; ik heb een proces voor hen verprutst, doordat ik een termijn van de rechtbank over het hoofd heb gezien."

"Wanneer hebt u voor het laatst contact gehad met Kykkelsrud, of met iemand anders van die zogeheten Seven Samurais?"

"Geen enkel sinds dat proces is misgegaan. Dat wil zeggen, Kykke heeft me nog een paar keer gebeld met zijn zatte kop en gedreigd me met spijkerbanden te overrijden en levend te villen. Dat soort kleine attenties. Ik heb hem altijd beschouwd als een onschuldige ziel achter een angstwekkende façade. Werkelijk kwaad was bij Kykke ver te zoeken. Als je hem een beetje kent, zou je niet geloven dat zo'n *working class hero* zo diep zou zinken dat hij onder zo'n dwaze schuilnaam als dokter Papaja of kapitein Paw-Paw zou optreden."

"Ik geloof niets, ik vraag alleen maar. Bovendien heb ik niet de eer om de heer Kykkelsrud te kennen."

"Maar je moet een reden hebben om ernaar te vragen. Als je mij die vertelt, kan ik misschien een beter antwoord geven."

" Gezien de huidige ..." zegt Vaage, en dan zwijgt ze.

"Ik ben blij dat je niet zei 'gezien de huidige stand van zaken in het onderzoek'. Je zou vijf niveaus in mijn respect zijn gedaald, en beslist ook een paar in dat van jezelf."

"Die klok aan de muur kan toch onmogelijk goed lopen, meneer Thygesen?"

"Klok aan de muur?"

"Moet u nou echt de helft van mijn vragen met een tegenvraag beantwoorden?" vraagt Vaage, en ze wijst naar een instrument met een ronde messing kast en glas voor een witte plaat met twee wijzers.

Thygesen lacht op een manier die ze bijzonder onaangenaam vindt. Zo'n wolvenlach, met een muil met bruin gevlekte tanden.

“Dat is geen klok”, hikt hij, “dat is een barometer.”
“Neem me niet kwalijk”, antwoordt Vaage. “Ik heb mijn contactlenzen vergeten in te doen.”
Thygesen staat op en tikt tegen het glas. De zwarte luchtdrukwijzer beweegt zich van ‘onbestendig’ naar ‘mooi’. Hij draait aan de knop voor de messing wijzer en zet die op de zwarte.
Lachend zegt hij: “Je kunt jezelf ermee troosten dat dit beslist je grootste blunder niet is, Vanja Vaage, en dat het ernaar uitziet dat er ook morgen een hogedrukgebied is met mooi weer, ook al heeft het weerbericht voor vannacht in het oosten een stevige wind voorspeld.”
Vaage moet nu zelf ook lachen. Het is een bevrijdende lach, ietsje uitgelaten zelfs.
Thygesen, in de rol van vrolijke en galante heer, kijkt op zijn horloge en maakt bekend dat het tien voor zes is, staat op en zet verse koffie. Vaage zegt dat ze even naar de auto moet om haar bril en haar horloge te halen, en dat ze moet telefoneren.
Ze gaat in de oververhitte wagen zitten, haar eigen Escort – helaas geen cabriolet – en werpt een blik op een andere Ford die op het erf van Thygesen geparkeerd staat, een roestige bak van een Fiësta. Die is van Vera Alam, en heel eventjes vraagt ze zich af hoe het met die door kanker getroffen Alam gaat daar in Sarajevo, of de verhouding tussen Alam en Thygesen werkelijk zo platonisch was als hij doet voorkomen. Zelfs een eenzame sodemieter van vierenzestig heeft toch nog wel zoiets als een seksleven? Thygesen beweert van zichzelf dat hij met pensioen is, of in de WAO zit, maar hij maakt niet de indruk het schip des levens aan wal te hebben getrokken en zijn libido voorgoed op het droge te hebben gelegd.
Vaage zet deze gedachten uit haar hoofd. Dat doet ze puur fysiek door tegen haar slapen te slaan, eerst tegen de rechter, dan tegen de linker. Ze kan zich nooit herinneren in welke hersenhelft seksuele gedachten thuishoren.
Snel toetst ze Stribolts nummer op haar mobiele telefoon in, en ze krijgt meteen antwoord.
“Ben je al met de ondervraging begonnen?” vraagt Vaage.
“Nee, ik sta nog op het station van Halden. Ik ben net uit de trein gestapt. Die Østfold-route kan niet zo erg zijn als wordt be-

weerd. De Noorse spoorwegen hebben zich keurig aan de dienstregeling gehouden."

"Ik heb belangrijke informatie voor je, voordat je je op Dotti stort. Er bestaat fotomateriaal van Picea toen ze nog leefde. Dat materiaal onderbouwt Rønningens getuigenverklaring dat ze Picea in de trein heeft gezien."

"Wat voor materiaal?"

"Een kleurenfoto. Ongetwijfeld van Picea."

"Hoe kom je daaraan?"

"Van Thygesen", antwoordt Vaage.

Het wordt stil in Halden.

"Ik ben bij hem om hem te ondervragen", zegt Vaage.

"Het is of de duvel ermee speelt. Jezusmina! Leg een bezwete detective maar eens uit wat er is gebeurd."

Vaage vertelt.

"Ik heb maar één vraag", zegt Stribolt. "Weet je zeker dat Thygesen de foto heeft gekregen en niet zelf heeft genomen?"

"Vrij zeker. Mijn intuïtie zegt me dat hij de waarheid spreekt. Hij zou wel gek zijn, op het psychotische af, als hij Picea heeft gefotografeerd en ons vrijwillig van die foto vertelt."

Stribolt vraagt Vaage hem te bellen als Thygesen nog meer vertelt wat hij snel moet weten.

Vaage zet haar bril op en gaat het huis weer binnen. Dat doet haar om de een of andere reden aan 'het kleine huis op de prairie' denken, ook al ziet het er net zo uit als alle andere geteerde Noorse houten huizen van rond de vorige eeuwwisseling.

Na alle koffie die ze naar binnen heeft gegoten, moet ze even naar de wc. Die is naast de hal, herinnert ze zich van haar vorige bezoek in februari. Ze heeft ergens gelezen, in de zaterdagbijlage van *Dagbladet* dacht ze, dat je veel over een man alleen kunt leren door de staat van zijn wc te bestuderen. Als dat klopt, is Thygesen volkomen normaal – teleurstellend gewoontjes zelfs. Er is wc-papier en alles wat erbij hoort: een wc-borstel, een stukje zeep dat keurig op zijn plaats ligt, namelijk op het wasbakje, dat zowel een kraan voor koud als een voor warm water heeft, oude tijdschriften in een bamboe krantenbak. De deur kan vanbinnen worden afgesloten met een haakje en ze doet hem op slot, gaat op de bril zitten, die van hout is en behaaglijk aanvoelt aan je achterste, en bladert de tijdschriften door: *Newsweek*, *National Geographic*. Geen porno, niet eens een armzalige *Playboy*. Grappig genoeg is er een overjarig exemplaar van *Avenue* bij.

Het enige opmerkelijke is een ingelijste foto van het legendarische Apachen-opperhoofd Geronimo, dat Thygesen aan de muur van zijn wc heeft hangen. Dat zal dan wel een van zijn helden zijn.

Ze mist een spiegel. Maar alleen pietlutten hebben een spiegel boven de wasbak in de wc.

Terug in de keuken treft ze Thygesen aan terwijl hij bezig is een fles wijn te ontkurken.

"Geen paniek", zegt hij, "het is niet mijn zelfgeoogste bessensap."

"Dank u, maar ik moet nog rijden", zegt Vaage, en ze draait het glas om dat bij haar plaats is neergezet.

"Niet uit Bestum, maar uit Bordeaux", zegt Thygesen, en hij ruikt aan de kurk, schenkt zijn eigen glas vol en zet dat bij Vaage neer. "Belastingvrij uit Parijs."

"Bent u doof?"

"Als het zo uitkomt, kan mijn gehoor vreselijk slecht zijn, ja. Je had het over Kykkelsrud. Daarom neem ik aan dat hij op de een of andere manier bij de zaak betrokken is. Ik weet het een en ander over hem van lang voor de Seven Samurais, en van heel andere clubs. Je hoeft niet zo verbaasd te kijken. Wil je een foto van Kykke zien die precies vijfentwintig jaar geleden is genomen?"

Thygesen schuift een krantenknipsel over tafel. Het knipsel beslaat een hele pagina en wordt gedomineerd door een foto van een aantal mannen die op een rij staan. Op de voorgrond staan vaag wat schaduwachtige figuren, zo te zien politieagenten.

"Heb ik in mijn archief gevonden", zegt Thygesen. "Ik heb Kykke een keer geadviseerd tijdens een staking op de Noordzee. Maar deze foto is van een andere, vroegere staking. Bij Linjegods, in 1976. Een illegale staking. Een wilde staking, zoals de werkgevers en de Arbeiderparti het noemden. De man links, die hoog boven de anderen uitsteekt, is Terje Kykkelsrud. We hadden iets gemeen in die tijd, hij en ik, zonder dat we elkaar persoonlijk kenden. We maakten deel uit van de kringen rond AKP, oftewel Arbeidernes Kommunistparti. Sympathisanten, zoals dat heet."

Vaage pakt het vergeelde knipsel op.

"Jeetje, dat moet uit de krant *Klassekampen* zijn", zegt ze.

"Móét niet, maar ik neem aan van wel. Alle kranten wijdden enorm veel aandacht aan het conflict bij Linjegods. Ze dachten dat dat de beruchte gewapende revolutie zou inluiden. Als je meer wilt weten over mannencollectieven en politieke groeperingen die Kykke gevormd hebben, en mij ook trouwens, graag. We kunnen het over interessante ontbindingsprocessen hebben en wat die met afzonderlijke individuen zoals Kykke hebben gedaan. En als je dat niet ziet zitten, dan kun je verdomme je koffers pakken en naar huis gaan naar de Hamarøykuk."

Vaage last een kunstmatige pauze in voordat ze antwoordt: "U bedoelt zeker de Trænstav. Dat is de hoogste berg in de archipel van mijn jeugd, vlak onder de poolcirkel."

"Daar zeiden ze waarschijnlijk geen nee tegen een glaasje als er echte wijn op tafel kwam?"

"Lul niet", zegt Vaage, en ze pakt het glas dat Thygesen haar heeft toegeschoven.

"Je moet nog rijden", zegt Thygesen, terwijl hij waarschuwend een wijsvinger opheft.

"Je kunt de auto ook laten staan, zoals u weet."

14

Arve Stribolt wandelt vanaf het station in Halden langs de Tista naar het politiebureau, dat in een roodstenen gebouw bij de rivier is gevestigd. Hij is daar al vaker geweest, de laatste keer toen de recherche werd verzocht te assisteren bij het onderzoek naar een bankoverval, waarbij twee neonazi's betrokken waren.

Halden doet hem aan zijn geboortestad Hammerfest denken, ook al is de afstand tussen de beide steden ontzettend groot, de topografie ongelooflijk verschillend en stammen de gebouwen hier niet uit de tijd van de wederopbouw na de Tweede Wereldoorlog. Het moet die kleinsteedse sfeer zijn en het feit dat de stad een fabrieksplaatsje is, een plaats voor gewone mensen, waar weinig pronkerige rijkdom te zien is. Stribolt bezoekt dit soort kleine Noorse steden graag, en hij vertrekt ook graag weer als het doel van zijn bezoek is bereikt.

Hij wordt door een vriendelijke collega van het station gehaald, krijgt een werkkamer op de eerste verdieping toegewezen en er wordt hem op gemoedelijke toon meegedeeld dat hij zoveel van het koffieapparaat op de gang gebruik kan maken als hij wil. Gevolgd door de strenge vermaning dat hij zal worden neergeschoten als hij rookt in het kantoor, zoals de man uit Halden het uitdrukt.

Aangezien er een asbak op de schrijftafel staat, waagt hij het toch een sigaret op te steken. Mocht hij een kogel voor zijn kop krijgen, dan is hij niet de eerste wie dat in Halden overkomt. Vanuit het raam van het kantoor heeft hij uitzicht op de plaats delict van het grootste criminele mysterie in de Scandinavische geschiedenis.

Stribolt gaat er eens goed voor zitten en droomt meteen weg; hij denkt aan een koning, terwijl hij wacht op een koningin. Niemand kan een politieman in dienst weigeren met een zekere verwachting uit te kijken naar een ondervraging van een jonge vrouw, die 'koningin' als e-mailadres heeft en 'Dotti de la Motti' als internetadres.

Hij heeft afgesproken dat Hege Dorothy Rønningen om halfzeven voor de ondervraging zal verschijnen. Vanwege alle verhalen die hij over de Østfold-spoorlijn had gehoord, had hij er rekening mee gehouden dat de trein niet op tijd zou zijn en dus niet om acht voor zes in Halden zou aankomen. Dat betekent dat hij nu een halfuur wachttijd moet zien door te brengen.

Stribolt staart uit het raam naar de vesting Fredriksten, waar de wimpel fier wappert in de zuiderbries die boven de grensstad is opgestoken. Op een winterdag in 1718 werd daar Karl XII doodgeschoten. Volgens de oude tijdrekening was dat op 30 november, volgens de moderne tijdrekening was het 11-12, de dag die door sommigen beschouwd wordt als de geboortedag van de duivel. Zodra de Zweedse koning was vermoord, ging het gerucht dat de sluipschutter een van zijn eigen mensen was geweest als een lopend vuurtje door Noorwegen en Zweden. Het motief voor de moord zou de oorlogsmoeheid van de Zweedse officiersstand zijn. De koninklijke held na de overwinning in de slag tegen de Russen bij Narva in 1700 was een koninklijke verliezer geworden na de nederlaag tegen het leger van Peter de Grote bij Poltava tijdens de winteroorlog in 1709. Koning Karl verloor alle Zweedse buitenlandse bezittingen, waarmee er een eind kwam aan Zweden als grote mogendheid. Om zijn populariteit terug te winnen probeerde hij Noorwegen op de Denen te veroveren. Bij zijn eerste poging in 1716 lukte zelfs dat hem niet. Twee jaar later deed hij een nieuwe poging, die ook geen kans van slagen leek te hebben.

In een van de loopgraven die de Zweedse belegeraars onder het fort Gyldenløve hadden gegraven, werd Karl XII geveld door een kogel die hem in zijn slaap trof en die dwars door zijn hoofd ging.

Stribolt logt in op de pc in het kantoor met het wachtwoord dat hij van de dienstdoende commandant heeft gekregen. Op het scherm verschijnt het programma van de politie, het Bedrijfs Processen Systeem, en hij klikt tot er een standaardverhoorschema verschijnt. Aangezien de politiebureaus van het land nog steeds niet op één netwerk zijn aangesloten, bestaat er geen mogelijkheid om zijn eigen files op te roepen, en dus ook de documenten in de Picea-zaak niet. In plaats daarvan surft hij over het wereldwijde web naar een discussieforum dat *Who killed King Karl XII?* heet.

Het is een rustig plekje geworden sinds de Zweedse neonazi's er genoeg van hebben gekregen hier hun discussies te voeren. Tot nu toe heeft er in het jaar 2001 geen enkele activiteit in het forum plaatsgevonden. Stribolt klikt een van zijn eigen bijdragen aan, waarin hij onder het pseudoniem Thundershield het motief van de moord bespreekt en tot de conclusie komt dat de Noren ondanks alles de meest zwaarwegende redenen hadden om de koning te vermoorden. In het stuk, waar hij tamelijk tevreden over was, schrijft hij dat het gerucht van de sluipmoord waarschijnlijk was ontstaan doordat de Zweedse officieren probeerden om de dood van de koning geheim te houden – zonder succes trouwens. Hierdoor ontstond bij de gewone soldaten de verdenking dat dat geheimzinnige gedoe van de officieren kwam omdat ze zelf de koning in een gemene hinderlaag hadden doodgeschoten.

Stribolt zoekt verder tot hij zijn eerste bijdrage vindt. Het is een enigszins bewerkte versie van een opstel dat hij op de middelbare school had geschreven. Het heet 'Het definitieve bewijs dat wij Noren koning Karl de Twaalfde hebben vermoord' en is een fantasierijk verhaal over hoe een uiterst capabele detective, die Evar Boltirs heet, op een landgoed bij Kongsvinger een brief vindt die achter het behang is verborgen. In de brief bekent de vroegere eigenaar van het landgoed dat hij vanaf de schans Gyldenløve de kogel heeft afgevuurd die de koning trof. Uit angst voor represailles van de Zweden heeft de schutter zijn Noorse collega's verzocht er een eed op te zweren dat ze zouden zwijgen. Op het perkament is een kaart getekend en een cryptische code geschreven. Boltirs kraakt de code en vindt eerst de kogel, verborgen in een waterput in Skåne, waarin hij een duik moet nemen, en daarna, tijdens een supergeheime tocht door de Sovjet-Unie, waarbij hij door de KGB wordt geschaduwd, het geweer dat de herenboer uit Kongsvinger aan een Russische graaf had verkocht, die het moordwapen graag als souvenir wilde hebben. Metallurgische onderzoeken bewijzen dat de speciaal gegoten kogel van precies hetzelfde soort messing is als werd gebruikt voor de knopen van de Noorse uniformen, en een monster van de kogel bewijst dat die is afgevuurd met het geweer dat de Russische graaf in zijn bezit heeft.

De tekst is geïllustreerd met de beroemde foto uit 1917 van de gemummificeerde schedel van de koning met het kogelgat zo groot als een vuist. Het opstel begint met een citaat uit deel 7 van *De geschiedenis van Noorwegen*, waarin professor Knut Mykland schrijft: 'Ondanks diepgaande analyse van het schriftelijke materiaal en herhaalde analyses van de schedel van Karl XII, is het niet mogelijk geweest om een overtuigend antwoord te geven op de vraag of het een Noorse kogel of een Zweedse sluipschutter is geweest die de koning heeft gedood, en die vraag zal ook in de toekomst onbeantwoord blijven.'

Het opstel sluit af met de tekst op de Deense gedenkpenning: 'De Zweedse Leeuw viel voor de voeten van de Noorse Leeuw. Daar verloor hij zijn leven en zijn laatste heldenbloed.'

Er wordt zachtjes op de deur geklopt. Stribolt klikt het doodshoofd weg, pakt zijn zakkammetje en laat het door zijn haar glijden. Daar had hij graag iets meer van gehad. Binnenkort is hij net zo oud als Karl XII toen die stierf; zesendertig jaar, en hij heeft al net zo weinig haar als de Zweedse koning. Maar helaas heeft hij niet net zulke mooie krullen in zijn nek als Karl op al zijn schilderijen.

De Dotti die de kamer binnenkomt, heeft in werkelijkheid net zulke mooie krullen als op de foto op internet. Maar de jonge vrouw die Stribolt nu observeert, is slechts een flauwe afspiegeling van de voortvarende rollerskatedame die ze op internet voorstelde. Misschien heeft Dotti wel twee persoonlijkheden: eentje die ze op het net publiceert en een die Handelsduits en Internationale Commercie aan de hogeschool in Østfold studeert. Als ze op het politiebureau verschijnt, ziet ze er in elk geval uit als een serieuze studente. Ze draagt dezelfde ronde bril als op de foto op internet, maar behalve een bruinachtige lippenstift, waarmee ze er in haar ene mondhoek een beetje naast heeft gezeten, is ze niet opgemaakt.

Ze is veel kleiner dan hij zich haar had voorgesteld. En ondanks de warmte buiten draagt ze een dikke grijze wollen coltrui en een broek met zakken op beide bovenbenen.

Ze geeft hem een hand. Haar handdruk is slap en klam. Ze

presenteert zich niet als Dotti, maar met haar volle naam.
Ze doet een piepklein rugzakje af, vist er een mobiele telefoon uit en zet die uit.
"Mag er hier gerookt worden?" vraagt ze met een blik op de asbak.
"Eigenlijk niet, maar ga je gang", antwoordt Stribolt, en hij denkt aan iets wat hij heeft gelezen, namelijk dat de jeugd van tegenwoordig zoveel verschillende rollen speelt. Dat ze sneller van rol verwisselen dan een politieagent van lichtblauw diensthemd.
"Ik ben echt nerveus", zegt ze. "Ik heb nog nooit eerder iets met de politie te maken gehad."
Terwijl Rønningen een Prince rookt, voert Stribolt haar personalia in in het schema op het scherm. De informatie komt snel en zonder aarzelen. Ze is drieëntwintig jaar. Ze studeert sinds een jaar in Halden en komt eigenlijk uit Elverum. Het enige waarbij ze aarzelt met haar antwoord is bij de vraag over haar burgerlijke staat. Dan verschijnt er een flauw glimlachje en ze zegt dat die uiterst onzeker is, maar dat ze in elk geval ongehuwd, of hoe dat ook heet, moet antwoorden. Stribolt vraagt of ze koffie wil en daarop antwoordt ze: "Ja, graag.".
Hij gaat even bij de dienstdoende commandant langs om te vragen of er een fax uit Oslo is gekomen. Vaage zou de foto van Picea doorfaxen zodra ze terug was op het hoofdkwartier in Bryn. Er is geen fax gekomen, vertelt de dienstdoende commandant, ogenschijnlijk een man zonder de scepsis waar de mensen van de recherche bij collega's uit de provincie zo vaak op stuiten: neem ons onze zaken niet af, blijf met je poten van ons netwerk af.
Stribolt haalt koffie uit het apparaat op de gang.
Hij herinnert Rønningen – ietwat hoogdravend vindt hij zelf – aan haar plicht als getuige om de waarheid te spreken. Ze nipt van haar koffie.
"Laten we beginnen met het tijdstip waarop en de plaats waar jij in de trein stapte", zegt hij.
"Ik ben ingestapt in Öxnered. Het was de trein van Göteborg naar Oslo. Of misschien kwam hij wel helemaal uit Kopenhagen. Het was zondag 28 januari en de trein had tamelijk veel vertraging. Hij had om halfzeven in Öxnered moeten zijn, maar hij kwam pas tegen zevenen aan."

"Dan bedoel je de avondtrein?"

"Ja. Het was donker en akelig op het stille station, en steenkoud."

"Wat had je in Öxnered gedaan?"

"Niets. Ik was bij mijn vriend in Uddevalla geweest. Hij had me naar Öxnered gebracht, het dichtstbijzijnde station, maar hij had geen zin om op de trein te wachten. We hadden het hele weekend tamelijk veel ruzie gehad. De trein was aardig vol toen hij eindelijk kwam, en ik kreeg helaas een zitplaats in een coupé waar zo'n pestkop zat."

"Een pestkop?"

"Ja, een idioot die foto's nam van de andere passagiers. Pas toen ze protesteerde dat ze niet gefotografeerd wilde worden, viel mij de vrouw op van wie jullie een tekening hebben gepubliceerd. De vrouw die vermoord is."

Stribolt vraagt of ze speciale kenmerken had.

"Er was iets met haar ene oor", zegt Rønningen, en ze grijpt met haar duim en wijsvinger naar haar eigen oorlelletje. "Toen ze zich opwond over die kerel die haar lastigviel, streek ze haar haar opzij, en toen zag ik dat er iets raars was met haar oor, alsof erin gebeten was. Ik herinner me dat ik dat zonde vond voor een vrouw die verder zo mooi was. Mooi op zo'n Zuid-Europese manier."

"Heb je een idee waar ze vandaan kwam? Haar nationaliteit?"

"Moeilijk om met zekerheid te zeggen, vind ik. Ze sprak Engels met een enorm accent, een beetje zoals Russen doen. Maar ik heb maar een paar woorden gehoord. '*Go away, go away*', zei ze tegen de fotograaf. En toen hij naast haar ging zitten en zij van plaats wisselde en naast mij kwam zitten, vroeg ze of dat goed was. '*Okay, I sit here?*' Ik zag er denk ik nogal nijdig uit en zat te koken van woede over al dat gedoe met Kalle."

"Kalle?"

"Mijn vriend, die me op het station had gedropt."

"Hebben jullie verder nog met elkaar gesproken, jij en die vreemde?"

"Een paar woorden maar. Ze vroeg wanneer de trein in Oslo zou aankomen. Ze had zo'n mapje voor haar kaartje waarin een uitdraai met de treintijden was bijgesloten. Daarin stond dat de trein om kwart voor tien in Oslo zou aankomen. Ik zei dat we ruim een halfuur vertraging hadden en dat dat nog wel meer kon worden. Toen vroeg ze of ik wist of het moeilijk was om in Oslo een hotel te vinden, en of ik een goedkoop hotel kon aanbevelen. Ik antwoordde dat het vast niet moeilijk zou zijn om er midden in de winter een te vinden, maar dat ik niets goedkoops wist, dat ze dat maar op het station in Oslo moest vragen. Die idioot die foto's maakte was naar een ander deel van de trein gegaan. De vrouw haalde een boek uit haar tas en begon te lezen."

"Je hebt een scherp observatievermogen en een goed geheugen", zegt Stribolt. "Herinner je je welk boek het was?"

"Ja. Het viel me op omdat ik eerst dacht dat het zo'n terroristending was. Het was een Engels boek dat *Memed My Hawk* heette en het was geschreven door iemand die Yasher-nog-wat heette. De hawk is immers zo'n militaire raket, en ik dacht dat de schrijver misschien Arafat was. Maar toen ze haar vingers wegnam van de plek op het omslag waar de naam van de schrijver stond, zag ik dat zijn achternaam Kemal was. Toen herinnerde ik me dat ik het boek op de middelbare school in het Noors had gelezen. Ik kom uit zo'n radicaal gezin waar de kinderen allerlei boeken opgedrongen kregen over arme helden die oproerkraaiers worden."

"Ik ook", zegt Stribolt. "Mijn vader was badmeester in de IJsbeerhal in Hammerfest, en een fel communist."

Die opmerking vindt Rønningen niet overbodig; ze glimlacht bijna zoals op internet en zegt: "Míjn vader is waarschijnlijk de enige majoor in het leger die voor Sosialistisk Venstre op de verkiezingslijst voor de Kamer heeft gestaan."

"Weet je de Noorse titel van het boek nog?" vraagt Stribolt.

"*Hongerige Memed*?"

"*Magere Memed*, als ik me goed herinner. Een romantische affaire in zo'n Turks boerendorp, waarin de held Memed het tegen de grootgrondbezitters opneemt en de prinses en het halve koninkrijk wint."

"Kwam hij niet in opstand omdat dat meisje van wie hij hield door de adellijke aga werd vermoord?" vraagt Rønningen, en in haar blauwe ogen achter de brillenglazen schittert nu iets.

"Ja, dat kan wel", geeft Stribolt toe. "Heb je gehoord dat de schrijver Kemal in Turkije gevaar loopt gevangengenomen te worden, omdat hij de zaak van de Koerden steunt?"

"Nee, ik heb mijn handen vol aan mijn studie en kom er niet toe de wereldpolitiek te volgen."

"Als je het goedvindt zou ik graag de ondervraging even onderbreken en iets op internet checken."

Rønningen knikt.

Stribolt gebruikt zijn favoriete zoekmachine, Google, zoekt naar 'yasher kemal' en vindt direct een heleboel webinformatie die bevestigt wat hij al dacht: dat de Turkse schrijver Yasher – of Yasir zoals hij in het Noors wordt genoemd – Kemal zich sterk heeft ingezet voor de zaak van de Koerden. Kemal heeft boeken, pamfletten en artikelen geschreven waarin hij opkomt voor het recht van de Koerden om een eigen taal en een eigen cultuur te hebben. Van een Turkse kandidaat voor de Nobelprijs voor de literatuur is hij een kandidaat voor de gevangenis geworden.

In het verhoorprotocol schrijft Stribolt: 'Klad. Hypothese: Koerden-spoor. Was Picea echt Koerdisch? Gebaseerd op de verklaring van getuige Rønningen dat ze in de trein Kemal las. Kemal is een krasse, strijdende intellectueel, die nog op hoge leeftijd risico's neemt. Picea leest een provocerende roman, geschreven door een schrijver die de strijd van de Koerden steunt. Maar waarom leest ze de roman over Memed in het Engels? Misschien omdat ze als Koerdische het origineel niet in het Turks wil lezen. Of gewoon omdat ze Engels wil leren, meer Engels dan het beetje dat ze kan, door een verhaal te lezen dat zich afspeelt in een milieu en een landschap die ze kent.

Ik moet aan de lijkschouwing denken. Hoe mager we Picea vonden zoals ze daar in het gerechtelijk laboratorium op die baar lag. Ik zag en zie haar nog voor me als een oproerkraaister uit de bergen van het Turkse schiereiland. Ik ben me ervan bewust dat dit een romantisering kan zijn. En aangezien ik haar vanaf het begin als een Koerdische heb beschouwd, moet ik voorzichtig zijn en niet te lang aan deze gedachte, dit beeld, vasthouden.'

Stribolt slaat op wat hij geschreven heeft, verontschuldigt zich tegenover Rønningen en zegt dat hij de neiging heeft zich in het materiaal te verliezen wanneer hij nieuwe sporen vindt.

"Ik werd zo enthousiast dat ik vergat je te vragen om een nauwkeurig signalement van Picea te geven", zegt hij.

"Picea?"

"Dat is de codenaam die we haar hebben gegeven, aangezien we haar identiteit niet kennen."

Rønningen meent zich honderd procent zeker te kunnen herinneren dat de vrouw een witte blouse droeg en dat ze een donkere mantel van gewatteerde stof bij zich had, maar ze weet niet zeker of ze een rok of een broek aanhad.

"Misschien schiet het me te binnen als je mij kunt vertellen waar de wc is."

Stribolt legt het haar uit. Hij begrijpt niet waarom Rønningen zo gespannen is. Hij denkt aan de rechercheur in de Palme-zaak, Hans Holmér, die zich in de beginfase van het onderzoek naar de moord op de minister-president veel te eenzijdig op de Koerden in Zweden concentreerde. Destijds, in 1986, toen de jonge Stribolt besloot om zijn eigen vooroordelen ten opzichte van de politie opzij te zetten, zijn vaders diepgewortelde aversie tegen de ordehandhavers van de bourgeoisstaat te trotseren en een aanmeldingsformulier voor de politieacademie in te sturen, had de openlijke bespotting van Holmérs Koerden-spoor door de journalist Jan Guillou een onuitwisbare indruk op hem gemaakt. Als een leidinggevende Zweedse rechercheur een dergelijke kardinale fout kon begaan, namelijk al zijn energie en die van zijn staf voor de vervolging van een enkel spoor inzetten, zou er hoop moeten zijn dat een hobbydetective uit Hammerfest een redelijke rechercheur kon worden, om niet te zeggen een *betere* rechercheur. Helaas wijst niets erop dat dat gebeurd is. Maar aan de andere kant heeft hij ook nooit de volle verantwoordelijkheid gehad om een echt crimineel mysterie op te lossen, totdat hij in februari 2001 met het raadsel-Picea werd opgezadeld.

Lukt het hem dat op te lossen, dan zal hij de recherche met opgeheven hoofd kunnen verlaten. Hij is al lang bezig weg te gaan. De chemie tussen hem en de baas van de recherche, Arne Huuse, klopt niet. Stribolt concipieerde een van zijn vele ontslagbrieven ergens in maart, toen Huuse in het nieuws op tv de uitspraak deed dat vijfennegentig procent van alle heroïnesmokkel naar Noorwegen door Kosovo-Albanezen werd bedreven. Geen hond in de media reageerde op deze manoeuvre. Wat Stribolts haren te berge deed rijzen was niet dat Huuse verkeerde informatie verspreidde; de chef had bewijzen die staafden wat hij zei. Maar hij had de kennis van het korps over beslaglegging van heroïne van de Albanese maffia niét per se naar buiten hoeven brengen.

Vooral niet net op een moment waarop er in Noorwegen een strijd gaande was over uitwijzing van vluchtelingen uit Kosovo. Het was een blunder om op zo'n moment een hele bevolkingsgroep te criminaliseren en te stigmatiseren.

Nog iemand die niet heeft begrepen dat het soms beter is om je waffel te houden, is een zekere Ola Thune. Deze privé-detective heeft de laatste jaren bij bijna elke grote misdaad zijn snater geroerd over het werk van de politie. Als er iets klopt van de geruchten dat Huuse erover denkt om Thune als chef voor de afdeling Tactisch Onderzoek aan te stellen en die afdeling de erenaam 'moordcommissie' te geven, dan zal Thune op weg naar binnen Stribolt op weg naar buiten tegenkomen.

Als Rønningen terugkomt, heeft ze haar lippenstift bijgewerkt en verontschuldigt ze zich ervoor dat ze zich niet meer van de kleding herinnert. Wat ze zich wel herinnert, is dat de vrouw geen sieraden droeg, in elk geval geen opvallende, en dat ze weinig bagage had. Alleen zo'n koffertje dat in het vliegtuig als handbagage kan worden meegenomen, en een tas.

Stribolt merkt op dat Rønningen hem recht aankeek toen ze over de koffer vertelde, maar iets opzij toen ze het over de tas had.

"Die kleding is niet zo belangrijk", zegt hij. "Ik wil wel graag iets meer over die pestkop weten."

"Dat was absoluut een Noor", zegt Rønningen. "Uit het westelijke gedeelte van Oslo, zou ik zeggen, te oordelen naar de manier waarop hij sprak. Zijn waffel stond niet stil terwijl hij ronddartelde met die camera en iedereen fotografeerde, tot grote ergernis van velen. Hij zei dat hij het dagelijks leven in de saaiste trein ter wereld wilde vastleggen. Zoiets. De mensen die protesteerden kregen te horen dat ze vijanden van de kunst waren."

"Leeftijd en uiterlijk?"

"Ongeveer vijfentwintig. Groot en sterk. Ietsje te dik. Donker haar. Grotendeels verborgen onder een schipperspet, of zeemanspet, of hoe je dat ook noemt. Wat ervan te zien was, was tamelijk lang en zag er ongewassen uit. Vet. Verder droeg hij een leren jas, die hij niet uittrok, hoe heet het in de coupé ook werd. Leren laarzen. Zijn broek herinner ik me niet."

Het signalement van de pestkop in de trein komt absoluut niet overeen met de beschrijving die Stribolt heeft gekregen van de jonge Øystein Strand, die bij een mogelijk gefingeerd motorongeluk in Østfold is omgekomen. Aan de andere kant doen een schipperspet en een leren jas je aan iemand denken die de schuilnaam kapitein Paw-Paw gebruikt, en die de foto van Picea heeft afgeleverd die Vaage van Thygesen heeft gekregen.

"Was hij onder invloed?" vraagt Stribolt.

"Niet van alcohol, maar misschien van drugs. Ik herinner me dat ik dacht dat die vent net zo luidruchtig was als zijn vriendin stil was."

"Vriendin? Was hij met nog iemand op reis?"

"Ja, dat vergat ik. Ze viel niet op. Ze zat te slapen vanaf het moment dat ik instapte tot ik in Halden uitstapte. Ik dacht dat ze misschien iets had geslikt dat ze zo sloom was. Wat ik me van haar herinner is een donkere, warrige bos haar met rode strepen, en een gezicht zo bleek dat je het zo wit als een doek kunt noemen. Meer heb ik niet gezien, want ze zat in een plaid gewikkeld."

"Je dacht aan drugs. Kun je zeggen wat voor drugs?"

"Ik ben geen expert", zegt Rønningen, en ze probeert een kokette oogopslag zonder dat die helemaal lukt. "Hij was tamelijk speedy en zijn blik was verwilderd, maar hij stond stevig op zijn benen, zelfs als de trein slingerde. Ik geloof dat mensen zo worden als ze amfetaminen slikken, of een enorm sterke cocktail met wat ze in Zweden hålligång-snoepjes noemen, of partydrugs."

"En het fototoestel?" vraagt Stribolt terwijl hij trefwoorden in de computer tikt.

"Klein, glimmend. Niets bijzonders. Maar toen ik nog voor Ed in mijn coupé terugkwam, haalde hij een reusachtige, ouderwetse videocamera tevoorschijn en begon de passagiers te filmen. Een man ging de conducteur halen. En die vrouw die later is vermoord, kreeg er zo genoeg van dat ze voortdurend een cameralens in haar gezicht gestoken kreeg dat ze begon te huilen.

Ze verstopte zich op de wc. Er was nog een vrouw, ook een buitenlandse, die zo pissig werd dat ze de camera uit de handen van die vent probeerde te slaan. Toen we in Ed aankwamen, werd de hele trein overspoeld door een invasie van Noorse douanebeambten, die zo'n veecontrole moesten uitvoeren."

"Mond- en klauwzeer", zegt Stribolt.

"Precies. Ik hou alleen niet van dat woord – mond- en klauwzeer, het klinkt zo smerig. Er ontstond nogal wat opschudding in de trein toen de douane binnenkwam. De videofilmer kreeg een ware chaos te filmen en ging ongehinderd zijn gang. Die vrouw die geprobeerd had de camera uit zijn handen te slaan, raakte in paniek toen ze de douane zag en ging ervandoor zonder haar koffer mee te nemen."

"Interessant. Werd ze gepakt?"

"Voorzover ik zag niet."

"Leek ze op de vrouw die we Picea noemen?"

"Ze was ook donker. Maar dikker. En ze sprak Duits. Ze kon in elk geval in het Duits vloeken, want ze zei 'Scheisse' toen ze sloeg."

"En wat deed Picea tijdens de controle?"

"Toen we uit Ed wegreden, kwam ze het toilet uit. Ik heb niet gezien dat ze gecontroleerd werd, maar ze zag er ook niet uit als een vleessmokkelaar."

"Werden de passen gecontroleerd?" vraagt Stribolt.

"Het leek of ze alleen geïnteresseerd waren in de passen van stakkers die een pakje salami bij zich hadden", zegt Rønningen. "Ten slotte kwam de conducteur, en die wist een eind aan dat gefilm te maken. Maar die pestkop maakte een tekening, die hij liet zien. Iets pornoachtigs. De vrouw die jij ... Picea ... noemt, zei: '*Crazy man, dangerous man*', en vroeg of er in Halden goedkope hotels waren. Ik zei dat het Grand op het Jernbanetorg mij het best leek.

Ze zei dat ze een lange reis achter de rug had en wreef in haar ogen om te laten zien dat ze doodmoe was. Ze stak haar middelvinger op naar die filmmaniak zonder dat hij het zag, en toen zijn we allebei in Halden uitgestapt."

"Ze is in Halden uitgestapt?"

"Ja, hoewel ze een kaartje tot Oslo had."

"Weet je zeker dat ze niet weer is ingestapt?"

"Heel zeker. We staken allebei een sigaret op. Je mag immers nergens in de trein meer roken. Ik wees haar waar het Grand was. De trein is verder getuft."

"Is die fotoheld ook in Halden uitgestapt?"

"Ik geloof het niet. Ik heb er in elk geval niets van gemerkt."

"Weet je dat zeker?"

"Tamelijk zeker. Ik was immers dolblij dat we geen gedonder met die idioot meer hadden. Nee, als hij was uitgestapt had ik dat gemerkt. Vervelende dingen merken we altijd veel duidelijker op dan prettige."

Stribolt haalt nog wat koffie. Op de gang vloekt hij zachtjes: "Héb je verdorie een uitgesproken moordenaarstype, en dan stapt hij op het verkeerde station uit, of beter gezegd: hij stapt niet op hetzelfde station uit als het slachtoffer."

Terug in de verhoorkamer vraagt hij om een korte pauze, voegt de nieuwe inlichtingen toe en noteert nieuwe vragen.

"Ze is dus, onverwachts, in Halden uitgestapt. Heb je iemand gezien die haar opwachtte, of op haar af kwam?" vraagt hij.

"Nee, ik ben snel naar mijn auto gelopen, die op de parkeerplaats van het station stond. Zo'n klein klereautootje, een Fiat Ritmo, en ik had meer dan genoeg aan mijn hoofd omdat hij niet altijd wil starten in die kou."

"Startte hij?"

"Bijna", zegt Rønningen, en ze doet het geluid na van een trage startmotor aangedreven door een bevroren accu: "*Oink, oink, oink*. Ik heb het opgegeven, en toen voor veel geld een taxi genomen."

"Heb je Picea verder nog gezien, bij het station of in de buurt?"

"Nee. Ik dacht dat ze naar het Grand was gegaan. Dat is immers vlakbij, recht tegenover het stationsgebouw."

"Je had het over een andere vrouw. Die er in Ed vandoor ging en een koffer achterliet. Heeft Picea die koffer meegenomen?"

"Nee, ze had alleen haar eigen koffer bij zich."

"En de tas", zegt Stribolt. "Ik heb genoteerd dat ze een tas had. Was daar iets speciaals mee aan de hand?"

"Alleen dat die duurder en mooier was dan de rest van haar

outfit. Krokodillenleer. Het zal wel imitatieleer zijn geweest, maar het zag er tamelijk echt uit."

"Had ze die tas bij zich toen ze uit de trein stapte?"

"Ja, ik geloof van wel."

"Maar je weet het niet zeker?"

"Rare vraag", zegt Rønningen. Ze bloost lichtjes, en uiterst charmant. "Geloof je dat er bijvoorbeeld drugs in die tas zaten, en dat ze hem door moest sturen naar Oslo, waar hij opgepikt zou worden?"

"Geen idee."

"Ik weet zeker dat ze die tas bij zich had. Daar zaten haar sigaretten in, en haar woordenboek."

"Woordenboek?"

"Ja, dat heb ik vergeten te vertellen. Toen ze dat boek over Memed las, gebruikte ze een klein Engels woordenboek, een *Collins Dictionary*."

"En wat was de andere taal?"

"Russisch."

"Russisch?!"

"Is dat zo gek? Ik weet in elk geval zeker dat er cyrillische letters op het omslag stonden."

"Verdomme", zegt Stribolt.

"Heb ik iets verkeerds gezegd?" vraagt Hege Dorothy Rønningen.

"Absoluut niet. Je hebt alleen een hypothese die ik had de grond in geboord. Ik geloof dat we het hier voor vandaag maar bij laten. Ik verwacht fotomateriaal van de recherche in Oslo dat ik je wil laten zien. Kunnen we een nieuwe afspraak maken, het liefst morgenvroeg?"

Rønningen zegt dat dat in orde is. Ze heeft tot elf uur geen college. Stribolt heeft zin om te vragen of ze meegaat een biertje drinken, maar hij laat het erbij, en als ze weg is knort hij: "Lang leve de professionaliteit, dood aan de professionaliteit."

15

In de lichte lenteavond op het Scandinavische schiereiland rijden een Kawasaki-motor door de Zweedse provincie Södermanland, een Toyota Landcruiser door de bossen van de Noorse provincie Østfold en een stokoude, pasgestolen Datsun richting Aspedammen iets buiten Halden aan de Zweedse grens. De drie bestuurders van deze hoogst uiteenlopende Japanse voertuigen hebben ook hoogst uiteenlopende bedoelingen met hun rit.

Kykkelsrud, achter het stuur van de motor die hij Brontes heeft gedoopt, is op de vlucht na een moord die hij heeft gepleegd. Hem is een nieuwe toekomst voorgespiegeld in een land dat tot voor kort formeel nog deel uitmaakte van de Sovjet-Unie, maar dat er nu open bij ligt voor zowel wit, grijs als zwart kapitaal. Maar hij is er niet zeker van of de partners van de club waarvan hij deel uitmaakt nog te vertrouwen zijn. Daarom heeft hij zijn voorzorgsmaatregelen getroffen. Als de lichte avond in de bijna lichte nacht overgaat, zal hij zijn partners, Borken en Lips, in Stockholm ontmoeten. Hij volgt niet de hoofdweg door Västmanland en Uppland, zoals de meeste Noren die naar Stockholm rijden. Kykke heeft de route ten zuiden van het Mälaren-meer gekozen, en wel alleen omdat hij als motorrijder die weg het prettigst vindt.

Bård Isachsen, door zijn vrienden Board-Bård genoemd, rijdt naar Aspedammen, waar hij een opdracht heeft uit te voeren. Hij moet het leegstaande krot van zijn oom in de fik steken, zodat alle sporen na de misdaad die daar is begaan worden vernietigd. Board-Bård verkeert in de veronderstelling dat de criminele handeling die in het huis van zijn oom is gepleegd om drugssmokkel gaat, en het klopt dat het huis als drugsmagazijn werd gebruikt. Wat hij niet weet, is dat er ook een moord in is gepleegd, een die volgens de strafwet moet worden beschouwd als doodslag.

Board-Bård gaat ervan uit dat hij bij Borken een zekere populariteit geniet, nadat hij zo slim heeft gehandeld en zo'n nauwkeurig verslag heeft kunnen uitbrengen over hoe Beach Boy is gestorven. Als het huis van oom Reidar is afgebrand, zal zijn ster in de bende nog hoger rijzen. En dan krijgt hij een bundel cash, die hij hard nodig heeft nu hij de school eraan heeft gegeven en anderhalf jaar werkloos is geweest. Om de brand te kunnen aansteken heeft hij een jerrycan met vijf liter benzine bij zich. Die heeft hij meegenomen toen hij de moeder van Øystein had bezocht, om te zeggen hoezeer het hem speet dat haar zoon zich dood had gereden. Ze heeft maar een klein grasveldje voor haar huis in Tistedal en dat maait ze bijna nooit. Daarom zal ze niet merken dat de jerrycan met brandstof voor de maaimachine weg is.

Gerhard Ryland zit zelf achter het stuur van zijn Landcruiser. Die grote auto is een van de weinige luxes die hij zichzelf gunt. Naast hem zit zijn secretaris John Olsen, die bij enkele gelegenheden als Rylands vertrouweling is opgetreden. Achterin ligt mevrouw Ryland, Natasja, in foetushouding te sluimeren, met haar mantel over zich heen. Ryland is op weg naar een belangrijk zakendiner op het landgoed Bærøe. Daar zal hij de leiding van het Peterson-concern ontmoeten, en de onderhandelaars van het Finse Norpaper. Er zal beslist worden of de houtbewerkingsindustrie in Østfold nog steeds voor het merendeel in Noorse handen zal blijven. Het ergste scenario voor de onderhandelingen tijdens het diner is dat Peterson weigert zijn aandeel aan de Finnen te verkopen en liever de fusie aangaat die geldacrobaat Kingo heeft gepland, met als doel de hele santenkraam aan Canada te verkopen.

Maar Ryland heeft nog meer aan zijn hoofd. Hij piekert over zijn besluit om niet naar de politie te gaan en die chantagepoging aan te geven. Hij is nog steeds van mening dat hij het juiste doet, dat de kans dat er iets uitlekt naar de media bij de politie zo groot is dat hij die niet mag nemen.

"Hier naar links", zegt Olsen, die de kaart leest.

Vanuit Oslo hebben ze de E6 naar het zuiden gevolgd tot ze bij de kerk van Såner rijksweg 121 hebben genomen, en nu komen ze tussen Moss en Elvestad op rijksweg 120 uit.

"Nu moeten we zo'n vijf tot zes kilometer rechtdoor en dan moet er een bordje staan richting Bærøe", zegt Olsen.

Na een paar minuten doet hij zijn mond weer open: "Hier moet een ongeluk zijn gebeurd."

Hij wijst naar het afzetlint van de politie, dat in een zwakke boog langs de weg is gespannen.

"Vast iemand die de weg af is gereden", zegt Ryland. "De mensen rijden als gekken."

"En sterven als vliegen."

In Halden neemt rechercheur Arve Stribolt een kamer in het Grand Hotel. Hij heeft een klein uur nodig om de gastenboeken door te nemen en het hotelpersoneel te ondervragen. Hij komt tot de conclusie dat er op de avond van 28 januari of een van de volgende dagen geen vrouw alleen heeft ingecheckt die aan het signalement van Picea beantwoordt.

"Het gebeurt veel te weinig dat we hier dames alleen te gast hebben die nog goed ter been zijn", verzucht de receptionist.

Stribolt heeft hem op een biertje getrakteerd om iets te weten te komen over wat er 's avonds zoal in de buurt van het station van Halden gebeurt. Dat is, zoals Stribolt nu ervaart, hoegenaamd niets. De rowdy's, van wie er in Halden meer dan genoeg zijn, houden hun wedstrijdjes hardrijden niet bij het station. Als er al van openlijke straatprostitutie in de stad sprake was geweest, zouden de straten tussen het station en de binnenhaven misschien een van de pleisterplaatsen zijn geweest. Maar dergelijk verkeer komt in Halden niet voor.

"Nee, het is hier stil 's avonds", zegt de receptionist. "Doodstil."

Ze luisteren allebei naar de Haldense stilte, naar het gerammel van een leeg bierblikje dat door de opstekende wind buiten voor het hotelraam door de straat wordt geblazen.

Het waait hard in het bos in Aspedammen. De sparrenbomen bewegen als waggelende trollen in de schemering. Bård Isachsen heeft de gedeukte roesthoop waarin hij is aangekomen buiten het zicht geparkeerd van die dronkelap, de buurman van Reidar, die in een oud houten krot woont dat bijna even erg op instorten staat als dat van zijn oom. Het keukenraam van die zatlap is verlicht, maar de vent zelf is niet te zien.

De vorige keer dat Bård hier was kwam hij naar buiten, ladderzat, en begon met Øystein te kletsen, Beach Boy zelf, die in Reidars huis was geweest om naar speed te snuffelen. Øystein, die idioot, dacht dat het huis aan de Kamikazes was verhuurd.

Hij heeft nooit doorgehad dat het aan hun eigen bende was uitgeleend, aan de Seven Samurais. Toen Øystein eindelijk weer in de auto stapte, was hij chagrijnig omdat hij geen dope had gevonden, alleen een damestasje.

"Ze hebben daar vast orgiën gehad", had Øystein die keer gezegd. "Het moet er tamelijk wild aan toe zijn gegaan, want het menstruatiebloed zit aan de muren."

Øystein kreeg de opdracht het tasje weg te gooien en toen hij in de stad uitstapte, zei hij dat hij het in de Tista zou dumpen.

Misschien hebben Borken en Lips in Reidars huis iemand verkracht en willen ze de sporen, plus wat er nog aan kruimels drugs gevonden zou kunnen worden, laten verdwijnen? Het heeft geen zin daar nu aan te denken. Gewoon je werk doen en wegwezen.

Snel sprenkelt Board-Bård benzine over het houten kot van zijn oom. Hij verkreukelt een krant die hij bij zich heeft, steekt het papier aan en werpt de prop tegen de muur.

De vlammen schieten nog feller omhoog dan hij zich had voorgesteld. Board-Bård rent over een braakliggend stuk grond, valt bijna met zijn gezicht in een greppel, weet bij de auto te komen en rijdt weg. Niet terug naar Halden, waar hij vandaan komt, maar door het bos naar het gebergte Ankerfjell. Nu ja, gebergte – het zijn eigenlijk meer beboste heuvels, nauwelijks driehonderd meter hoog. Maar het is een prima gebied om een auto te verstoppen, en hij weet waar de sleutel ligt van een hut aan een meertje dat Mørte heet.

In de achteruitkijkspiegel ziet hij dat de vlammen boven het brandende huis oplaaien en dat er een heleboel vonken rondstuiven, een regen van vonken. Hij gaat een bocht om en dan ziet hij alleen nog maar donker bos.

Het huis dat op een steenworp afstand van Isachsens huis ligt, is het oude woonhuis van wat ooit een keuterboerderijtje was. In dat huis ligt Bjørn Riiser op een brits in de keuken te slapen, zoals zo vaak, op wat voor moment van de dag dan ook. Naast hem op de grond staat een fles Poolse wodka, die een kameraad van hem heeft gekocht aan boord van een van de boten die papier van de Saugbrugsforening naar Duitsland vervoeren.

Riiser wordt wakker omdat hij een brandlucht ruikt. Hij doet zijn ogen open en kijkt rond. Gelukkig kan hij nog zien. Dan zat er in elk geval geen methanol in de fles wodka, maar echte alcohol. Heeft hij vergeten zijn sigaret uit te maken en het vloerkleed weer in de fik gezet? Nee, in de keuken is geen rook te bekennen. Hij ruikt het alleen, maar die geur is wel verdomd sterk. Hij komt op de been en gluurt uit het raam.

Die hele verlaten heerlijkheid van Isachsen staat verdomme in volle vuur en vlam. De vonken van de vlammenhel schieten omhoog tot in de hemel, maar enkele ervan worden godsamme door de wind meegevoerd.

Riiser kijkt langs de muur van zijn eigen huis. Het lijkt alsof hij daar een vreemd licht ziet. Het duurt een paar seconden voordat hij begrijpt dat de muur vlam heeft gevat. Ook zijn eigen huis staat in brand. Dan moet hij naar boven, naar zijn slaapkamer om zijn portefeuille te halen, zijn hele bezit.

Het lukt hem boven te komen; hij vindt de portefeuille in zijn jasje, daar waar die hoort te zijn, en hij holt de trap weer af naar het afdakje bij de voordeur. Daar stikt hij bijna in een dikke, stinkende rook. Dat moet het teerpapier van het dak zijn, dat brandt als een fakkel.

De keuken is rookvrij. Hij doet het haakje van het raam en probeert het open te duwen. Het is jarenlang niet open geweest en zit onwrikbaar vast.

Riiser weet raad. Ook al heeft hij de laatste tien à twaalf jaar niet veel anders gedaan dan zuipen, hij is een oude zeeman die aan heel wat brandweeroefeningen heeft meegedaan. Hij wikkelt een keukenhanddoek om zijn rechterhand, herinnert zich dat hij vroeger een stevige rechtse had en geeft zo'n oplawaai tegen de ruit dat de scherven rinkelend uit de sponning vallen.

Hij drukt zich op en glijdt als een aal over het kozijn. Hij voelt een scherpe pijn in zijn maagstreek. Er hebben zeker nog wat glasscherven gestaan, die zich in zijn buik hebben geboord. Hij probeert zich op te heffen, maar heeft weinig kracht en houdt het niet. Hij voelt in zijn hele buik een pijn als van een hels vuur. Voelt met zijn hand, kijkt ernaar. Die zit vol bloed. Het golft eruit.

"Mijn god", steunt Bjørn Riiser. Het is geen roep om verlossing, want hij gelooft niet in verlossing. Het is een laatste kreet, en hij heeft een laatste hoop. Wat hij hoopt, is dat het leven uit hem wegvloeit voordat hij ten prooi valt aan de vlammen.

Op zijn kamer in het Grand zit Stribolt te werken aan de aantekeningen van de ondervraging van Rønningen en het gesprek met de receptionist. Hij hoort sirenes. Hij staat op en kijkt naar buiten. Eerst ziet hij één brandweerauto en dan nog een; ze rijden in zuidelijke richting. Dan zal er ergens langs de Iddefjord wel brand zijn uitgebroken.

Stribolt belt Vaage op haar mobiele telefoon.

Ze is nog steeds bij Vilhelm Thygesen en klinkt tamelijk aangeschoten. Stribolt brieft haar kort over de ondervraging van de uitstekende getuige Rønningen en neemt de vrijheid op te merken dat ze er niet zo flitsend uitzag als op internet.

"Thygesen vertelt net over de ondergang van de moderne man", zegt Vaage.

"Is dat interessant?"

"Ja."

"Is het bruikbaar?"

"In het geheel niet."

"Pas op voor die onverlaat", zegt Stribolt. "Ze zeggen dat hij in zijn tijd een zekere naam als vrouwengek had."

"No danger."

"Ik bedacht dat het een dom idee was om die foto van Picea te faxen. De kwaliteit wordt vast niet goed genoeg. Kun jij hem scannen en per e-mail naar onze vrienden van de politie in Halden sturen?"

"No problem."

"Morgenvroeg. Het liefst om klokslag negen."

"Yes, sir."

"We hebben een probleem, Kykke", zegt Borken. "Lips' contactpersoon hier in Zweden, die Noorse kronen in Duitse marken kon wisselen, is niet komen opdagen."

"Duitse marken voor in Tallinn", zegt Lips.

Het drietal staat op het trottoir voor het Sjöfartshotell in Stockholm, waar Kykke zijn motor heeft geparkeerd.

"Er zijn toch wel banken in Stockholm?" zegt Kykke.

"Te veel poen voor zo'n kutbank", antwoordt Lips met een glimlach die niet breder is dan een dunne streep. "Te veel risico. Daarom moeten we op pad om te wisselen met een paar lui die we hebben opgedoken."

"Ik heb een zware dag achter de rug. Ik heb een heel eind gereden", zegt Kykke. "Ik had meer aan een douche en een koud biertje gedacht. Kunnen jullie tweeën die transactie niet regelen, jongens?"

"De lui die kunnen wisselen zitten in Västerås", zegt Borken. "Het zijn een paar Joego's die daar wonen."

"Joego's?" vraagt Kykke.

"Joegoslaven", zegt Lips.

"Daar komt verdomme niks van in. Ik rijd nu niet helemaal naar fucking Västerås voor een deal met een bende stomme Joegoslaven", zegt Kykke. "Regelen jullie dat zelf maar."

"Mijn motor staat in Tallinn", antwoordt Lips.

"En ik heb de mijne in een loods bij de veerhaven gestald, omdat het hotel hier geen garage heeft en er zoveel gejat wordt in Stockholm", zegt Borken. "Je hoeft niet helemaal terug naar Västerås. We hebben met die Joego's afgesproken dat ze ons halverwege tegemoetkomen. Een plek die Bro heet. Lips springt achterop en rijdt met je mee om de weg te wijzen. Hij regelt alles met die lui. Jij hoeft je nergens druk om te maken, Kykke. Jij hebt je karwei thuis al geklaard. Nog één klus, dan zijn we klaar voor Estland."

"*Njet*", zegt Kykke. "Als we zoveel geld hebben, kan Lips wel met een taxi naar die ontmoetingsplaats."

"Je weet nooit wat voor chauffeur je krijgt", zegt Lips. "We kunnen niet hebben dat iemand zijn mond voorbijpraat."

"Die Joego's gaan ervandoor als we in een taxi komen", zegt Borken. "Echt, Kykke. Het is de enige mogelijkheid. De boot gaat morgen allejezus vroeg."

"Noors geld is niks waard in Tallinn", zegt Lips.

"Daar kun je alleen je reet nog mee afvegen", voegt Borken er met een holle lach aan toe.

Kykke maakt een wanhopig gebaar en zegt: "Oké, oké." Lips zet zijn helm op, haalt een kaart tevoorschijn en wijst Bro aan, dat aan de noordelijke oever van het Mälaren-meer ligt, aan een baai die Brofjärden heet, halverwege tussen Stockholm en Enköping. Hij stopt de kaart in zijn leren jasje en gaat met een aktetas op zijn schoot achter op Brontes zitten.

"*Let's kick the ballistics*", zegt Kykke.

16

Kykke ziet een bord waar BRO op staat, krijgt een klap op zijn rechterschouder en slaat rechtsaf van de snelweg tussen Stockholm en Enköping. Hij rijdt door een tunnel onder de snelweg door en mindert vaart door het plaatsje Bro. Krijgt een klap op zijn linkerschouder en slaat af, een smalle landweg op die tussen landerijen en bebossing met loofbomen door voert. Passeert een kerkje dat wit oplicht in de nacht, die verrassend donker is geworden. Naar het bord langs de weg te oordelen moet het de kerk van Låssa zijn.

De weg voert een steile heuvel af naar een geasfalteerde open plek op een landtong bij een inham van het Mälaren-meer. Daarvandaan loopt er alleen een pad naar de oever, waarschijnlijk naar een strandje of een steiger. Er is geen zichtbare bebouwing. Bij de plek staat een bord VERBODEN VUIL TE STORTEN. Iemand moet dat verbod getrotseerd hebben, want in de greppel ligt een oud elektrisch fornuis. Het ligt met de bovenkant naar voren gekanteld.

De zwarte kookplaten, twee grote naast elkaar en een kleinere eronder, doen aan de ogen en de mond van een doodsmasker denken.

Kykke huivert als hij het ziet. Kan een fornuis dat in een Zweedse greppel is gedumpt de dood aankondigen? Hij gelooft niet zo in voortekens. Maar hij voelt dat hij gelijk heeft gehad met zijn vermoeden dat goede vrienden bittere vijanden kunnen worden. Als hij Socrates was geweest, hadden zijn vrienden nu de gifbeker voor hem klaarstaan.

Lips stapt af en loopt een rondje. Kykke blijft met draaiende motor en brandende koplamp op Brontes zitten. Hij zet zijn helm af. Meteen zoemen de muggen op hem af. De plek is bijna helemaal omgeven door struikgewas. Dat houdt de vochtigheid in de lucht vast onder een hemel die nu bewolkt is.

Kykke rolt een shagje en steekt het aan om de muggen op afstand te houden, en zijn hersenen op scherp. Hij doet het licht en de motor uit.

"Stom muggenhol dat die Joego's hebben uitgekozen", zegt

Lips, die na zijn rondje terugkomt naar de motor. Ook hij heeft een sigaret opgestoken. Het gloeiende uiteinde ziet er in het donker uit als de punt van een laserstraal.

"Jij bent hier al eens eerder geweest", zegt Kykke. "Anders had je het nooit zo snel gevonden."

Lips knikt. Zijn hoofd zweeft boven zijn lichaam als een lamp van rijstpapier.

"Ik ken deze plek, ja. Zoals je weet, Kykke, hebben we volgens het *need to know*-principe gewerkt. Daarom wist jij niet wie ons die waar geleverd had waar we onze poen mee verdiend hebben. Ik vertel je niet te veel als ik zeg dat dat die Joego's zijn en dat we deze plek gebruikt hebben voor de overdracht."

Kykke luistert naar het gekabbel van de golven van het Mälaren, naar het verre gesuis van het verkeer op de snelweg, naar het geritsel in het struikgewas, veroorzaakt door de wind, of misschien door een klein dier.

"Hoelang moeten we hier wachten?" vraagt hij.

"Ze komen", zegt Lips. "Ze hebben een langere weg af te leggen dan wij."

Een geluid als een gedempte trompetstoot doet Lips zich met een ruk omdraaien. Er klinken nog meer stoten, vanaf het meer.

"Roerdomp", zegt Kykke.

"Wat?"

"Dat is een roerdomp. Een vogel. Een waadvogel. Leeft in het riet. Komt in Noorwegen bijna nooit voor, maar op een dag landde er een in het vennetje bij mijn huisje in Finnskogen. Daar ken ik hem van."

"O", antwoordt Lips, en hij trapt met onnodig veel misbaar zijn sigaret uit.

"Daar komt een auto."

Een grote witte bestelwagen rolt de heuvel af naar de geasfalteerde open plek.

"Een Volkswagen-busje", zegt Lips. "Dat zijn onze mensen."

Zodra hij beneden is aangekomen, blijft de auto staan, dertig meter van Brontes verwijderd, met de voorkant naar de motor toe en het grote licht aan.

"Hebben ze nog nooit van dimmen gehoord?" mompelt Kykke.

"Blijf jij hier", zegt Lips. "Dan ga ik naar ze toe om de zaak te regelen."

Kykke stapt af en gaat zo staan dat de motor zich tussen hem en Lips in bevindt.

Lips loopt langzaam. Hij heeft nog maar zeven of acht passen gedaan als hij blijft staan. Kykke hoort het geklik als Lips de aktetas openmaakt. Kykke sjort zijn gereedschapskist tussen de snelbinders vandaan. Lips gooit de koffer weg en draait zich om met een blaffer in zijn handen.

Kykke duikt achter Brontes neer. Er klinkt een schot. Lood treft harder metaal. De afgeketste kogel spint door de lucht.

"Wegwezen, Lips!" brult Kykke. "Ik heb handgranaten die op scherp staan."

Nog een schot, dat in iets zachts slaat. Het moet een van de boomstammetjes in het struikgewas zijn.

"Ik gooi een granaat!"

"Je bluft."

"En jou lukt het niet eens om een stalmuur te raken."

Kykke weet de granaat te pakken. In dekking achter de motorfiets gehurkt heft hij het ding met zijn rechterhand op, zodat het te zien is.

Lips schiet vóor de derde keer. Het klinkt alsof het schot in de loze lucht terechtkomt, waar de roerdomp nu waarschijnlijk wegvliegt, ver weg van de strijd tussen die tweebenigen, vleugellozen.

"Ik haal de veiligheidspin eruit!" roept Kykke.

Het is een heel gefriemel voor trillende handen, en de pin blijft in katoenen draden vastzitten, maar het lukt hem de pin eruit te trekken. Door de spaken van het voorwiel ziet hij dat Lips zich omdraait, dat Lips het op een lopen zet.

Kykke herinnert zich niet tot hoever je moet tellen voordat je een granaat weggooit. Het is verscheidene levens geleden dat hij in het leger zat. Hij telt tot drie en mikt op een punt tussen Lips en de auto, waar Lips op af holt, hoort hoe de granaat het asfalt raakt en rolt van de motor weg voor het geval een hete granaatsplinter de tank raakt.

Er gebeurt niets.

Dan een enorme lichtflits, gevolgd door een scherpe, maar niet oorverdovende knal, het gieren van de talloze granaatsscherven, een rochelende roep. Stilte. Kykke blijft doodstil liggen, plat op zijn buik. Achter hem in het struikgewas heeft een of ander schepsel het op een lopen gezet, springt tussen de droge takken door. Voor hem klinkt iets wat lijkt op het driftige gesis van een slang. Hij begrijpt wat het is: een scherf moet een band hebben geraakt. Hij hoopt dat het niet een van de banden van Brontes is.

De lichten van de auto komen dichterbij. Ze hangen scheef. Een van de voorbanden van de Volkswagen moet lek zijn.

Kykke rolt een stukje verder weg, weg van de open plek, de greppel in waar het fornuis ligt en brandt zich aan de brandnetels. De auto rijdt in een bocht achteruit. Hij ziet dat hij een aanhanger heeft en dat er STATOIL op de zijkant staat. Het is een huurauto. De Joegoslavische maffia rijdt niet met huurauto's rond. Het schurende geluid van metaal op asfalt. De stalen velgen drukken het rubber tot moes.

"Je zult niet ver komen, Borken", fluistert Kykke. Hij slikt de smaak van bloed weg. "Je was mijn beste vriend." Hij probeert de rode gekte te stoppen die in zijn hersenen opflakkert en via zijn ogen probeert te ontsnappen, zodat er een enorme druk op zijn oogbollen ontstaat. Hij doet zijn ogen dicht en ziet op beide netvliezen een brandende monnik. De monniken zitten in lotushouding en laten zich verbranden. Daar kan geen levende ziel naar kijken, dus doet Kykke zijn ogen weer open.

De auto helt over, slingert naar de steile helling, begint ertegenop te rijden. Nu zijn alleen de achterlichten te zien. Kykke kruipt op zijn buik de greppel uit, tijgert op handen en voeten langs Brontes naar een donkere gedaante, die verloren midden op de open plek ligt. Er ligt bloed, een grote plas bloed. In die plas ligt het pistool.

Kykke rent weer terug, start Brontes. Het ruikt niet naar benzine, de tank moet nog heel zijn. Hij pakt het pistool bij de kolf vast en steekt het achter zijn riem. Rijdt zonder haast de heuvel op. Ziet langs de weg de witte wagen met de aanhanger rijden, die naar één kant overhelt. Het ruikt naar verbrand rubber en metaal.

Kykke rijdt tot hij tien meter achter de auto is, die nu bijna geen vaart meer heeft. Kykke stopt, plant zijn voeten stevig op de grond, heft het pistool op, met beide handen, zoals hij op de film heeft gezien, en richt op de achterruit – en haalt over. Het schot verpulvert de ruit, maar de auto slingert door.

Kykke rijdt verder tot hij nog dichterbij is, blijft staan en richt opnieuw. Links in het gat waar de achterruit was. Haalt de haan over. Wordt verblind door de vlam uit de monding van de loop. De auto stopt zo plotseling dat de aanhanger er bijna tegenop rijdt.

Zittend op de motor wacht hij af. De auto moet in de versnelling staan, anders was hij achteruit op hem af gekomen. Het schot galmt nog na in zijn oren. De kruitdamp bijt in zijn neus. Hij ademt zwaar, als een walvis op het droge; het scheelt niet veel of hij hyperventileert. Hij trekt Brontes op de standaard. Sluipt met zijn pistool in de aanslag langs de linkerkant van de wagen. Als Lips een vuurwapen had, kan Borken er ook een hebben. Van Borken kun je verwachten dat hij net doet alsof hij gewond is, of dood, leep als hij is.

Leep als hij wás.

Borken hangt over het stuur met een gapende schotwond in zijn nek.

Kykke haalt diep adem, buigt zich door het raam en draait het contactsleuteltje om. Het licht van de schijnwerpers dooft. Geen geluid te horen langs de verlaten landweg. De jongens hebben een goede liquidatieplaats gekozen, dat moet gezegd. Dat ze hem onderschat hebben, hebben ze aan zichzelf te danken. Niets nieuws onder de zon. Hij haalt nog een keer diep adem en haalt Borkens portefeuille uit de zak van zijn jasje. De dode moet de levende maar sponsoren op zijn verdere reis. Op het dashboard ligt Borkens lievelingsmes, een Rambo-mes met een legergroen heft. Kykke pakt het. Dat kan goed van pas komen als hij dwergberkjes moet kappen op de hoogvlakte.

Kykke rijdt een snel rondje over de geasfalteerde plek om zijn helm op te pakken en stuift er dan vandoor. Hij rijdt op zijn gemak door Bro, ontdekt een weggetje richting Sigtuna, stopt ergens waar de weg via een brug een rivier oversteekt, loopt naar beneden naar de oever, smijt het pistool in het water, wast het bloed van zijn handen. Wast zijn gezicht. Steekt de portefeuille in zijn zak.

En nu? Nu wacht Lapland.

In een tijdschrift heeft hij iets gelezen over een kluizenaar die goud zoekt op de Finnmarksvidda, in de rivier de Anarjokka. Er is vast nog wel plaats voor nóg een kluizenaar daar in de meest verlaten wildernis van Noorwegen.

Gerhard Ryland maakt aanstalten om het diner op het landgoed Bærøe te verlaten, volgegeten en dronken van de edele cognac, maar zonder iets te hebben kunnen doen. Zowel de Finnen als Peterson spelen een hard partijtje poker en houden hun kaarten dicht tegen de borst. Hij vraagt de chauffeur van de taxi die hij heeft besteld om hem naar Haslum te brengen.

De chauffeur uit Moss weet niet waar Haslum ligt. Dat wordt hem uitgelegd, en hij knort tevreden over zo'n lange rit.

"Hebt u genoeg geld of een geldige creditcard bij u?" vraagt de chauffeur.

"Geld is het enige waarvan ik voldoende heb", antwoordt Ryland.

Dat kan Vanja Vaage niet beweren als ze Thygesen verlaat en met de taxi naar huis gaat. Ze heeft al haar kleingeld geteld en hoopt dat 235 kronen haar op die late vrijdagavond naar Hellerud brengen.

Ze heeft Thygesens relaas aangehoord. Een voordracht die 'Van bijna-marxist tot volslagen misantroop' had kunnen heten. Je zou zijn verhaal kunnen beschouwen als losse stukjes van de puzzel die de Picea-zaak lijkt te zijn. Maar die stukjes moeten nu maar als losse elementen in haar onderbewustzijn rondzweven. Ze is te moe om na te denken en valt op de achterbank in slaap.

Bij het Mørte-meer in het Ankerfjell staat Bård Isachsen voor de spiegel in de slaapalkoof van een huisje waarin hij zijn intrek heeft genomen. Hij heeft een kaars aangestoken om zijn gezicht te kunnen zien. Zodra hij is binnengekomen, heeft hij zijn toevlucht gezocht onder alles wat hij aan dekbedden kon vinden, met een brandende zaklantaarn om zijn angst voor het donker te verdrijven. Hij is wakker geworden van een vreselijke nachtmerrie, en toen waren de batterijen van de zaklantaarn leeg. Hij heeft van wurmen gedroomd. Witte wurmen, zoals die onder de schors van oude bomen zitten. Ze kropen over zijn gezicht en aten ervan.

Nu hij wakker is, is zijn gezicht nog helemaal gaaf. "Mooi en regelmatig", zoals een meisje het eens noemde, "maar wel een beetje nietszeggend." Misschien zou hij zijn haar moeten laten groeien. Kortgeknipt lijkt zijn hoofd op een bal, een wollige tennisbal. Het is niet zijn schuld dat hij er zo verdomd *gewoon* uitziet; dat is de schuld van zijn ouders, die hem de genen hebben meegegeven die hij heeft. Maar het talent om op een snowboard te staan hebben zij hem niet gegeven. Dat heeft hij zelf ontwikkeld, door hard te trainen. Je krijgt geen genen om een snowboard-artiest te worden van een vader die zwoegt en ploetert en ploegendiensten draait, en van een moeder die in een schoenenwinkel werkt.

Een talent, het enige wat je op de wereld hebt, moet stiekem worden getraind en op straat of in de halfpipe worden getoond. *Show off, man!* Ze móést hem wel bewonderen, daar in het Hemsedal, toen hij haar op de zwarte piste stuivend verliet, datzelfde meisje dat zei dat hij eruitzag als een watje. Want dat bedoelde ze waarschijnlijk: dat hij een watje was. Een grote nul, zoals oom Reidar altijd zegt.

Reidar heeft plenty poen en sjans bij de vrouwen. Die poen heeft hij niet met werken verdiend, maar met de smokkel van alcohol en met gokken. Nu leeft hij als God in Frankrijk op Lanzarote en doet niets anders dan eten, drinken en eenzame vrouwen oogsten die een georganiseerde vliegreis maken.

Gewillige dames. Had hij hier maar een vrouw gehad, in deze eenzaamheid, in deze duisternis. Al was het maar een vrouw op papier.

Bård loopt met een flakkerende kaars naar de kamer. Er staat een tafel voor de open haard, waarop tijdschriften liggen. Alleen maar gewone weekbladen en reclamefolders, maar in een van die folders staan dames die ondergoed showen. Eentje in een tangaslipje moet maar dienst doen.

Show her, man.

17

Een grote motorfiets stopt in Borlänge in de Zweedse landstreek Dalarna bij een benzinestation dat dag en nacht geopend is. De man die afstapt, is net zo imposant als de motor. In het neonlicht bij de pompen onderzoekt hij de inhoud van een volgepropte portefeuille. Het grootste gedeelte van de bankbiljetten bestaat uit Duitse marken, meer dan vijfduizend. Bovendien is er 1800 kronen aan Zweeds geld. Hij vindt ook een rijbewijs van het type dat Borken in Drammen op de kop heeft getikt, die keer toen er een overvloed aan rijbewijzen uit Drammen in omloop was. Het ding staat op naam van ene Henrik Lindberg. De foto toont een gezette, baardloze kerel van zijn eigen leeftijd. Als hij bij een controle wordt aangehouden, kan hij zeggen dat hij Lindberg heet en dat hij zijn baard heeft laten staan nadat de foto voor zijn rijbewijs was genomen.

Hij gaat het benzinestation binnen en koopt een pakje pleisters, een kaart van Zweden, een kleine zaklantaarn, een stalen thermoskan, die hij met koffie laat vullen, een paar flesjes Ramlösa en een enorme sandwich met leverpastei. Ze hebben shag van het Noorse merk Petterøes, dus koopt hij vijf pakjes met vloei.

Op het toilet wast hij zich lang en grondig. Hij voelt zich eerder leeg dan moe, maar zijn oogleden zakken omlaag. Hij heeft zijn knie opengehaald toen hij over de grond rolde op die plaats des doods aan de oever van het Mälaren. Hij wast de wond en doet er een pleister op. Bovendien heeft hij een spier in zijn rug verrekt, wat verduveld pijn doet. Dat dwingt hem ertoe veel te ver naar voren te leunen tijdens het rijden.

Hij gaat aan de rand van het terrein op een bank zitten, schrokt de sandwich naar binnen en bestudeert de kaart in het licht van de zaklantaarn. De streken die voor hem liggen op zijn weg naar het noorden zijn hem niet onbekend. Er is nauwelijks een stuk weg in Midden-Zweden dat hij niet al eens heeft gereden.

Hoe noordelijker hij komt, hoe eenzamer het land wordt. Hij heeft altijd al van deze Zweedse wildernis gehouden. Kilometer na kilometer ongerepte bossen. Misschien zal het vacuüm in zijn ziel door het rijden worden gevuld, zoals lange ritten door Zweden hem altijd hebben gelouterd.

Terje Kykkelsrud haalt zijn eigen rijbewijs uit zijn geslonken portefeuille, snijdt het plastic kaartje met Borkens mes in stukjes en stampt die bij de bank in de aarde. De plastic map waarin hij het verzekeringsbewijs van Brontes bewaart, ondergaat dezelfde behandeling. Zijn lege portefeuille slingert hij in de bosjes.

Zijn route noordwaarts plant hij langs het Silja-meer, richting Mora en Orsa. Vanaf Orsa voert de weg 125 kilometer lang door bos en nog eens bos, tot Sveg. Daar komt hij door een streek die Orsa Finnmark heet en waar nog steeds Finse namen te vinden zijn, in tegenstelling tot zijn eigen Finnskogen in Noorwegen: Noppikoski en Våssinjärvi. Hij kent net genoeg Fins om te weten dat *koski* 'waterval' betekent en *järvi* 'meer'. Er zijn ook Zweedse namen te vinden in Orsa Finnmark. Helvetsfallet, of de Helsval, heet een ravijn waar de Nordland-spoorlijn doorheen loopt, op de kaart aangegeven met een lijn zo dun als een schaamhaar. Op een slechte dag, of in een in alle opzichten zwarte nacht, zou je op het idee kunnen komen daar van de weg af te razen om een eind te maken aan dit leven en een nieuw binnen te stappen. Helvetsfallet.

Een plaatsje ten oosten van rijksweg 45 heet Rosentorp. Daar zou je je in je volgende leven als keuterboertje kunnen vestigen, met of zonder rozenknop. Jacht en visserij, en mocht er een vrouw in beeld komen, een schare kinderen grootbrengen. Maar de weg van Rosentorp naar Helvetsfallet is niet lang.

"*I never promised you a rose garden*", neuriet Terje Kykkelsrud.

Een man die in vredestijd in de loop van één dag drie mensen heeft omgebracht, kan nauwelijks op een rozentuin hopen.

Uit de zijtas haalt hij het Zweedse nummerbord tevoorschijn van de Ninja die hij voor Beach Boy had gestolen. Hij schroeft het Noorse bordje eraf en zet het Zweedse ervoor in de plaats. Het Noorse slingert hij dezelfde kant op als zijn portefeuille, en hij voelt een steek in zijn ziel. Het bord heeft Brontes altijd begeleid, vanaf dat hij de motor vijftien jaar geleden kocht.

Als hij onderweg wordt aangehouden door smerissen, zal hij uitleggen dat hij de motor van een Zweedse vriend heeft geleend. Misschien geloven ze hem.

Hij doet de oordopjes in, rijdt Borlänge uit en luistert naar de cd op de diskman van Beach Boy. Die merkwaardige Laurie Anderson zingt de hele weg naar Leksand voor hem. Mooi is het niet, maar misschien is het waar:

Did you think this was the way
Your world would end?
Hombres. Sailors. Comrades.

There is no pure land now.

Wanneer is de waarheid ooit mooi geweest, denkt Terje Kykkelsrud, terwijl hij terugschakelt en langzaam door Rättvik rijdt. De lichten van het stadje worden in het Silja-meer weerspiegeld. Het is een mooi gezicht, maar even later liggen die lichtjes achter hem en dan bestaan ze niet meer voor hem.

Voorbij Orsa, op de weg die rechtstreeks door het uitgestrekte bos noordwaarts voert, geeft hij vol gas. Hij draait het liedje van Anderson nog een keer en laat Brontes trekken voor wat hij waard is om wakker te blijven. Vanwege de pijn in zijn rug ligt hij vlak op zijn motor, zodat zijn kin bijna op de koplamp hangt. Langs zo'n eenzame landweg hoef je niet zo op te letten.

And we stand here on the pier
Watching you drown.
Love among the sailors.
Love among the sailors.

There is a hot wind blowing
Plague drifts across the oceans.
And if this is the work of an angry god
I want to look into his angry face.
There is no pure land now. No safe place.
Come with us into the mountains.
Hombres. Sailors. Comrades.

O, kilometerslange eenzaamheid.

Nog even, dan verschijnt er links een meer. Dat heet Fågelsjön, het Vogelmeer. Zelf vliegt hij ook als een vogel door de nacht. Snelheid is het enige wat hij heeft. Snelheid is zijn enige eigenschap.

Een stuk voor zich uit ziet hij een rood licht. Kan dat een seinpaal zijn op het punt waar de Nordland-spoorlijn de rijksweg kruist?

Nee, het licht is te klein en zit te laag om een seinbord van de spoorwegen te kunnen zijn.

Het moet het rode achterlicht van een geparkeerde trailer zijn.

Gewoon erlangs vegen.

Het is een eenogige bandiet.

Een vrachtwagen met hout. De houtlast is zo hoog als een huis.

Het gevaarte heeft maar één rood oog, als een broederlijke cycloop langs de weg.

Kykke probeert Brontes opzij te sturen, maar heeft te laat gereageerd.

De motor hangt helemaal scheef en verdwijnt onder hem. Hij wordt zijwaarts tegen de boomstammen geslingerd.

Het is zaterdagochtend 12 mei. In een klein huis in Tistedal zit Maybritt Strand en probeert een slok koffie naar binnen te werken. Hij wil niet zakken. Ze haalt een flesje met drie sterren uit de keukenkast en giet een scheut cognac in haar kopje. Dat helpt. Ze is de hele nacht wakker geweest, heeft in haar leunstoel in de kamer gezeten, zonder ergens naar te kijken. Haar ogen zijn rood doorlopen als de ogen van een zeebaars die uit de diepte van de zee wordt opgehaald.

De hele nacht heeft ze zich verre weten te houden van dat verleidelijke doosje rohypnol. In korte tijd, bijna een oogwenk, heeft ze zowel haar ex-man als haar zoon verloren. Wil ze die crisis doorstaan, dan moet ze proberen nuchter te blijven, in elk geval vrij van pillen.

Boven ligt haar zus te slapen. Die is helemaal uit Dokka gekomen om haar te troosten en te helpen en zo. En zo christelijk als ze is, toch had ze een fles zelfgestookte brandewijn bij zich. Het spul smaakte afschuwelijk, maar het was een met zorg uitgekozen geschenk, een mooi gebaar.

Om zes uur zet Maybritt Strand de radio aan en ze luistert naar het nieuws op radio Østfold. Bij een brand in een oud huis in Aspedammen is een negenenzestigjarige man omgekomen. De brand was ontstaan in een naburig huis. Door de sterke wind vlogen vonken naar het huis waarin de man zich ophield, en vatte dat ook vlam. De politie van Halden vermoedt dat het vuur is aangestoken.

Door de cognac op een lege maag voelt Maybritt Strand zich duizelig. Ze leunt achterover in haar stoel en valt direct in slaap.

Anderhalf uur later wordt Stribolt volgens afspraak gewekt. Hij begint al in de ontbijtzaal van het Grand te werken. Met zijn mobiele telefoon belt hij de Noorse spoorwegen om te weten te komen wie de conducteur was in de avondtrein naar Oslo op 28 januari. Na veel heen-en-weergebel komt hij erachter dat het personeel in de trein Zweeds was. Hij belt het Centraal Station in Göteborg, en ook daar wordt hij verschillende malen doorverbonden voordat hij een verstandig mens vindt die kan antwoorden. Het treinpersoneel tijdens de reis in kwestie bestond uit drie personen die Hernandez, Njutånger en Ställberg heten. Het kost Stribolt enige overtuigingskracht voordat hij hun privénummers krijgt.

Hij belt hen niet in alfabetische volgorde. Om de een of andere reden rekent hij erop dat Hernandez hoogstwaarschijnlijk niet thuis is.

Njutånger is een vrouw met een uiterst aangename stem, naar het berichtje op haar antwoordapparaat te oordelen.

"Helena Njutånger", fluistert Stribolt, en hij neemt een slok van zijn koffie, die helemaal zo slecht niet is voor een hotel. "Wat een naam. Die verenigt zowel schoonheid en genot als de wroeging van een spijtoptant in zich."

Ställberg is aan het werk, licht een mannelijke persoon met een ochtendhumeur hem in. Een zoon, of misschien een mannelijke partner.

Hernandez antwoordt direct op zijn mobiele nummer. Hij heeft harde muziek op staan en legt de telefoon weg om die zachter te zetten. Hij is opgetogen dat hij uit Noorwegen wordt gebeld en vraagt of de vertegenwoordiger van de Noorse politie kan horen wat hij draait.

Stribolt weet en houdt net zo weinig van muziek als de vroegere nationale voetbaltrainer Egil Drillo Olsen. Hij moet passen.

Hernandez reageert licht geschokt en vertelt hem dan dat het muziekstuk Edvard Griegs vioolsonate in G-dur is. Hij moet ver uit het zuiden van Zweden komen, want hij spreekt een dialect uit Skåne dat er niet om liegt.

Nadat hem de situatie in de trein op de laatste zondag van januari is verklaard, herinnert Hernandez zich de jongeman die zijn medepassagiers lastigviel door ze te fotograferen en te filmen.

"Mijn belangrijkste vraag is of hij helemaal is meegereden tot Oslo", zegt Stribolt.

Dat weet Hernandez heel zeker. Want bij aankomst op het Centraal Station van Oslo bleek de jonge reisgenote van de man bewusteloos te zijn. Er moest een ambulance worden gebeld. Voorzover Hernandez had gezien, wisten de mensen van de ambulance de vrouw weer tot leven te wekken.

"Hartelijk bedankt", zegt Stribolt, ook al is de informatie die hij heeft gekregen niet echt waardevol.

Hij gaat op weg naar het politiebureau en komt daar klokslag negen uur aan. De normale Haldense rust heeft plaatsgemaakt voor een aanzienlijke activiteit. De politie van Halden heeft een zaak op te helderen die op brandstichting wijst. Een oudere man, een gepensioneerde zeeman, is omgekomen bij een brand in een huis in Aspedammen. De brand is ontstaan in een buurhuis dat leegstond, en is overgeslagen op het woonhuis van die arme stakker. Ze vonden hem hangend in een raam, waardoor hij naar buiten had geprobeerd te komen, volkomen verkoold.

Geen e-mail van Vaage met de foto van Picea. Stribolt overweegt of hij het hoofdkwartier zal bellen, maar hij besluit tot halftien te wachten, als hij een nieuwe afspraak met Hege Dorothy Rønningen heeft. Hij vraagt naar Gunvald Larsson, om te checken of de motor waarop Øystein Strand zich dood heeft gereden technisch is onderzocht.

Larsson is op pad, echter niet in Moss, maar in Oslo. Stribolt bereikt hem op zijn mobiele telefoon.

"Zou jij niet naar Moss gaan om een motorfiets te onderzoeken, Larsson?"

"Daar hebben we Lein op af gestuurd. Ik heb een schaduwopdracht. De helft bij jullie op de tactische afdeling is immers ziek na al die inspanningen om die Orderud-sok te vinden."

"Waar ben je?"

"Ik zit in een loodgieterswagen bij de kruising van de Bestumvei en de Skogvei en hoop de idioot die Vilhelm Thygesen heeft bedreigd bij zijn kladden te grijpen."

"Wie heeft je dat bevolen?"

"Vaage, met instemming van de hoogste baas."

"Waarschijnlijk zouden we dit gesprek over de politieradio moeten voeren. Maar ik ben in Halden en ik heb inlichtingen die jij nu direct nodig hebt", zegt Stribolt.

Hij geeft Larsson het signalement van de pestkop uit de trein.

"Is hij gewelddadig?" vraagt Larsson. "Gewapend?"

"Uit zijn optreden in de trein blijkt dat hij doet waar hij zin in heeft en geen grenzen kent ten opzichte van andere mensen. Zulke types hebben de neiging agressief te worden als ze op weerstand stuiten. Denk eraan dat je maar een klein ventje bent, Larsson, zonder veel ervaring met arrestaties."

"Ik ben een terriër", antwoordt Larsson.

"Oké, maar je bent verdomme geen pitbull", zegt Stribolt. "Over en uit."

Maybritt Strand wordt door haar zus gewekt en ze vertelt haar direct over de brand in Aspedammen. Haar zus, Gretelill, was van streek geraakt door al dat lawaai van de sirenes vrijdagavond. Gretelill beeldt zich in dat Halden een levensgevaarlijke stad is, die elk moment in de lucht kan vliegen en waar voortdurend moordenaars om de huizen sluipen. Die gedachte is gebaseerd op de wandaden van de gruwelijke driedubbele moordenaar in Tistedal in het begin van de jaren negentig, en op haar gezeur dat er een atoomreactor midden in de stad staat.

"Wat een aardige jongen was dat die gisteren kwam condoleren", zegt Gretelill. "Hij deed me een beetje aan mijn eigen Kjelleman denken."

"Bård? Board-Bård? Dat is een rotzak."

"Je zou niet zo over andere mensen moeten praten."

"Het is een verwend sujet dat nog nooit een poot heeft uitgestoken. Een verwaande artiest."

"Foei", zegt haar zus Gretelill. "Als hij zo'n doetje is, waarom heb je hem dan die jerrycan benzine geleend?"

"Ik heb hem helemaal geen jerrycan benzine geleend. Heb ik dan een jerrycan?"

"Die groene. Voor de maaimachine."

"O ja. Wat is daarmee?"

"Daar is hij mee weggewandeld. Je weet: jonge jongens zijn niet te houden als het om benzine gaat, voor hun brommer en zo."

"Is Bård Isachsen er met mijn jerrycan vandoor gegaan? Is dát wat je probeert me te vertellen? En er is brand gesticht in Aspedammen! Goeie hemel. Ik moet de politie bellen."

"Ben je vergeten dat je telefoon is afgesloten en dat je beltegoed op is?"

"Verdomme, zou ik bijna zeggen. Dan moet ik op de fiets naar de kiosk."

"Je hebt gedronken, Maybritt, ik ruik het aan je adem."

"Leen me dan alsjeblieft geld voor een taxi."

Om kwart over negen belt de technicus van de recherche, Lein, Stribolt op zijn mobiele telefoon.

"Er was aan de remmen van de Ninja geknoeid", zegt Lein. "Daarvan zijn én de mensen van de technische dienst hier in Moss én ik honderd procent zeker. Degene die die remmen losgekoppeld heeft, heeft trouwens eersteklas werk geleverd. De jongen die op die motor reed, had geen schijn van kans."

Stribolt bedenkt dat Øystein Strand die juist wel had, maar hij zegt niets.

Ze bespreken het veiligstellen van vingerafdrukken op de motor.

Vaage belt om te zeggen dat de foto van Picea zal worden gestuurd; ze hebben alleen een probleem met de scanner dat eerst moet worden opgelost. Ook zij heeft het laatste nieuws uit Moss gehoord.

"We hebben het hier bij Informatie kort besproken", zegt Vaage. "Volgens mij hebben we genoeg materiaal om een opsporingsbericht voor Terje Kykkelsrud uit te laten gaan. Nationaal én via Interpol."

"Ga je gang", antwoordt Stribolt.

18

Om vijf voor halftien krijgt de dienstdoende commandant van het politiebureau van Halden de foto van Picea per e-mail binnen. Hij waarschuwt de rechercheur uit Oslo, die bij hen in het gebouw rondloopt.

De foto van de levende Picea maakt zo'n indruk op Stribolt dat hij erbij moet gaan zitten.

Zo zag ze er dus uit. Levend mooier, natuurlijk, dan diepgevroren en dood in de tuin van Thygesen, of gekoeld in het lijkenhuis.

Waarom moest deze vrouw sterven door toedoen van een messentrekker? Wat bracht haar naar Halden, waar al haar sporen als levend wezen eindigen?

Vanuit Rusland naar deze Noorse provincie, als ze tenminste echt Russisch was.

Hij heeft een soort theorie over de reden waarom ze werd vermoord. Maar belangrijker dan alle theorie is nu de praktijk.

Op de foto is vaag de bovenkant te zien van een tasje van krokodillenleer, dat Picea op haar schoot houdt.

Om halftien komt getuige Rønningen. Ze ziet nog bleker dan tijdens de eerste ondervraging. Stribolt brengt haar naar de verhoorkamer. Hij schuift een afdruk van de foto over de tafel.

"Ja, dat is die vrouw, uit de trein", zegt Rønningen. "Wat naar dat het zo met haar is afgelopen."

"Op die foto komen we nog terug", zegt Stribolt met de strengste stem die hij in zijn repertoire heeft. "Ik wil nu direct ter zake komen met een andere vraag. Het gaat om haar tas en wat jij daar eigenlijk van weet."

"Er is brand geweest in Aspedammen", zegt Rønningen, en ze bijt op haar lip. Ze heeft die bruinachtige lippenstift vandaag niet op. Stribolt vindt dat de natuurlijke kleur van haar mond haar beter staat, maar strikt genomen ziet ze er niet geweldig uit.

"Ja", zegt Stribolt, terwijl hij afwachtend achteroverleunt in zijn bureaustoel.

"Ik voel me niet zo lekker. Ik heb geloof ik een beetje koorts. Ik moet even mijn jasje uitdoen", zegt Rønningen. Ze draagt een heel gewoon spijkerjasje zonder speciale kenmerken. Ze trekt het uit en hangt het over de rugleuning. Onder het jasje draagt ze een T-shirt met de afbeelding van een sleepboot en een tekst in het Duits: SCHLEPPER – KEIN MENSCH IST ILLEGAL. Het motief en de tekst op het T-shirt interesseren Stribolt zo hevig dat Rønningen zijn blik merkt.

"Dat T-shirt heb ik in Hamburg gekregen", zegt ze. "Daar waren we op een studiereisje met school. De hogeschool dus. Ik heb het gekregen van een politiek geëngageerde kerel in een café. Ik moest het drie keer wassen voor het schoon was. Het slaat op mensen die vluchtelingen illegaal naar Duitsland brengen."

"Ben je geïnteresseerd in het vluchtelingenvraagstuk? Asielzoekers?"

"Een beetje, fatsoenshalve. Misschien iets meer dan de meeste andere studenten. Ik kan me goed voorstellen dat ik bij Amnesty of zoiets zou gaan, maar ik heb geen tijd. Mijn studie neemt me helemaal in beslag."

"Voorzover ik het begrijp – ik ben geen kei in Duits – zegt die tekst dat niemand illegaal is. Dat moet betekenen dat degenen die dat T-shirt hebben gefabriceerd vinden dat illegale vluchtelingen eigenlijk niet illegaal zijn."

"In principe wel, ja", antwoordt Rønningen aarzelend.

"Zou jij je kunnen indenken dat je een illegale vluchteling Noorwegen zou binnensmokkelen?"

Rønningen zet haar ronde bril af, ademt op de glazen en veegt ze met een zakdoek schoon, zet de bril weer op haar neus en kijkt Stribolt streng aan.

"Waarom vraag je dat? Word ik verdacht van mensensmokkel?" "Welnee", antwoordt Stribolt, en hij biedt haar een sigaret aan.

Gelukkig was hij niet vergeten in de kiosk van het station een pakje te kopen. "Het was een idee. Vergeet het maar."

"Ik heb een heleboel T-shirtjes met allerlei teksten", zegt Rønningen terwijl ze sigaret en vuur aanneemt. "Ik spaar ze. Als ik er een draag, wil dat niet per se zeggen dat ik vierkant achter de boodschap sta."

"Snap ik, snap ik. Als iedereen die een T-shirtje met Che Guevara droeg ook werkelijk een revolutionair was, zou de wereldrevolutie om de hoek staan."

"Ik heb er bijvoorbeeld een waar GOLFERS DOEN HET MET HUN STICK op staat, maar ik ben geen aanhanger van golf, en ook niet van mensen die hun stick te hoog dragen."

Rønningen bloost lichtjes. Stribolt heeft het gevoel dat hij hetzelfde doet.

"Dan geloof ik dat we het thema vluchtelingen en T-shirtjes hebben afgehandeld", zegt hij, terwijl hij iets op zijn blocnote schrijft. Hij heeft ervoor gekozen geen pc te gebruiken om de verhoorsituatie minder formeel te houden. "Je had het over een brand?"

Rønningen hoest en blaast een rookwolk uit.

"Het is niet mijn bedoeling iets voor de politie verborgen te houden", zegt ze. "Aan de andere kant sta ik voor een moreel dilemma. In hoeverre ben je eigenlijk verplicht te getuigen? Daar heb ik de halve nacht over na liggen denken. Ik heb alles gezegd wat ik over die vrouw in de trein weet. Dat vond ik mijn plicht. Hoe noem je dat? Burgerplicht. Maar wat kan en hoor ik nog meer te vertellen, zonder mensen die erbuiten staan in de zaak te betrekken, of vrienden in de problemen te brengen?"

"Je hebt niet alleen een plicht", zegt Stribolt. "Je hebt ook een recht – nee, twee rechten. In de eerste plaats het recht om te zwijgen. In de tweede plaats het recht om jezelf te ontlasten van alles wat je belast."

"Sorry, maar dat klinkt tamelijk slijmerig en quasi-filosofisch."

Rønningen vraagt of ze de gordijnen dicht mag doen. De zon schijnt in haar gezicht. Stribolt knikt en ze staat op.

Hij tikt op een paar toetsen van zijn pc om het programma op te roepen. Op geheimzinnige wijze flikkert het beeld van Karel XII's doorboorde schedel op het scherm op en het lukt hem niet een kleine, verschrikte kreet te onderdrukken.

Rønningen, die bij het raam staat, kijkt naar het scherm.

"Getverderrie, wat een akelig doodshoofd", barst ze uit.

"Bewijsmateriaal in een andere zaak waaraan ik werk", zegt Stribolt, en hij klikt de Zweedse koning weg en vraagt Rønningen over de brand te vertellen wat ze op haar hart heeft.

"Dat huis dat is afgebrand was een spookhuis. Het lege huis

bedoel ik, dat als eerste moet hebben gebrand. In de stad deden geruchten de ronde dat een jongensbende daar wilde party's hield, met onbeperkte hoeveelheden drank en drugs. Ik geloof dat dat sterk overdreven was – van die dingen die jongens zeggen om op te scheppen. Omdat ik in rollerskates doe, ken ik er een paar van die club ..."

"Ga door, Dotti", zegt Stribolt, blozend.

"Voor een vrouw in mijn positie", zegt Rønningen met een flauwe glimlach, de eerste tijdens deze sessie, "zijn de meeste van die jongens snotneuzen, die ver beneden mijn waardigheid zijn. Maar handel is handel, en ik probeer ze goedkope rollerskates aan te smeren die ik zelf importeer."

"Uit Letland", ontglipt het Stribolt.

"Hoe weet je dat?"

"Daar kunnen we eventueel op terugkomen."

"Een van de jongens die ik met dat huis in Aspedammen in verband breng – ik wil geen naam noemen, in elk geval voorlopig niet – kwam langs. In het huis waar ik op kamers woon. Nou ja, hij kwam niet voor mij, maar voor een ander meisje dat daar woont en dat hij kent. Wij, zij en ik zaten samen een cuba libre te drinken. Hij kwam binnenstormen en liet iets zien wat ik al eens eerder had gezien."

"En wat was dat?"

"Een tas. Een damestas. Begrijp je?"

"Niet helemaal", zegt Stribolt.

"Ik weet honderd procent zeker dat het de tas was van die vrouw uit de trein. Die jij Picea noemde."

"Dat zou een inlichting kunnen zijn die van vitaal belang is. Zei de persoon in kwestie waar hij die tas vandaan had?"

"Hij zei dat hij hem in een afvalbak op het station had gevonden. Dat leek me klinkklare nonsens, volkomen gelogen. Want dat vertelde hij pas nadat ik had gezegd dat ik nog kortgeleden een soortgelijke tas had gezien bij een vrouw in de trein. En toen zei ik dat hij moest oppassen dat hij niet voor een tasjesdief werd aangezien."

"Hoe reageerde hij daarop?"

"Hij grijnsde alleen maar, echt stom en schaapachtig, en toen ging hij ervandoor."

Stribolt besluit om een vlieger op te laten: "Had die jongen een naam die met een Ø begint?"
Rønningen reageert niet.
"Een bijnaam die met B begint?"
Ze doet haar mond open, doet hem weer dicht, doet hem open en zegt: "Nu zet je me onder druk, en dat vind ik eigenlijk niet acceptabel."
"Sorry", zegt Stribolt, "maar ik leid nu eenmaal een onderzoek in een moordzaak."
"Kunnen we even pauzeren en kan ik een kop koffie krijgen?"
"Nee."
Stribolt doet zijn aktetas open en haalt er een stapel papieren uit. Hij bladert er een tijdje in en vindt wat hij zoekt, namelijk een notitie van het politiebureau in Våler. "Als die jongen Øystein Strand was, alias Beach Boy of Banzai Boy, kun je hem rustig aangeven."
"Waarom?"
"Omdat hij dood is", zegt Stribolt.
"Nou moet je ophouden."
"Hij is écht dood."
"Als je bluft, vind ik dat absoluut onaanvaardbaar."
Stribolt licht haar in over het lot van Øystein Strand.
"We vermoeden dat het moord was", zegt hij ten slotte. "Met voorbedachten rade."
"Mijn god, wie zou hem nou willen vermoorden? Het was nog maar een jochie. Een vreemde snoeshaan weliswaar, maar toch."
"Wie we verdenken, kan ik nu niet zeggen", zegt Stribolt, "maar we zijn intussen wel zover dat jij Øystein Strand kende."
"Kende en kende. 'Wist wie hij was' is juister. Halden is nu eenmaal een rotgat. Iedereen kent iedereen. Als je naar een popconcert bent geweest, word je de dag daarop door de halve stad gegroet."
"Ik kom tot de conclusie dat Øystein Strand degene was die jou die tas liet zien."
Rønningen knikt.
"Je dacht dat hij loog toen hij zei dat hij die in een afvalbak van de Noorse spoorwegen had gevonden. Had je enig idee waar en hoe hij aan die tas kan zijn gekomen?"

"Eigenlijk niet. Maar Anita wel."
"Anita?"
"Dat meisje met wie ik een borrel aan het drinken was toen hij kwam."
"Ik moet haar volledige naam hebben."
"Is dat echt nodig?"
"Absoluut."
"Anita Jæger Johannesen."
"Is zij ook een studente?"
"Geweest, van de winter. Ze heeft meer fantasie dan ik en verzon een wild verhaal over seksslavernij in dat verlaten huis in het bos. Zij heeft die jongen, Øystein Strand dus, uitgelaten toen hij wegging. Hij had al eens eerder geprobeerd met haar aan te pappen, maar ze was niet zo geïnteresseerd. Toen ze weer boven kwam, vertelde ze dat ze buiten een andere kerel in een auto had gezien, waarvan ze zeker wist dat het niet de zijne was. Een jongen die op de een of andere manier iets met dat huis in Aspedammen te maken had. Vraag me niet wie het was, want ik heb geen idee. Ik vertelde Anita over die vrouw in de trein. Anita begon te fantaseren dat ze misschien was gekidnapt en als seksslavin in dat verlaten huis werd vastgehouden. Die heeft niks anders dan seks in d'r kop, en ik vraag me af hoe het met haar zal gaan in Aiya Napa. De dag daarna ..."
"Stop maar even. Ik moet dit opschrijven. Koffie?"
Stribolt haalt fluitend koffie uit het apparaat op de gang. Dat moet Haldens antwoord op Sarepta's kruik zijn, want hij is ogenschijnlijk altijd vol.
Er staan twee geüniformeerde agenten voor hem in de rij. Ze vertellen dat er een verdachte is van de brand van die dag. Stribolt vraagt of het om iemand uit de buurt gaat en krijgt ten antwoord dat de verdachte een jongeman uit Halden is en dat verwacht wordt dat hij binnenkort zal worden gearresteerd.
"Laat het me weten zodra jullie hem hebben", zegt Stribolt.
Rønningen verklaart dat ze, nogal tegen haar zin, de dag na het voorval met de tas met haar vriendin Anita naar het huis in Aspedammen is gereden.
"Het was klaarlichte dag, maar die plek maakte een duistere indruk. Het huis zat gelukkig op slot, dus we konden er niet in.

Het leek trouwens alsof er was ingebroken, want de deurpost was helemaal versplinterd. Anita vond een stuk hout en rende rond, terwijl ze op de muren en het kelderluik sloeg en luisterde of ze klopsignalen hoorde. We konden door het keukenraam naar binnen kijken, en wat we daar zagen was om te kotsen."

"O?"

"Die stomme jongensbende had een enorme chaos in de keuken achtergelaten. We zeiden tegen elkaar dat ze zeker een oorlog met ketchup hadden uitgevochten, want de muren zaten er vol mee. Of misschien was het wel van die paintball-verf."

Stribolt verkiest het deze uitspraak verder niet van commentaar te voorzien.

"Toen we wilden weggaan, kwam er zo'n loensend oud zwijn ... Hé", zegt Rønningen, "dat moet trouwens die ongelukkige kerel zijn geweest die vannacht verbrand is, want hij kwam uit dat krot ernaast. Hij vroeg Anita en mij of we mee wilden doen aan een Bermuda-driehoek. Ik zei dat de Bermuda-driehoek een rampgebied was en Anita zei dat híj eruitzag als een wandelend rampgebied enzovoort. We waren misschien een beetje grof tegen hem. Hij zei dat we moesten oppassen, want volgens hem was er een vrouw vermoord in het huis waar we rondsnuffelden. Een zigeunervrouw, brabbelde hij, veel mooier dan wij. Dan Anita en ik dus. Wij namen ons gat onder de arm – sorry voor die uitdrukking – en maakten dat we wegkwamen. Een week later kreeg Anita het aanbod om als reisleidster naar Cyprus te gaan en stopte ze met haar studie. Ik dacht niet meer aan het hele gebeuren tot ik die foto van Picea zag en contact met jullie opnam."

Stribolt laat de getuige Hege Dorothy Rønningen gaan.

"Jouw getuigenis is van groot belang", zegt hij. "Dankzij jou heeft de zaak een gunstige wending genomen. Waarschijnlijk moet ik je nog eens spreken als we wat meer weten."

"Ik heb het gevoel dat ik onder druk ben gezet", zegt Rønningen op weg naar buiten.

"Dat klopt niet. Hé, je hebt je jasje vergeten."

Stribolt helpt haar als een gentleman in haar spijkerjack. Hij ruikt de geur van vrouw, maar die wordt overvleugeld door die van het spoor dat hij heeft in een moordzaak waar vanaf begin februari tot half maart geen schot in zat.

“Waar kun je hier in de stad goed lunchen?” vraagt hij.
“Als je van pasta houdt: er is een nieuwe tent die nogal populair is bij studenten. Hij heet 25-Septemberplass en ligt in de Repslagergate. Je gaat de brug over de Tista over, dan volg je de Storgate en daar neem je de derde zijstraat links.”

Vilhelm Thygesen heeft een walkietalkie van Gunvald Larsson gekregen. Die minkukel van de recherche probeerde hem opdracht te geven binnen te blijven ‘terwijl ik in mijn spionagewagen op mijn buit wacht’, zoals Larsson zei.

Dit bevel weigerde Thygesen op te volgen. Hij verklaarde Larsson dat hij een belangrijke taak had buiten, dat het om leven en dood ging.

Toen Larsson hoorde dat het het leven van een paar dennenbomen betrof, schoot hij in een bulderende lach. Thygesen probeerde de man tot het inzicht te brengen dat bomen misschien belangrijker zijn voor de toekomst van de aarde dan het mensengebroed, en gaf hem een lesje over de dodelijke schimmelaanval op de dennen van Bestum en in de rest van Oost-Noorwegen tijdens de winter. Hij zette de aluminium ladder tegen een door de schimmel aangetaste den en gaf te kennen dat hij naar boven wilde.

Aangezien hij bedacht dat de top van een boom een goed uitkijkpunt was, liet Larsson hem begaan. Hij gaf een beknopte samenvatting van het nieuws van de vorige dag aan het verhoorfront in Halden. Thygesen vermoedde dat de technicus zijn boekje ietwat te buiten ging toen hij over de pestkop in de trein vertelde, maar hij was blij met de informatie die hij kreeg.

Een walkietalkie is een onding als je boven op een ladder moet werken die tegen het ronde, gladde bovenstuk van de stam van een dennenboom staat. Het is Thygesen gelukt het apparaat aan zijn riem te bevestigen. Hij op zijn beurt heeft Larsson ook een bevel gegeven, en dat is dat de man van de recherche niet onnodig mag beginnen te kletsen.

Larsson heeft z’n kop gehouden en de radiostilte niet verbroken, terwijl Thygesen in het zweet zijns aanschijns twee takken met bruine naalden van de aangetaste grote den bij het hek heeft gekapt. Hij heeft nog twee takken te gaan. De ene zit zo hoog dat hij er met een zaag met een extra lange greep maar net bij kan. De andere zit in een lastige hoek aan de andere kant van de boom.

In de loop van de nacht is het gaan waaien. Doordat de wind de boomtoppen in beweging bracht, ontdekte Thygesen dat die duivelse schimmel ook takken van een van zijn grote bomen bruin had gekleurd. De wind neemt toe en de hele boom begint heen en weer te zwaaien. Thygesen omarmt de stam alsof het het lichaam van een vrouw is.

De walkietalkie laat een krassend geluid horen. Thygesen gaat twee treden naar beneden voor hij antwoordt.

"Is dit onze man?" vraagt Larsson.

"Ik zie niemand."

"Bij een poort iets verderop in de straat. Hij staat in een brievenbus te rommelen."

"Dat is verdorie mijn buurman, Svendsby. Laat hem met rust, hij is volkomen ongevaarlijk."

"Oké."

Larsson heeft postgevat in een auto van een loodgietersbedrijf, dat naar zijn zeggen van zijn zwager is. Daar zit hij waarschijnlijk stand-by met de grootste waterpomptang in de aanslag.

Stribolt haalt de 25-Septemberplass niet. Een blonde, broodmagere agent die volgens zijn naamplaatje Håkenby heet, houdt hem op weg naar buiten tegen.

"De verdachte van de brand in Aspedammen is gepakt en zit in verhoor", meldt Håkenby, niet zonder een zekere trots.

"Goh, dat was snel."

"Hij heeft het ons nogal gemakkelijk gemaakt. Kwam aangefietst naar het huis van zijn ouders. In de Kjærlighetssti, het Liefdespad. Vraag me niet waarom er in Halden een straat is die zo heet."

"Wat heeft hij gezegd?"

"Hij probeert zich hard op te stellen en te zwijgen, en hij heeft gedreigd ons aan te klagen, omdat hij een goedkoop ticket heeft naar Ibiza dat in de loop van vandaag ongeldig wordt."

"Zijn identiteit?" vraagt Stribolt.

"Hij heet Bård Isachsen, drieëntwintig jaar oud. Werkloze

schoolverlater. Staat in het plaatselijke milieu bekend als een bekwaam snowboarder. Bij ons als een kleine ploert van het laagste allooi. Heeft een paar keer voorwaardelijk en een aantal boetes. Jatten van auto's, openbare dronkenschap, bezit van hasj. Het oude liedje. We vermoeden trouwens dat die fiets waar hij op zat gestolen is. Dat soort jongens fietst normaal gesproken niet op een dure terreinfiets."

"Bewijzen die een voorlopige hechtenis rechtvaardigen?"

"We hebben een goede getuigenverklaring wat betreft de diefstal van een jerrycan met benzine, die hij naar het schijnt heeft gebruikt om de brand aan te steken, plus de jerrycan zelf, die we op de plaats delict hebben gevonden. Het probleem is dat het plastic gedeeltelijk in de vlammen gesmolten is. Maar dat hoeven we hem niet te vertellen. We kunnen zeggen dat we het ding op vingerafdrukken onderzoeken, en dat klopt in principe ook, al verwachten we niet iets te vinden."

"Weet hij dat er iemand bij de brand is omgekomen?"

"Hoogstwaarschijnlijk niet. Hij zegt dat hij een alibi heeft. Dat hij de avond en de nacht met een vrouw in een huisje in de bergen heeft doorgebracht en dat hij vanmorgen vroeg van dat huisje aan het Mørte-meer direct naar de stad is gefietst. We nemen aan dat hij ervandoor is gegaan en zich in het bos heeft schuilgehouden nadat hij het zaakje in de fik had gestoken."

"Wat is volgens jullie het motief voor die brandstichting?"

"Zover zijn we nog niet. We dachten dat we konden profiteren van het feit dat jij hier bent van de recherche om hem aan het praten te krijgen. Dat je meedoet aan het verhoor. Dan ben ik die aardige vent hier uit de stad en jij de gevaarlijke vreemdeling die de strenge wetten kent."

"Graag", antwoordt Stribolt. "Waar is hij?"

"Hier, bij mij."

Håkenby doet de deur van zijn kantoor open. Daar zitten een jonge agente en een jongen in een grijs joggingpak. De jongen heeft de capuchon van het jack over zijn hoofd getrokken. Zijn ogen zijn zo blauw als bosbessen en ze ontmoeten Stribolts onderzoekende blik zonder weg te kijken.

"Je kunt gaan, Rita", zegt Håkenby.

De agente verlaat het vertrek.

Stribolt pakt de stoel waarop zij zat en zet die zo ver mogelijk bij de jongen vandaan tegen de muur.

Hij geeft er de voorkeur aan te blijven staan, zet zijn aktetas op de stoel, zo geopend dat de stapel papieren zichtbaar is.

"Dit is inspecteur Stribolt van de recherche in Oslo", zegt Håkenby. "Hij is hier vanwege jou. Dus nu begrijp je misschien de ernst van de zaak."

De jongen likt met zijn tong langs zijn lippen, maar slaat zijn blik niet neer.

"We hebben dus een zeer betrouwbare getuige, die verteld heeft dat jij bent gezien toen je een jerrycan benzine uit een schuurtje in Tistedal stal", zegt Håkenby. "Groen plastic, Zweeds fabrikaat. Precies zo'n jerrycan hebben we bij de plaats delict in Aspedammen gevonden. Vind je dat niet opvallend?"

Bård Isachsen antwoordt niet.

"Goed. De getuige is Maybritt Strand, moeder van de overleden Øystein Strand. Hij was een vriend van je, nietwaar?"

"Ik heb hem gekend."

"Mevrouw Strand heeft ons verteld dat ze het bij nader inzien vreemd vindt dat je haar kwam condoleren met de dood van haar zoon, bij een tragisch motorongeluk, vóórdat de politie de naam openbaar had gemaakt. Commentaar?"

"Ik had het gehoord."

"Van wie?"

"Weet ik niet meer. In de stad. Als een van de jongens op die manier de pijp uit gaat, is dat binnen de kortste keren in heel Halden bekend."

Stribolt geeft met uitgestrekte hand een onderbreking in het verhoor aan. Hij schrijft lang en zorgvuldig. Omdat het interessante informatie is, én omdat hij de jonge Isachsen wil laten zweten.

Håkenby gaat verder: "Je wilt niet zeggen met wie je zogenaamd in dat huisje verbleef en wie jou eventueel een alibi kan verschaffen. Geef mij eens een reden voor dat geheimzinnige gedoe."

"Ze woont samen met een ander, die haar zelfs met een kind heeft opgescheept", zegt Isachsen, en hij doet plotseling zijn capuchon af. "Er zijn sporen van mij in dat huisje. Mijn zaad is

overal verspreid, jullie kunnen een DNA-test uitvoeren als je wilt."
Stribolt kucht en stelt Håkenby een vraag: "Hoe heet die man die is omgekomen ook alweer?"
"Riiser. Bjørn Riiser."
"Zegt die naam je iets, Isachsen?" vraagt Stribolt.
De jongen schudt zijn hoofd.
"Waarom heb je hem dan vermoord?"
"Ik heb verdomme niemand vermoord!"
"Kalm aan", zegt Håkenby. "En ga weer netjes zitten; anders moeten we hier met handboeien aan de gang. Om je geheugen op te frissen: Riiser is de man die in het huis naast dat van je oom woonde. Toen je het huis van je oom aanstak, sloeg de brand over naar dat van Riiser. Hij is omgekomen, en het was niet echt een mooi lijk."
"Daar weet ik niets van", zegt Isachsen, en hij probeert zich groot te houden. Hij is ontzettend bleek geworden.
Stribolt loopt naar de boekenplank in het kantoor en trekt het Noorse wetboek eruit. Hij bladert tot hij bij de strafwet is en zegt op plechtige toon: "De kwestie is, Isachsen, dat je een veroordeling voor brandstichting met dodelijke afloop riskeert, paragraaf 148. 'Hij die brand veroorzaakt' enzovoort. De laagste strafmaat als er iemand bij een aangestoken brand omkomt ligt op vijf jaar. Maar als een brand gesticht is om een ander, ernstig misdrijf te verbergen, hebben we het volgens de wet over de strengst mogelijke straf. Helaas koesteren wij de verdenking dat juist dat jouw bedoeling was: een brand veroorzaken om de sporen uit te wissen van een ander misdrijf dat in dat huis was gepleegd. Persoonlijk denk ik dat dat misdrijf een moord was. In dat geval ziet het er niet best voor je uit, jongen."
"Ik wil een advocaat", zegt Isachsen.
"Hij wil een advocaat", zegt Stribolt tegen Håkenby. "Ik vind eigenlijk dat we hem dat moeten afraden."
"Een advocaat zou op dit moment de zaak alleen maar verslechteren voor je", zegt Håkenby. "Ik geloof dat Stribolt iets achter de hand heeft wat voor jou gunstiger is."
"Precies", zegt Stribolt. "Als je bereid bent om samen te werken, kunnen we de aanklacht misschien wat modificeren en paragraaf 151 betreffende onachtzaamheid toepassen. Dan komt de

straf slechts neer op 'boetes of gevangenisstraf tot drie jaar'. Voorwaarde is dat je je kaarten op tafel legt."

"Ik heb die brand gesticht omdat oom Reidar het verzekeringsgeld wilde opstrijken", zegt Isachsen. "Het was niet de bedoeling nog een huis aan te steken. Maar al die rotzooi daar brandt als een fakkel."

Stribolt gooit een balletje op: "De verzekering oplichten klinkt plausibel. Een voorwaarde is echter dat het betreffende huis verzekerd ís. Aangezien wij bij de recherche het meeste checken, hebben we natuurlijk ook contact met de verzekeringsmaatschappijen opgenomen. Je oom had dat oude krot nergens verzekerd. Je had net zo goed een midzomernachtvuur kunnen aansteken om het verzekeringsgeld op te strijken."

"Hij heeft wél een verzekering", zegt Isachsen. "Het huis was veel te hoog verzekerd, en hij had het er altijd over dat de bliksem er zou moeten inslaan."

"Goed, goed", zegt Stribolt. "Toch zou ik graag een ander spoor volgen. Ken jij een motorclub die zichzelf Seven Samurais noemt?"

"Ja, wel eens van gehoord. Maar die zitten niet hier. Ze zitten in de bossen bij Moss."

"Ik zal je een lijst voorleggen met drie namen van leiders van die Samurai-club. Wij bij de recherche hebben er alle begrip voor dat mensen hun kameraden niet willen verlinken. Daarom hoef je geen kik te geven. Ik wil alleen dat je even knikt als een naam je bekend voorkomt."

Håkenby moet zich afwenden om met zijn gezichtsuitdrukking de gemene streek die nu aan de gang is niet te verraden.

"Terje Kykkelsrud, Kykke genoemd", leest Stribolt voor.

Isachsen knikt.

"Richard Lipinski."

Geen reactie.

"Hij wordt Lips genoemd."

Er volgt een knikje.

"Leif André Borkenhagen."

Bård Isachsen knikt zo diep dat zijn voorhoofd bijna het tafelblad voor hem raakt. Hij heft zijn hoofd niet meer op. Er druppelt vocht op het blad.

"Jullie weten verdomme toch alles al", zegt Isachsen met verstikte stem.
"We moeten alleen nog een aantal details invullen", zegt Stribolt. "Ik moet weten wie van de drie jou de opdracht tot de brand heeft gegeven: Kykkelsrud, Lipinski of Borkenhagen?"
"Borken, het was Borken."
"Weet je waar hij zich op het ogenblik bevindt?"
"Hij zou naar een van die landen aan de Oostzee gaan."
"Hoe communiceerden jullie?"
"Met onze mobiele telefoons, natuurlijk."
"Was je ervan op de hoogte dat je de sporen van een moord moest uitwissen?" vraagt Stribolt.
"Ik heb niemand vermoord!"
"Niemand beweert dat jij die vrouw in kwestie hebt vermoord."
"Wat voor vrouw? Ik heb nog nooit van een vermoorde vrouw gehoord. Borken mocht het huis van oom Reidar van me lenen als depot voor zijn smokkelwaar."
"Wat voor smokkelwaar?"
"Alcohol en sigaretten."
"Het komt jouw zaak niet ten goede als je weer begint te liegen. Ik denk dat we het op narcotica houden. Amfetaminen? Cocaïne?"
"Ik weet alleen maar dat het om dope ging."
"Dan kun je noteren, Håkenby, dat we een voorlopige bekentenis hebben en dat we het verhoor onderbreken voor een pauze", zegt Stribolt.

19

Triomfantelijk loopt Stribolt terug naar het kantoor dat hij als het zijne beschouwt, om Vaage te bellen.

"We hebben een getuigenverklaring waardoor we behalve Kykkelsrud nog een paar kerels kunnen vastnagelen. Je kunt met een gerust hart Leif André Borkenhagen laten opsporen, en als je toch bezig bent, pik Richard Lipinski dan ook mee."

"Sorry", zegt Vaage, "maar dat heeft geen zin meer."

"Geen zin meer?"

"Die broeders verkeren niet meer onder ons, Arve."

"Vanja, praat niet in raadselen als de een of andere waarzegster."

"De Zweedse politie heeft zojuist contact met ons opgenomen omdat twee personen, die geïdentificeerd zijn als de Noorse staatsburgers Borkenhagen en Lipinski, in Zweden dood zijn aangetroffen. Om precies te zijn in het kerkdorp Låssa in de provincie Stockholm."

"Dat kerkdorp kan me gestolen worden. Hóé zijn ze gestorven?"

"Onze grote buurman meent dat ze zijn geliquideerd. Het lijkt op een afrekening van een bende. Lipinski is omgebracht met een bom of een granaat, Borkenhagen met een nekschot."

"O, godsamme."

"Ja, dat kun je wel stellen."

"Wanneer is het gebeurd?"

"Hoogstwaarschijnlijk vannacht. We krijgen nauwkeuriger gegevens van de Zweden als ze klaar zijn met het gerechtelijk-geneeskundig onderzoek."

"Hebben ze een spoor?"

"Ze zijn net met het onderzoek begonnen. Onze twee Samurais zijn op een afgelegen plek aan het Mälaren-meer gevonden. Er zijn geen getuigen die ook maar iets hebben gezien of gehoord, in elk geval nog niet. De lijken zijn gevonden door een ornitholoog. Een vogelaar."

"Sturen we mensen ter ondersteuning?" vraagt Stribolt.

"Voorlopig niet. De Zweden hebben meer ervaring met bendemoorden dan wij."

"En Kykkelsrud?"

"De opsporing heeft nog geen resultaten opgeleverd. Op zich is het mogelijk dat ook hij is omgebracht, maar nog niet is gevonden. Misschien ligt hij op de bodem van het Mälaren."

"Wil je weten wat ik in alle bescheidenheid in Halden heb ontdekt?"

"Kom op."

Stribolt vertelt haar alles over Rønningens getuigenverklaring, over de brand in Aspedammen, de arrestatie van Bård Isachsen en het verband tussen hem, Øystein Strand en de drie leiders van de MC-club.

"Wat levert dat ons op?" vraagt Vaage.

"Ik heb de volgende hypothese in elkaar geknutseld: wat Picea betreft, ik geloof dat zij het slachtoffer is geworden van een tragische persoonsverwisseling. Rønningen vertelde dat een donkerharige vrouw in paniek raakte en in Ed aan de Zweedse kant uit de trein is gevlucht. Die paniek werd veroorzaakt doordat een heel regiment van de Noorse douane de trein in kwam voor een mond- en klauwzeercontrole. Laten we aannemen dat deze vrouw, die er in Ed vandoor ging, een drugskoerier was. Dat ze in Halden een ontmoeting met een bende zou hebben, maar nooit zover kwam omdat ze er in paniek vandoor ging zonder die lui te waarschuwen. Picea is in Halden uitgestapt omdat die idioot, die waarschijnlijk een foto van haar heeft genomen en nu Thygesen bedreigt, haar lastigviel. Misschien verliet ze de trein in Halden ook omdat ze doodmoe was na een lange reis, hoewel ze een kaartje tot Oslo had. Of misschien gewoon omdat ze in een provinciestadje een goedkoper hotel dacht te kunnen vinden dan in het stinkdure Oslo."

"Niet slecht tot zover."

"Picea stapt dus in Halden uit. Daar staat een duister ontvangstcomité, bestaande uit een of meer van de Seven Samurais. Die denken dat zij de koerier is op wie ze wachten. Donkere, buitenlandse vrouw, toch? Het is donker op het station. In het donker zijn alle katjes grauw. Die klojo's – want ik denk dat het er meer dan een moeten zijn geweest – duwen haar in de auto die ze daar hebben staan. Ze protesteert en verzet zich, misschien met geweld. Uit de beschrijving van Rønningen weten we dat Picea een temperamentvolle dame was, die zich de kaas niet van het brood liet eten. De Samurais begrijpen niet wat er met die vrouw aan de hand is en waarom ze zo tegenwerkt. Waarschijnlijk binden ze haar vast en rijden naar dat afgelegen huis in Aspedammen, dat ze sowieso als uitvalsbasis gebruiken. Daar visiteren ze haar, op een uiterst brutale manier, vermoed ik. Ze vinden niet wat ze zoeken, namelijk amfetaminen in zakjes op haar lichaam geplakt. Ik ben er voor negenennegentig procent van overtuigd dat Picea géén koerier was. Wat zíj op haar lijf had geplakt moet iets anders geweest zijn – misschien reisdocumenten, zoals we al eens eerder hebben geopperd. De Samurais worden razend, omdat ze noodgedwongen geloven dat ze belazerd zijn. Die razernij reageren ze op Picea af. Ze steken haar dood. Het moet een vreselijke scène zijn geweest, want ik weet nu dat de hele keuken vol bloed zat. Die moord kan een soort ritueel karakter hebben gehad, of misschien dachten die schoften dat ze die zakjes met stuff had ingeslikt en begonnen ze haar daarom open te snijden, maar begrepen ze al snel dat het geen zin had."

"Het zit me dwars dat we nog steeds niet weten wie ze is."

"Mij ook", verzucht Stribolt. "Er is een aanwijzing dat ze Russin was, maar dat is het enige wat ik heb. Ook de rol van Øystein Strand in het geheel begrijp ik nog niet zo goed, al vond hij naar alle waarschijnlijkheid haar tas."

"Is Strand niet een klassiek voorbeeld van iemand die te veel wist, of die in de gevangenis te luid heeft gezongen?"

"Ik denk dat er meer achter zit, dat er ergens in deze zaak een *missing link* is."

"Degene die Thygesen bedreigt?"

"Eerlijk gezegd, Vanja: ik geloof dat dát een zijspoor is. Maar ik ben vergeten te vragen of Larsson beet heeft gehad."

"Larsson zit in die loodgieterswagen van zijn zwager rond te gluren, terwijl Thygesen in zijn bomen klimt op jacht naar schimmels."

"Schimmels? In bomen? In deze tijd van het jaar?"

Vaage legt uit wat er met Thygesen aan de hand is: dat hij aan een acute schimmelangst lijdt, die volgens haar aan paranoia grenst.

Gerhard Ryland heeft datgene gevonden waarnaar hij zocht en wat hij vreesde te vinden. In Natasja's chaotische fotoarchief bevindt zich een foto, een niet helemaal scherpe kleurenfoto, waarop twee vrouwen staan afgebeeld met de armen om elkaars schouders geslagen. Een van hen is zijn echtgenote. De andere lijkt erg op de tekening van die vermoorde vrouw uit de krant. Op de achtergrond zijn vaag droogkappen te zien, zoals die in kapsalons worden gebruikt.

Zijn vermoeden dat de vreemde vrouw tot het personeel van die kapsalon in het Holywell Hotel in Athene behoorde bleek dus juist.

Ryland draait de foto om. Het is Natasja's gewoonte om de talloze foto's die ze neemt of laat nemen van tekst te voorzien. Deze is daarop geen uitzondering. De tekst is met potlood geschreven, in het schuine schoonschrift dat ze gebruikt als ze Noors schrijft: 'Katka (Orestovna Grossu) en Natasja (Blagodarjova Ryland), Athene, kerstvakantie 2000, Holywell Hotel. Aardig meisje, slecht permanent. We hebben samen Russisch gesproken. Haar lievelingsboek is *1814* van Solsjenitsjin.'

Katka is een gebruikelijke Russische verkorting van Jekaterina. Dit soort Russische verkortingen zijn in het Westen gewone meisjesnamen geworden. Katja is gebruikelijker dan Katka. Katinka, van Katarina; Tanja, afgeleid van Tatjana. Zo heeft dat grote Rusland toch een zekere invloed op een verder veramerikaniseerde westerse wereld.

"Maar Grossu?" zegt Ryland, en hij steekt zijn huispijp op, een kromme die kleiner is dan Stalin. Grossu lijkt hem eerder een naam uit een Romaanse taal. Roemeens? Hij heeft iets bekends. Kan een Grossu voor de val van Ceauçescu een van de beulen in Roemenië geweest zijn?

Ryland staat op uit zijn stoel thuis in zijn werkkamer en loopt naar de boekenplank, waar de jaarboeken van de *Encyclopedia Britannica* staan. Hij kijkt de registers van de uitgaven uit 1988 en 1989 door. Vindt geen Grossu. Maar in die van 1990, waarin de gebeurtenissen van het jaar 1989 behandeld worden, duikt hij op: een heer, of beter gezegd een 'kameraad' met de naam Semyon Grossu. Het was nog wel een vooraanstaand politicus. Alleen niet in Roemenië, maar in Moldavië, zoals het gebied heet dat vroeger een sovjetrepubliek was.

Het jaarboek van de *Britannica* schrijft: '*On November 10 the republic's Ministry of the Interior was attacked and set ablaze. Over 2,000 MVD troops were flown in, and calm was restored after the hard-line party leader, Semyon Grossu, was dismissed.*'

Tegenwoordig is de officiële naam van het land Moldova. Het is zelfstandig geworden, maar de vroegere graanschuur en de grote wijnkelder van de voormalige Sovjet-Unie is in de grootste armoede verzonken. Moldavië is het armste land van Europa geworden en exporteert nauwelijks meer dan prostituees.

Was zíj er daar een van?

Misschien was die kapsalon in het Holywell alleen maar een dekmantel voor prostitutie, zoals dat heet.

Katka Grossu. Jekaterina Orestovna Grossu.

Ryland bedenkt ineens dat hij mogelijk de enige in Noorwegen is – ja, op de hele wereld als het erop aankomt – die weet wie deze persoon is, in die zin dat hij een naam kan verbinden aan haar foto en dat hij weet hoe het haar in Noorwegen is vergaan. Ook Natasja kent die naam natuurlijk, maar wat haar betreft is er een sluier van vergetelheid over de ontmoeting met die Katka getrokken.

Het is mogelijk dat de Noorse politie, die een foto van haar in de krant heeft laten publiceren, niet weet wie ze is: Katka Grossu. Dus moet hij het aangeven. Dat kan anoniem gebeuren. Hij kan opbellen en zeggen: "Ik ben Mister X. Ik weet dat die vrouw die dood in de tuin van Thygesen is gevonden, Jekaterina, oftewel Katka, Orestovna Grossu was en dat ze waarschijnlijk uit Moldavië afkomstig was. Hoop dat jullie iets aan deze informatie hebben. Tot ziens."

Het probleem is dat alle telefoongesprekken kunnen worden getraceerd tot degene die heeft gebeld. Of hij nu een gewone telefoon of een mobiele gebruikt, maakt in dit geval niets uit.

Maar hij kan vanuit een cel bellen. Een telefooncel! In Bærum? Alleen bejaarde nostalgiefreaks zouden op het idee komen om in de buurt van Haslum van een telefooncel gebruik te willen maken. En als ze het zouden proberen, zouden ze al snel tot de ontdekking komen dat er van die cel niet veel over was, of dat er, ook al zijn er nog een buis en een leiding, geen zoemtoon meer is, en als er tegen alle verwachting in toch een zoemtoon is, is het onmogelijk om er een kaart in te steken of een munt in te gooien, omdat de opening voor de kaart of de munt met kauwgom is dichtgeplakt.

Dan is het een betere oplossing om een brief te schrijven op een diskette en de tekst in een of ander kantoor te laten afdrukken. Dat moet hij doen, maar het moet tot na het weekend wachten.

Hij is in oorlog met de Finnen, hij is in oorlog met Peterson en met Kingo. Hij kan niet, als een tweede Napoleon of Hitler, op alle fronten tegelijk oorlog voeren.

Gerhard Ryland gaat de tuin in om een frisse neus te halen. Het is een overwoekerde tuin, die beter zou moeten worden bijgehouden. In de haag met de dennenbomen, die zijn perceel – dat van Natasja én hem, hij mag haar nooit vergeten – afscheidt, is een bruin waas gekomen. Diverse takken hebben bruine naalden. Voor dat fenomeen bestaat beslist een materiële, natuurwetenschappelijke verklaring, die hem geen lor interesseert.

"Katka Orestovna", zegt hij zachtjes. "Vrede zij met je."

Ineens draait Ryland zich om, haalt in de kelder een breekijzer uit zijn gereedschapskist, gaat naar de slaapkamer en breekt de la van Natasja's nachtkastje open, waarin ze haar dagboeken bewaart. Die zijn geheim voor de grote boze buitenwereld, maar niet voor hem. Ze heeft hem vaak gevraagd haar eruit voor te lezen, om met een vrouwenlist te testen of hij zijn Russisch wel bijhoudt.

Hij vindt het boek uit 2000 en bladert tot hij bij 18 december is, de dag dat ze in Athene aankwamen, vindt daar niets, bladert verder tot de 19e. Daar ziet hij de naam Katka.

Beneden in zijn bureau lukt het hem met behulp van het Russisch-Noorse woordenboek de tekst te vertalen, en hij noteert:

> *'Mooie, bruinogige Katka Orestovna uit de kapsalon vertelde me dat ze gedwongen was te vluchten. De maffia uit Kisjinew is in Athene aangekomen. De bandieten willen haar tot pros-*

titutie dwingen. Ze zijn juist op haar uit omdat ze uit een "foute" familie komt. Een familielid (oom, oudoom? Ik herinner het me niet) moet onder het oude (goede! Beter dan het huidige, waaronder iedereen honger lijdt in wat ooit de voorraadschuur van de Sovjet-Unie was) regime iets hoogs zijn geweest. "Ik wil geen hoer worden", zei Katka. "Kom naar Noorwegen", zei ik. "Wij – ik, mijn man en de hele natie – beschermen vrouwen." Ik gaf haar ons adres en 100 Amerikaanse dollar (dat akelige geld!), zodat ze wat voor de reis had. Ik durf Gerhard niet om nog meer te vragen. Hij wil naar de Akropolis, en dat terwijl het regent en we er al eens eerder zijn geweest. Vadertje is koppig als een ezel! Hij is wezen winkelen! Een van die zeldzame gelegenheden! Hij heeft twee platen van Mikis Theodorakis gekocht en een das. Die zag er saai uit, maar hij stond hem goed. Ik zou niet zoveel Turks fruit moeten eten.'

Ryland kijkt in de Times-atlas van 1986 en ontdekt dat Kisjinew de grootste stad was in wat destijds, volgens de Engelse schrijfwijze, Moldaviya genoemd werd.

De stukjes vallen op hun plaats. Hij zou die stukjes aan de politie moeten doorgeven, maar dat kan hij niet opbrengen. Nu denkt hij niet in de eerste plaats aan het belang van het land, maar aan dat van Natasja. Hij moet er niet aan denken hoe ze bij een politieverhoor zou reageren.

20

Thygesen ontdoet een paar dennentakken van bruine naalden, die uitvallen zodra hij ze even aanraakt. Hij ziet een man, een jongeman, in een leren mantel met een schipperspet op zijn hoofd over de Bestumvei komen. De panden van zijn lange jas wapperen in de wind.

"Mogelijk object nadert", zegt Thygesen in de walkietalkie, en hij vindt dat zelf quasi-militair klinken.

"Die kerel in die Gestapo-jas?" vraagt Larsson.

"Ja."

"Ik hou me op de vlakte tot we zien of hij iets in de bus stopt."

De jongeman loopt regelrecht naar de brievenbus bij het hek, blijft niet staan om rond te kijken, ziet Thygesen hoog boven op de ladder in het bosje dennenbomen niet, haalt een envelop tevoorschijn, doet de bus open en laat de envelop er met een nonchalante beweging inglijden.

Larsson is de auto uit gekomen. In zijn handen glinstert iets metaalachtigs. Hij besluipt de jongeman van achteren.

Voordat die doorheeft wat er gebeurt, is hij met een handboei aan het smeedijzeren hek vastgeklonken.

Dat heeft Gunvald Larsson verbazend lenig en professioneel gefikst, en dat met zo'n grote kerel, denkt Thygesen.

"Wat is dat, verdomme!" roept de arrestant, en hij draait zich naar Larsson om, die met zijn handen in zijn zij staat te grijnzen. "Ben jij een terrorist, of zo?"

"Politie", zegt Larsson. "Als er iemand hier een terrorist is, ben jij dat wel."

Thygesen vindt dat hij het zich kan veroorloven om, terwijl hij de ladder afdaalt, "Beet!" in de walkietalkie te roepen.

"Hebben jullie ook al mensen in de bomen?" vraagt de geboeide man terwijl hij aan de handboeien rukt en probeert achteruit te trappen. Larsson doet elegant een stapje opzij.

Thygesen duwt het hek open, eigenlijk onnodig hard, zodat de man die eraan vastgeklonken is een onaangename ontmoeting met het gaas heeft, en steunt en vloekt.

"Hou je mond, zak!" zegt Thygesen. "Ik ben Vilhelm Thygesen, en ik woon hier. Wie ben jij, verdomme?"

"Legitimeer je", roept Larsson in het oor van de arrestant.

"Legitimeer je zelf! Als jij een juut bent wil ik het bewijs zien."

Larsson wappert even met zijn legitimatiebewijs en visiteert de man snel. Hij vindt alleen een Leatherman-etui aan zijn broekriem.

"Vertel wie je bent", commandeert Thygesen.

Er klinkt een naam, onduidelijk.

Larsson wipt de schipperspet af, grijpt een lok donker haar en dwingt het hoofd van de arrestant achterover. "Jij bent me het schoffie wel, hè?"

"Ik zei Thomas Gierløff, en zo heet ik echt. Mijn rijbewijs zit in mijn portefeuille in mijn binnenzak."

Larsson haalt de portefeuille tevoorschijn en bestudeert het rijbewijs. Thygesen maakt de envelop open die in de brievenbus is gestopt.

"Wat voor morbide rotzooi lever je vandaag af, Gierløff?" zegt hij.

"Als vertegenwoordiger van P.P. Productions herhaal ik mijn aanbod voor een rol in een videodocumentaire."

"Hartelijk bedankt", antwoordt Thygesen. "Ben jij kapitein Paw-Paw, of dokter Papaja, of ben je misschien allebei?"

"Ik ben Paw-Paw, de kapitein. Mijn grootvader was kapitein bij Wilhelmsen Lines. Mijn vriendin is Papaja. Zij heeft een tijd met haar moeder in Afrika gewoond en weet alles over tropische vruchten."

"O ja?" zegt Larsson, en hij neemt de brief van Thygesen aan. "Ik zie dat je hier tropische vruchten hebt getekend, ja. Maar ik zie ook dat er een naakte vrouw met een mes in haar buik is getekend, en ik lees dat jullie bewapend zijn en vijf kilo amfetaminen verlangen."

"Hetzelfde zieke gewauwel als de vorige keer", zegt Thygesen.

"Ik denk dat we dat mes maar in beslag moeten nemen", zegt Larsson, en hij trekt de Leatherman van de riem. "Ik zie dat je een kleurenfoto op de brief hebt geplakt van een vrouw die vermoord is."

"Het is een andere foto dan de vorige keer", zegt Thygesen. "Dit is een close-up van Picea."

"Je bent ons een verklaring schuldig", zegt Larsson.

"Ik ben kunstenaar", zegt Gierløff.

"Dat verklaart verdomde weinig. Wij zien je liever als een kloterige afperser. Het laagste van het laagste van alle criminelen."

"Ik ben videokunstenaar en woon in de kunstenaarskolonie op Ekely."

"Het feit dat iemand in een kunstenaarskolonie woont maakt hem nog niet tot kunstenaar", zegt Thygesen.

"Ik beroep me op de vrijheid van de kunst."

Thygesen slaat Gierløff met zijn vlakke hand in zijn gezicht.

"Hij slaat me, hij sláát me!"

"Dat was alleen maar een kleine oorvijg, zodat je nadenkt voor je iets zegt", zegt Larsson.

"Stomme idioot!" roept Thygesen. "Je hebt met dat achterlijke videogedoe van je waarschijnlijk een onschuldige vrouw de dood in gejaagd. En als haar foto in de krant komt, dan probeer je nog van haar dood te profiteren ook! Je kunt die vrijheid van de kunst in je reet steken."

"Dergelijke taal had ik van een advocaat niet verwacht", zegt Gierløff, en hij probeert hautain te kijken. "Dat voorval met die vrouw was voor mij een schitterende gelegenheid om een documentaire te maken. Ik had unieke opnames van haar uit de trein uit Kopenhagen, terwijl ze nog in leven was. En dan blijkt dat ze vermoord is, dat zij de vrouw was die hier in de tuin is gevonden. Over dergelijke *footage* hebben niet veel filmmakers de beschikking gehad."

"Zei hij 'fetisj'?" vraagt Larsson.

"Hij zei 'footage'. Dat is Engels voor 'ruw filmmateriaal', voorzover ik weet", antwoordt Thygesen. "Wie heeft een dilettant als jij op Ekely toegelaten?"

"We huren een atelier bij de tante van mijn vriendin; die is langdurig ziek", zegt Gierløff. "Ik verzoek jullie om mijn vriendin, en haar tante, hierbuiten te laten."

"Edvard Munch zou zich in zijn graf hebben omgedraaid", zegt Thygesen.

"Wat heeft Munch hiermee te maken?" vraagt Larsson.

"Hij was tot aan zijn dood in 1944 de eigenaar van Ekely. Na de oorlog werd het een kunstenaarskolonie. Het ligt hier niet ver vandaan. Zeg eens, Gierløff, wat heeft jou op dat geniale idee gebracht dat ik kilo's amfetamine uit de buik van die dode zou hebben gesneden?"

"Ze wekte de indruk dat ze een drugskoerier kon zijn. Daarom besteedde ik in die trein zoveel fotografische en filmtechnische aandacht aan haar. Toen de douane kwam, verdween ze naar de wc. Ik nam aan dat ze daarheen ging om de zakjes met drugs door te slikken."

"Als er al iemand in die trein drugs slikte", zegt Larsson, "dan was dat wel jouw vriendin. Ze moest zelfs naar het ziekenhuis om haar maag leeg te laten pompen en tegengif te krijgen, omdat ze bij aankomst in Oslo bewusteloos was. Was je dat vergeten?"

"Dat waren alleen maar wat kalmerende middelen", zegt Gierløff.

"Oké, Thygesen", zegt Larsson, "ik geloof dat we geüniformeerde versterking moeten halen, meneer de videokunstenaar in de cel moeten zien te krijgen en de officier van Justitie moeten vragen ons te helpen met de aanklacht."

"Ik heb ook recht op juridische bijstand", zegt Gierløff.

"Je kunt proberen mij in te huren", zegt Vilhelm Thygesen.

Ragnhild Skammelsrud, die er trotser op is dat ze uit een geslacht van keuterboeren uit Rakkestad stamt dan dat ze verre familie is van een van de beste voetballers die Noorwegen ooit heeft gehad, rijdt de poort van de gevangenis in Trøgstad binnen. Het is zaterdag en er heerst rust in de instelling waar ze werkt. Een grote vorkheftruck, die na werktijd nog planken vervoert, verspert haar een tijdje de weg naar het kantoorgebouw waar ze, als maatschappelijk werkster, een van de betere kantoren heeft. Een eenmanskantoor, zoals dat in de handboeken van het gevangeniswezen heet. Een eenvrouwskantoor, noemt Skammelsrud het.

Ze is in een sombere bui. Het nieuws van de dood van Øystein Strand heeft haar erg aangegrepen. De gevangenis van Trøgstad zit vol jongemannen van de straat uit de steden in Østfold, plus een enkele oudere dronken automobilist of chequevervalser. Gewetensvol besteedt ze haar tijd aan iedereen die bij haar komt, maar met de jaren heeft ze sterk het gevoel gekregen dat het werk dat ze doet Sisyfusarbeid is: ze rolt slechts stenen heuvelopwaarts, waarna ze vervolgens weer naar beneden rollen en nog dieper vallen.

Øystein Strand leek een uitzondering te zijn op die Sisyfus-regel. Een fantast en een warhoofd, dat wel, maar ook iemand met een *open mind*, een ontvankelijke ziel. Als je dagelijks parels voor de zwijnen gooit, ben je al tevreden als de parels eens een vogel treffen, ook al is het een naprater van een papegaai.

Toen ze zich van de schok na het bericht over Strands dood had hersteld, herinnerde ze zich zijn brief; met een schalkse maar toch serieuze uitdrukking had hij die bij haar afgegeven. Op de envelop stond: OPENMAKEN ALS JE BANZAI-PLANT IETS OVERKOMT.

Skammelsrud doet haar archiefkast open. Ze vindt de brief in de map met de S, pakt een zilveren briefopener, die ze bij enigszins plechtige gelegenheden gebruikt, ritst de envelop open – Strand heeft zelfs de moeite genomen hem met lak te verzegelen – en zet haar leesbril op:

> *Beste Ragnhild S(ocialist)! Ik ben nu weer vrij om te gaan en te staan waar ik wil, zoals dat heet. Je hebt me gewaarschuwd voor de gevaren van die vrijheid, en die zijn groter dan jij beseft. Mocht mij iets overkomen, dan moet je weten dat ik een gewaagd spel heb gespeeld om een rechtvaardige verdeling van bepaalde goederen te bewerkstelligen ten gunste van een bepaalde vriendenkring van me. De Samurais, je weet wel. Maar het kan zijn dat zij mijn ijver, mijn positieve creativiteit en mijn energieke uitstraling verkeerd begrijpen. Daarom kan het gebeuren dat ze proberen mij 'tot zwijgen te brengen', omdat ze denken dat ik een verrader ben. Mochten ze dat doen, dan zit daar – en dat moet onder ons blijven, Ragnhild S.! – waarschijnlijk Leif A. Borkenhagen, de chef van de Samurais achter. Je moet ook weten dat er een maatschappelijk topfunctionaris bij mijn spel is betrokken, een zekere Gerhard Ryland, de directeur van het nationale oliefonds.*

Het kan zijn dat hij zich in het nauw gedreven voelt en minder goede bedoelingen met mij heeft. Mocht er iets gebeuren, dan moet je de politie waarschuwen en vertellen dat ik kan bewijzen dat Ryland het achter de ellebogen heeft en het op een manier met vrouwen hield, die jij, naar ik aanneem, zult verafschuwen. Maar het loopt vast allemaal als een trein/perfect. Groeten Øystein S(uperman).

Is er dan geen enkel eerbaar en fatsoenlijk mens meer in dit land, denkt Ragnhild Skammelsrud terwijl ze een telefoonnummer kiest. Gerhard Ryland, in de jaren zestig nog een partijgenoot van haar in de Sosialistisk Folkeparti. Stapte in 1973, toen Sosialistisk Venstre werd gevormd, over naar de Arbeiderparti, omdat hij niet met oud-communisten in dezelfde partij wilde zitten, ook al was hij zelf een fan van de Sovjet-Unie. Maar hij bleef de grondslagen van de partij meer trouw dan de meeste leden, en hij was zo integer en onafhankelijk dat de rechtse regering-Bondevik, tot ergernis van het dagblad *Aftenposten* en de financiële pers, hem, die sociaal-democraat, tot directeur van het nieuwe oliefonds benoemde. Een fonds dat zijn geld niet in milieuonvriendelijke mijnbouw in Nieuw-Guinea mocht steken, maar moest proberen om een vangnet voor de Noorse industrie te vormen.

"Is dit de recherche?" vraagt Skammelsrud.

"Ja, dat klopt", antwoordt een jonge stem.

"Ik werk in de gevangenis in Trøgstad, maar ik heb niet zoveel ervaring met de politie. Ik geloof dat ik belangrijke informatie heb en de dienstdoende commandant moet spreken."

"U krijgt Vaage van de informatiedienst. Een ogenblikje."

Vaage heeft haar uniform aangeschoten en voor een zogenaamde 'opvallende' auto gekozen. Met het zwaailicht aan om de vijand bang te maken stuift ze de Anton Tschudisvei in Haslum in. Aangezien Stribolt in Halden is en niemand anders in Oslo de zaak beter kent dan zij, heeft ze bij de informatiedienst iemand weten te regelen die voor haar invalt en is ze er zelf op afgegaan.

Ze heeft niet eens tijd om aan te bellen, want er staat al een man in de deur, die ze kent uit de krant.

"Ik heb jullie zien komen", zegt Gerhard Ryland. "Het moet toch mogelijk zijn om iets discreter te werk te gaan?"

"Neemt u me niet kwalijk", zegt Vaage, "maar we zitten tot aan onze nek in een moordonderzoek, een zaak waarbij vele doden te betreuren zijn. We hebben weinig tijd en kunnen ons niet al te veel met formaliteiten bezighouden."

"Ik moet me ook verontschuldigen", zegt Ryland. "Ik had eerder contact moeten opnemen met de politie. Maar ik moest met zwaarwegende belangen rekening houden."

"Die zijn er niet meer. Nu is de waarheid het enige zwaarwegende belang waarmee rekening gehouden dient te worden."

"Ik kan misschien iets bijdragen. Ik geloof dat ik weet wie ze was, die vermoorde vrouw die eerder deze winter bij Vilhelm Thygesen werd gevonden."

"En wie was ze?" vraagt Vaage. "Naar die informatie zijn we al maandenlang op jacht."

"We hoeven hier niet op de stoep te blijven staan. Kom binnen."

Vaage aarzelt. Als de directeur van het oliefonds een vrouwenmoordenaar is, zou ze voorzichtig moeten zijn. Ze heeft impulsief gehandeld. Het is dwaas van haar om alleen uit te rukken, zonder begeleiding.

"Ik ben geen geweldpleger", zegt Ryland.

"Dat zeggen alle geweldplegers voordat ze met de bijl zwaaien. Straks komen er nog meer dienstauto's en politiemensen. Wie was de vermoorde, en waar kende u haar van?"

Vaage doet een paar stappen de hal in, waar een kleed ligt dat er verdacht namaak-Perzisch uitziet.

"Laten we naar mijn werkkamer gaan", zegt Ryland. "De bibliotheek, zoals mijn vrouw die noemt."

"Zodat ik door de butler gewurgd kan worden?"

Ryland lacht als een man die niet gewend is om te lachen – met samengeknepen lippen: "Misschien ben ik een soort missing link in jullie onderzoek?"

"Ja, dat kun je wel stellen."

"Zegt de naam Katka Orestovna Grossu u iets?"

"Nee", antwoordt Vaage, "helemaal niets."

"Dan heb ik waarschijnlijk belangrijke informatie. Is het trouwens strafbaar als je een chantagepoging die tegen jezelf is gericht niet aangeeft?"

"Dat moet u de juristen vragen. Zei u Katka?"

Ryland antwoordt bevestigend.

"Katka", zegt Vaage. "Dat is een Russische roepnaam, net als Vanja."

"Hoezo?"

"Ben ik vergeten mijzelf voor te stellen?" vraagt Vaage, terwijl Ryland de deur van zijn werkkamer opendoet.

21

Vaage en Stribolt zitten buiten op het terras op de tweede verdieping van het recherchegebouw. De Noorse hoofdstad vlagt naar aanleiding van 17 mei, de nationale feestdag.

Stribolt haalt nog een kan koffie in de feestdagstille kantine. De man die ze op Gardermoen moeten afhalen, landt pas om tien over vier. Ze dachten dat hij om tien voor een zou aankomen, maar dat berustte op een misverstand door een van de faxen uit Kisjinew. Het tijdstip van tien voor een bleek de vertrektijd te zijn van de vlucht van Finnair vanuit Moskou via Helsinki naar Oslo. De wachttijd hebben ze benut voor een terugblik op de zaak-Picea, of -Katka, zoals ze hem nu zouden moeten noemen.

"Ik vind het nog steeds onacceptabel dat Ryland ons onderzoek heeft gehinderd", zegt Stribolt terwijl hij koffie inschenkt. "Hij verdient het te worden aangeklaagd voor zijn poging om bewijzen achter te houden."

"Integendeel", zegt Vaage, "hij verdient eerder een medaille voor het aandragen van bewijsmateriaal dat van doorslaggevende betekenis bleek te zijn en identificatie mogelijk maakte. Niemand is verplicht om een amateuristische poging tot chantage aan te geven. We mogen eerder blij zijn dat niet iedereen die het slachtoffer van een dergelijke poging is direct naar de politie holt, maar dat sommigen volwassen genoeg zijn om de zaak zelf te regelen."

"Hij heeft een eeuwigheid achtergehouden wat hij over Katka wist."

"Dat is niet helemaal waar. Hij reageerde zo snel als hij kon toen hij, heel oplettend, dacht dat de vrouw die in Noorwegen was vermoord iemand kon zijn die hij een paar seconden in een kapsalon in Athene had gezien. Dat hij de tijd nam om thuis de foto's te controleren kan niemand hem kwalijk nemen."

"Jij als feministe, Vanja – nou ja, een soort feministe – jij zou de manier waarop Ryland zijn vrouw behandelt toch afschuwelijk moeten vinden? Wat is dat voor een man die probeert te voorkomen dat de recherche zijn vrouw ondervraagt in een moordzaak waarbij ze de status van getuige heeft? Hij behandelt haar als een huisdier."

"Natasja Ryland is een teer plantje. Je moet niet vergeten dat ze een oorlogsslachtoffer is."

"Heeft zíj in de loopgraven rond Leningrad gevochten?" vraagt Stribolt.

"Er zijn tijdens het beleg van de stad een miljoen mensen omgekomen. Denk je niet dat de vrouwen en kinderen het net zo zwaar te verduren hadden door honger en ziekte als de mannen die aan de frontlinie standhielden tegen de Duitsers door kogels en granaten? Het is een typisch mannelijke opvatting dat alleen de soldaten aan het front in een oorlog gewond raken."

"Oké, daar heb je gelijk in."

"Laat de juristen maar over eventuele juridische stappen tegen Ryland bekvechten", zegt Vaage.

"Dat zeg je alleen maar omdat onze mierenneukers er eindelijk eens toe geneigd zijn jouw kant te kiezen."

"Zullen we niet liever een toast uitbrengen op wat we hebben bereikt?"

"Ik breng nooit een toast uit met koffie", zegt Stribolt.

Vaage tovert een gele fles en twee kartonnen bekertjes uit haar tas tevoorschijn.

"Wat is dat voor troep?" vraagt Stribolt.

"Advocaat. Op 17 mei hoor je een glaasje advocaat te nemen. Dat deden we thuis in Træna altijd. Mijn moeder klutste de eieren en pa ging naar het boothuis om de kan te halen, en daarna had je de poppen aan het dansen."

"Advocaat. Die heb je vast gekocht ter ere van advocaat Thygesen."

"Thygesen krijgt een fles goede whisky voor alles wat hij door onze ongegronde verdenkingen heeft moeten verduren."

Vaage schenkt in.

"Proost, dat overste K.O. Grossu maar een goede landing in Noorwegen mag hebben", zegt ze. "Trouwens, waar zat hij precies voor zijn pensionering, denk je? Ik gok de KGB, of het oude sovjetleger. Dat je ondertekent met alleen je initialen en niet met je hele voornaam doet zo ouderwets Russisch aan."

"Dat kunnen we hem vragen. Maar ik geloof dat we hem maar

met rust moeten laten, totdat hij haar geïdentificeerd heeft."

"Dan een toast op de dochter van de overste, Katka, die helaas een ongelukkige landing in Noorwegen had."

"Proost."

"Het is toch verschrikkelijk dat een jonge vrouw die sociale antropologie heeft gestudeerd als kapster in het buitenland eindigt, alleen omdat haar vaderland zo ongelooflijk arm is geworden?" zegt Vaage.

"Wat is er verkeerd aan een kapster?"

"Je begrijpt wel wat ik bedoel. Denk je echt dat Katka in de prostitutie in Athene is beland, of zou ze gevlucht zijn voordat de gangsters haar daartoe konden dwingen?"

"We hebben geen ander aanknopingspunt dan wat onze Griekse collega's zeggen. Als zij beweren dat de meisjes van de salon in het Holywell de hotelgasten op alle mogelijke manieren bedienden, dan moeten we dat misschien aannemen. Zegt de romantitel *De kolonel krijgt nooit post* je iets?"

"Nee, niets."

Stribolt vertelt over het boek van Gabriel Garcia Marquez. Hij had het tevoorschijn gehaald en herlezen toen de recherche ten slotte Katka Orestovna Grossu's enige familielid in Moldavië had gevonden, en toen bleek dat dat haar vader was en dat hij een overste b.d. was.

"Ik beschouw hem als een overste die nooit meer post krijgt", zegt Stribolt.

"We moeten hem maar vriendelijk ontvangen, wat voor mens hij ook is."

"Is de tolk geïnformeerd over de juiste aankomsttijd?"

"Alles in orde. Ze komt, en ze is een van de betere. Niet zo iemand die de hele show probeert te stelen. Ik moet toegeven dat ik vreselijk nieuwsgierig ben naar wat de oude man over zijn dochter te vertellen heeft."

"Heb je nog meer van die zoete troep?"

Ze proosten omdat Bård Isachsen vier weken voorarrest heeft gekregen. Dat hadden er volgens de officier van Justitie acht moeten zijn, aangezien Isachsen bovendien bekende in opdracht van Leif André Borkenhagen Øystein Strand en Terje Kykkelsrud min of meer bespioneerd te hebben.

"Proost voor Larsson omdat zijn loodgietersgeintje een onverwachts gelukkig einde heeft gekregen", zegt Stribolt. "Of wacht, laten we liever een toast uitbrengen op de rechter-commissaris die Thomas Gierløff doorhad en hem twee verdiende weken voorarrest heeft gegeven."

"Het heeft onze zaak ongetwijfeld gediend dat Gierløffs advocaat niet ingreep toen hij zei dat dat hele gedoe met die bedreiging van Thygesen een practical joke was", zegt Vaage.

"Wat mij vooral beviel, was dat al dat coole advocatengelul over vrijheid van meningsuiting in de kunst geen indruk maakte op die rechter. Als grove en banale dreigementen tot kunst worden verheven, kunnen we onze koffers wel pakken. Doe je mee aan een toast op onze uitstekende getuige Hege Dorothy Rønningen?"

"Dotti de la Motti?" grijnst Vaage. "Ben je erachter gekomen wat *motti* betekent?"

"Het komt uit de militaire geschiedenis en het is een uitdrukking die de Finnen tijdens de Winteroorlog gebruikten voor plekken waar ze de Russen hadden omsingeld. Het Finse woord *motti* betekende oorspronkelijk 'houtstapel'. Dotti Rønningen zegt dat ze motti alleen als rijmwoord heeft verzonnen.'

"Maar kom, we laten de privé-sfeer voor wat die is", zegt Vaage.

"We hebben bijna een moord opgelost, maar we hebben geen moordenaar opgepakt. De Samurai die we waarschijnlijk terecht verdenken, is als een dief in de nacht verdwenen", zegt Stribolt, en hij staart naar de heuvels ten westen van Oslo, alsof Terje Kykkelsrud zich daar verborgen zou houden. Er wordt zo'n intensieve jacht op Kykkelsrud gemaakt dat hij zonder te overdrijven als een van Europa's meest gezochte misdadigers kan worden beschouwd. Maar hij lijkt van de aardbodem verdwenen.

De man die door de douane op Gardermoen komt, ziet er echt uit alsof hij een overste in het sovjetleger is geweest. Hij heeft zijn witte haar zo gekamd dat het recht overeind staat, misschien om iets langer te lijken – hij is nogal klein van stuk. Hij heeft een zonnebril op. Zijn pak is net zo donkerblauw als het pak van Stribolt ter ere van 17 mei, maar het heeft een hoekiger snit.

Toen de landing van het Finnair-toestel op het aankondigingsbord verscheen, zei Vaage dat ze een kartonnen bordje bij zich hadden moeten hebben met WELCOME MR. GROSSU erop. Ze kregen voor zijn aankomst de tijd niet meer om het te maken, en het bleek ook niet nodig.

Hij moet het gewend zijn om politieagenten in burger uit een menigte te pikken, want hij loopt meteen op Vaage en Stribolt af, steekt een hand uit, drukt de hunne stevig en steekt een bruine sigaret met een witkartonnen mondstuk op. De tolk komt net op tijd. Ze was bang dat Grossu geen Russisch sprak maar Roemeens, aangezien Moldavië altijd een politieke speelbal tussen Roemenië en Rusland is geweest. Ze gebaart dat hij zijn sigaret moet uitmaken.

K.O. Grossu spreekt Russisch, en wel zo dat zelfs de twee rechercheurs, die geen woord van die taal verstaan, begrijpen dat het Russisch is. Het is alsof de overste bij zijn aankomst in Noorwegen een enorm salvo afvuurt.

"Hij zegt dat hij niet begrijpt waarom het in zo'n grote en ruime hal verboden is te roken", zegt de tolk.

"Zeg maar dat daar volgens ons iets in zit", zegt Stribolt, "maar dat we naar buiten moeten om er samen een op te steken."

Buiten in de frisse lucht gaat de overste in 'geef acht'-houding staan. De tolk zegt dat hij een korte verklaring wil afleggen.

De overste spreekt: "Mijn dochter Jekaterina, die al meer dan drie maanden werd vermist, blijkt naar alle waarschijnlijkheid door Noorse misdadigers te zijn vermoord. Ik ben hiernaartoe gekomen om het lichaam te identificeren dat hoogstwaarschijnlijk het hare is. Als mijn Katka hier in Noorwegen in het lijkenhuis ligt, weet ik zeker dat ze zich niet zonder slag of stoot heeft overgegeven, maar dat ze tot haar laatste snik tegenstand heeft geboden. Ongelukkige omstandigheden, die een politieke analyse vereisen, die ik nu niet ten beste zal geven, dwongen haar haar vaderland te ontvluchten en haar geluk in het buitenland te beproeven. De maffia uit Kisjinew probeerde haar te dwingen een onfatsoenlijk beroep uit te oefenen. Dat zou de gangsters nooit gelukt zijn, want ik zweer er een eed op dat Katka eerder hen of zichzelf had omgebracht dan prostituee te worden. Als de

Noorse politie ooit met 'onze' maffia te maken krijgt, moeten jullie weten dat die is voortgekomen uit de burgerij; het is een alliantie van burgerlijke elementen en elementen uit het lompenproletariaat, die zich voedt aan de borst van de burgerij en het verdient te worden vernietigd. Ik wil de Noorse politie bedanken voor alles wat ze hebben gedaan om deze zaak op te lossen, en ik hoop dat de schuldigen de strengst mogelijke straf krijgen die volgens de wet mogelijk is."

Midden in dit betoog ging Stribolts gsm. Hij zette hem bliksemsnel uit. Terwijl ze naar de trein lopen, checkt hij wie er gebeld heeft. Het was de informatiedienst van de recherche. Hij belt terug.

"De gezochte Terje Kykkelsrud is gevonden", zegt Haldorsen van de centrale meldkamer.

"Levend?"

"Zwaargewond, misschien zelfs levensgevaarlijk. Hij ligt in het ziekenhuis van Mora in Zweden en is zojuist uit een coma ontwaakt."

Volgens Haldorsen zou het het beste zijn als Stribolt zo snel mogelijk naar Mora zou vertrekken om hem te verhoren. De Zweedse politie heeft van de artsen in het ziekenhuis te horen gekregen dat Kykkelsrud elk moment weer in een coma kan terugvallen.

Stribolt legt Vaage de situatie uit.

"Het is het best dat ik de auto neem en er meteen vandoor ga", zegt hij.

"Ga maar", antwoordt Vaage. "Je rijdt vast beter dan anders met advocaat in je bloed."

Tegen de tolk zegt Stribolt: "Verklaar de overste maar dat onze hoofdverdachte in ons buurland Zweden gevangen is genomen en dat ik daar nu meteen naartoe moet om hem te verhoren."

Overste K.O. Grossu neemt dit nieuws met een strakke glimlach in ontvangst en laat de zijkant van zijn hand langs zijn keel glijden. Hij constateert dat ook de Noorse politie het internationale teken voor liquidatie begrijpt.

Stribolt is eerst via Kongsvinger naar Torsby gereden, toen door het Tienmijls-bos van Torsby naar Malung en daarna nog eens door tientallen kilometers bos, tot hij eindelijk vanaf de heuvels boven het Silja-meer Mora voor zich ziet liggen. In de late avond ziet de stad eruit als een glinsterend sieraad, de wildernis in geslingerd door een reus die door de landstreek Dalarna op de vlucht is.

Hij belt zijn collega bij de politie van Mora, een agent die Krantz heet, en wordt naar het bureau aan de Millåkersgata gedirigeerd. Krantz wacht buiten in een Volvo van de politie en rijdt voor Stribolt uit naar het ziekenhuis.

Voordat ze naar binnen gaan, wil Stribolt eerst een sigaret opsteken en een paar vragen stellen.

"Waarom heeft het zo lang geduurd voordat jullie hebben gemeld dat jullie de man hadden die wij zochten?"

Krantz antwoordt dat hij met vakantie was en niet meer weet dan wat er in de aantekeningen staat. De politie van Mora is op 12 mei in alle vroegte uitgerukt, nadat ze de melding hadden gekregen dat er bij het meer Fågelsjön, op rijksweg 45 tussen Mora en Sveg, een ernstig verkeersongeluk was gebeurd. Op de plaats van het ongeluk stond een vrachtwagen met een lading hout in brand. De chauffeur verklaarde dat een motor van achteren tegen de geparkeerde wagen was gereden, er toen onder was gegleden en daar in brand was gevlogen. De chauffeur had de ogenschijnlijk levenloze motorrijder uit de vlammen getrokken en geprobeerd het vuur met zijn handblusser te blussen, maar zonder succes.

Toen de zwaargewonde, bewusteloze motorist bij de spoedopname kwam, vonden ze een legitimatiebewijs in zijn portefeuille. Uit dat Noorse rijbewijs viel op te maken dat de man Henrik Lindberg heette en dat hij in Drammen woonde.

Routinematig werd daarom contact opgenomen met het politiedistrict Drammen. Daarop meldden de Noren dat de Henrik Lindberg die ze onder het betreffende adres in Drammen hadden al jaren geleden was gestorven.

Het bleek moeilijk aan het verzoek van de Noren om meer informatie te voldoen. De nummerborden van het verbrande motorwrak bleken bij een Kawasaki Ninja te horen, die op 10 mei in Karlstad als gestolen was gemeld.

Pas toen de patiënt bijkwam en vertelde wie hij was, werd de naam Kykkelsrud in het opsporingsregister gecheckt en werd er groot alarm geslagen.

Bij de receptie worden de beide politiemannen ontvangen door een arts, die zich voorstelt als dokter Khan en vertelt dat de ruggengraat van de Noorse patiënt op twee plaatsen is gebroken, dat hij een ongevaarlijk scheurtje in zijn schedel heeft en een scheur in een nekwervel, waardoor hij naar alle waarschijnlijkheid vanaf zijn middel verlamd zal blijven.

"Is Kykkelsrud van zijn toestand op de hoogte?" vraagt Stribolt.

Dokter Kahn antwoordt dat hij dat is, dat hij het slechts aan zijn goede conditie te danken heeft dat hij zijn ontmoeting met een lading hout heeft overleefd en behoedzaam verhoord dient te worden.

Stribolt wordt naar intensive care gebracht.

Het hoofd dat op een witteueksteun rust, wordt omlijst door een stalen frame. Het roodbebaarde gezicht doet denken aan een oude icoon. De ogen van de icoon zijn open en staren naar het plafond.

"Ben jij Terje Kykkelsrud?" vraagt Stribolt.

De opgezette lippen wijken iets vaneen. Een arm met een infuus erin beweegt even.

"Ja, en ben jij een Noorse smeris?"

"Inspecteur Stribolt van de recherche in Oslo."

"Je moet mijn mond met een natte doek natmaken als je wilt dat ik praat."

Stribolt doet wat hem gevraagd wordt en hij zegt: "Er is nog geen aanklacht tegen je ingediend, maar dit is een officieel verhoor, aangezien je verdacht wordt van moord op Øystein Strand en doodslag van een Moldavische vrouw met de naam Katka Orestovna Grossu.

"Zegt me niks, die laatste."

"Ze is waarschijnlijk in Halden vermoord. Het lijk is in Oslo gevonden."

Kykkelsrud probeert te knikken. Zijn gezicht vertrekt van de pijn.

"Er zal je ook gevraagd worden naar de moord op je kameraden Richard Lipinski en Leif André Borkenhagen", zegt Stribolt.

"Laten we beginnen, anders sterf ik nog voordat ik alles heb verteld."

"Je moet maar ho zeggen als je wilt pauzeren."

"Lips heb ik met een handgranaat te grazen genomen. Dat was zelfverdediging. Borken heb ik doodgeschoten. De jongens wilden me uit de weg ruimen."

"Waarom?"

"Omdat ik die vrouw niet in zee heb gedumpt en Beach Boy niet in het moeras heb begraven."

"Kun je de plaats delict beschrijven van de moord op de twee die je Lips en Borken noemt?"

"Verlaten plek aan een meer. Het Mälaren. Lips op de plek zelf. Borken in een huurauto er vlakbij."

"En het moordwapen, waarmee je beweert Borken te hebben doodgeschoten?"

"Een zwaar pistool. Een Walther, die Lips bij zich had. Heb ik later in een rivier gegooid."

"Geef je toe de remmen te hebben losgekoppeld van een Ninja-motorfiets waarmee Strand dodelijk is verongelukt?"

"Ja."

"Waar was dat?"

"The Middle of Nowhere. Bos van Våler. Kan zijn dat hij wist ... Meer water."

"Krijg je, maar ik moet snel antwoord hebben op de vraag of je betrokken was bij de moord op die vrouw in Halden."

"Niet bij de moord. Wel bij het transport uit Aspedammen."

"Wie heeft haar vermoord?"

"Borken. Hij was de man met het mes."

"Motief?"

"Hij dacht dat ze een koerier was die en Lips en hem probeerde te naaien."

Stribolt bevochtigt Kykkelsruds lippen. Dat roept een intimiteit tussen hen op die hij niet prettig vindt, maar die waarschijnlijk het verhoor ten goede komt.

Kykkelsrud doet zijn ogen dicht.

Stribolt schrijft iets op een notitieblok. Mocht Kykkelsrud voorgoed in de schemering verdwijnen, dan heeft hij in elk geval voor zijn dood in grote lijnen bijgedragen aan de oplossing van de moordzaak.

De ziekenhuisapparatuur ruist. Ergens vanuit het gebouw klinkt een gedempte kreet van pijn.

"Ga door", zegt Kykkelsrud zonder zijn ogen te openen.

"Je ontkent de moord op Katka Orestovna, maar ik begrijp dat je toegeeft haar te hebben weggevoerd. Waar heb je het lijk heen gebracht?"

"Thygesen. Zijn tuin."

"Waarom?"

"Om hem een loer te draaien, vanwege een oude vete tussen ons."

"Je zei dat het de bedoeling was om haar in zee te gooien."

"Dat was de opdracht van Borken. Maar ik wilde dat ze gevonden zou worden."

"Het is makkelijk om de schuld van de moord op iemand te schuiven van wie je weet dat hij dood is."

"Onzin", zegt Kykkelsrud, en hij doet zijn ogen open. "Je begrijpt toch verdomme wel dat ik besloten heb te bekennen? Tenminste, wat ik bekennen kán."

"Heeft Borkenhagen ook het bevel gegeven Strand uit de weg te ruimen?"

"Ja."

"Waarom?"

"Hij kon zijn mond niet houden. Een ziek plan om een rijke stinkerd te chanteren. Dat plannetje van die jongen zou de moord op die vrouw hebben kunnen verraden, en onze smokkelhandel."

"Smokkel waarvan?"

"Amfetaminen."

"Grote hoeveelheden?"

"Ach wat. Die smokkelarij is een druppel op een gloeiende plaat."

Dokter Khan komt kijken of het verantwoord is het verhoor voort te zetten. Kykkelsrud zegt dat hij door wil gaan, tot hij eventueel afnokt. Hij vraagt de dokter of hij een spuitje kan krijgen met zowel pijnstillers als iets stimulerends. Na enig soebatten krijgt hij dat.

Er gaan een paar rillingen door het grote lichaam onder het witte laken. Stribolt denkt: nu sterft de verdachte, maar na die aanval is Kykkelsrud fitter dan daarvoor.

"Ik heb een alibi voor de moordnacht in Halden", zegt hij. "Ik wil er niet van beschuldigd worden een vrouw te hebben afgeslacht."

Als alibi geeft Kykkelsrud op dat hij in het nieuwe zwemparadijs in Askim was. Op Stribolts vraag of een dergelijk zwemparadijs 's avonds open is, antwoordt hij dat je er tot middernacht terechtkunt; dat is om de jeugd te lokken, die graag wat flikflooit in het bad.

Hij was daar omdat hij van zwemmen houdt.

"Híéld, moet ik zeggen. Ik ben altijd een man op wielen geweest, en nu krijg ik ze straks onder mijn kont. De cycloop Kykke wordt een centaur in een rolstoel. Ze zullen zich mij in Askim nog wel herinneren, omdat ik met nog een andere man een kind uit het water heb getrokken dat op de bodem lag en beademd moest worden."

Na zijn bezoek aan het zwembad in Askim was Kykkelsrud door Borken op zijn mobiele telefoon gebeld. Hij kreeg te horen dat hij naar Aspedammen moest om iets uit het huis te halen dat de Seven Samurais in gebruik hadden. Toen hij daar met zijn motor aankwam en ontdekte dat het om een vrouwenlijk ging, belde hij om te protesteren.

"Toen zei Borken dat als ik haar niet opruimde, hij de juten in Halden zou bellen en ze zou vragen een kijkje in dat huis te gaan nemen. En dan zou ik met een vermoorde vrouw op mijn schoot worden gevonden. Ik zat klem. Door Aspedammen loopt maar één weg. De rest bestaat uit boswegen die zodra je wat dieper het bos in komt met slagbomen zijn afgesloten."

"Je handelde dus zowel uit loyaliteit ten opzichte van het MC-milieu waartoe je behoorde, als onder een zekere dwang?" vraagt Stribolt.

"Zo kun je het wel stellen."

"Dat zal ik noteren als een mogelijke verzachtende omstandigheid."

"Ik heb geen verzachtende omstandigheden nodig."

"Niet?"

"Voor mij is het zo klaar als een klontje dat ik kans maak op levenslang. Dat kun je niet ontkennen."

Deze bewering over de straf geuit door de verdachte zelf kan Stribolt inderdaad moeilijk ontkennen. In de VS zou Kykkelsrud kans maken op twee- of drievoudig levenslang, of nog erger.

"Hoe heb je die vermoorde vrouw vervoerd?" vraagt Stribolt.

"Ik ben naar Halden gegaan en heb in Brødløs een kleine bestelwagen gejat. Ik wist niet wat ik met haar aan moest en kwam toen op dat idee haar bij Thygesen te dumpen. Het leek te werken, want het heeft de politie goed in de war gebracht."

"Maar hoe kwam je erbij dat je niet gepakt zou worden voor die moord op Strand? Dat geknoei aan de remmen moest toch wel ontdekt worden? Alle sporen zouden in jouw richting wijzen."

"De waarheid is dat ik er de brui aan begon te geven. We zouden in Estland iets opzetten van het geld van die smokkelacties. Maar ik wilde ervandoor. Die hele klerezooi ontvluchten. Ik was op weg naar Finnmark om kluizenaar te worden in de wildernis toen ik dat ongeluk kreeg."

"Voordat je tegen die vrachtwagen bij het Fågelsjön-meer botste, had je ergens langs een landweg twee kameraden vermoord."

"Die verdienden het te sterven. Ze hebben geprobeerd mij in de val te lokken om me om zeep te helpen, maar ik had ze door. Toen werd het oog om oog, tand om tand."

"Ik denk dat we er nu wel een punt achter kunnen zetten en later vandaag verder kunnen gaan", zegt Stribolt. "Wil je nog er iets aan toevoegen?"

"Die jongen, die Strand. Ik geloof dat hij wel wist wat ik met die Ninja had gedaan. Dat hij begreep dat hij zijn kleine boog iets te strak had gespannen en dat de pees zou knappen."

"Je bedoelt dat Strand wist dat hij zich dood zou rijden?"

"Ik geloof het wel. Maar ik neem de verantwoordelijkheid op me. Ik heb een vraag: wie was die vrouw, die Katja, eigenlijk? Borken zei dat ze bijna zijn ogen uit zijn hoofd had gekrabd."

"Katka. Ze was een vluchtelinge uit Moldavië. Bepaalde omstandigheden brachten haar naar Noorwegen, omdat ze dacht dat ze hier veilig zou zijn."

"Wat voor 'omstandigheden'?"
"Ze werd waarschijnlijk bedreigd door de maffia", zegt Stribolt.
"Borken zei dat ze een goedkope hoer was."
"Een dergelijke bewering kan niet worden bevestigd."
"Hebben jullie haar familie geïnformeerd?"
"Ja. Haar vader is in Noorwegen om haar te identificeren. Weet jouw familie trouwens dat je hier ligt?"
"Ik heb geen familie die gewaarschuwd hoeft te worden."
"Bedankt voor je openhartigheid; je hebt een heldere verklaring afgelegd. Dat kan van voordeel voor je zijn."
"Ik ben niet uit op leuke voordeeltjes. Behalve één ding: als het echt zo slecht met me afloopt dat ik in een rolstoel terechtkom, denk ik dat ik in de gevangenis beter af ben dan erbuiten. Ze zeggen dat die nieuwe extra beveiligde gevangenis in Ringerike, waar die dealer Princ Dobroshi zit, allerlei aanpassingen voor rolstoelen heeft. Doe je een goed woordje voor me zodat ze me naar Ringerike sturen?"
"Ik zal zien wat ik kan doen", zegt Stribolt.
"Ik heb iets met het zenboeddhisme. Kun je je voorstellen hoe die jongens in Ringerike me zullen noemen als ze daarachter komen?"
"Nee."
"Dalai Lamme", zegt Terje Kykkelsrud.

Vanja Vaage is naar Bestum gereden om een fles Jameson te overhandigen.
Vilhelm Thygesen doet de deur open, neemt de fles aan en trekt zijn wenkbrauwen misprijzend op.
"Waar heb ik dat aan te danken, Vaage?"
"We hebben de opheldering van een zaak te vieren."
"Ik heb niet het gevoel dat dat iets is om te vieren."
"U hebt uw aandeel geleverd, en wij bij de recherche het onze."
Thygesen verklaart dat de oplossing van de moord op de diepgevroren vrouw naar zijn mening niet in de eerste plaats aan bekwaam politiewerk te danken is, maar aan onoverkomelijke tegenstellingen waardoor een mannencollectief uiteenviel.

"Daar zit wat in", zegt Vaage. "Maar wie telt op de dag van de overwinning de verloren slagen?"

"Ik drink geen Ierse whisky", zegt Thygesen.

Vaage had al bedacht dat het meebrengen van een fles whisky voor een man die alcoholproblemen heeft gehad, vergeleken kan worden met het uitgieten van benzine over een gloeiend vuurtje. Maar ze wist niets anders te bedenken. Misschien heeft ze hem wel beledigd met dat alcoholische cadeau?

"Ik ouwehoer maar wat", zegt Thygesen. "Ik heb ijs in de vriezer. Kom binnen, Nordlandse trompet, donkere bazuinengel van de Helgelandskust, om met onze zeventiende-eeuwse dichter Petter Dass te spreken."

"Hou je waffel", zegt Vaage, terwijl ze haar voeten veegt.